중등3-1

구성과 특징

대단원 도입

대단원별 학습 계획을 세워 자기주도학습을 할 수 있도록 하였습니다.

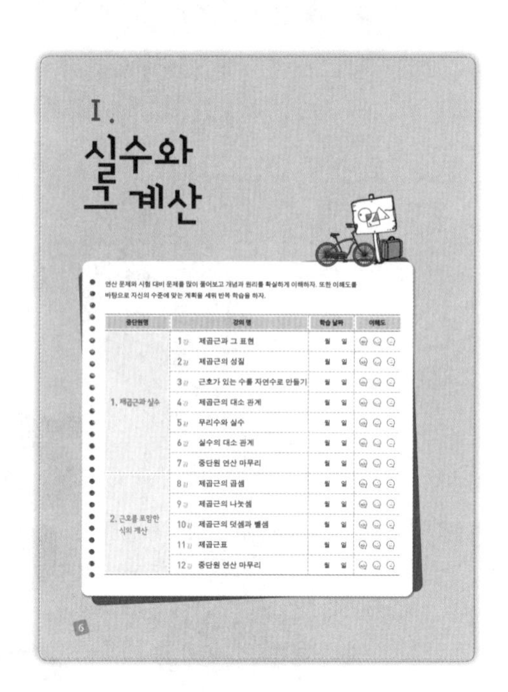

힘수 점검

연산을 다시 풀어보기

이전에 배운 내용 중에서 본 학습과 연계된 연산 문제를 제공함으로써 본 학습 내용을 쉽게 이해하고 수학의 흐름을 한눈에 볼 수 있도록 하였습니다.

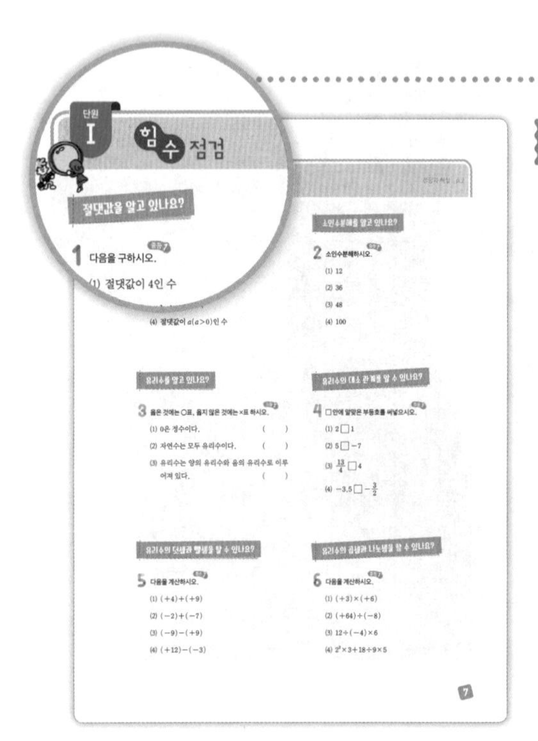

교과서 핵심 개념 이해

각 단원에서 교과서 핵심을 세분화하여 정리하였고 그 개념을 도식화, 도표화하여 보다 쉽게 개념을 이해할 수 있도록 하였습니다.

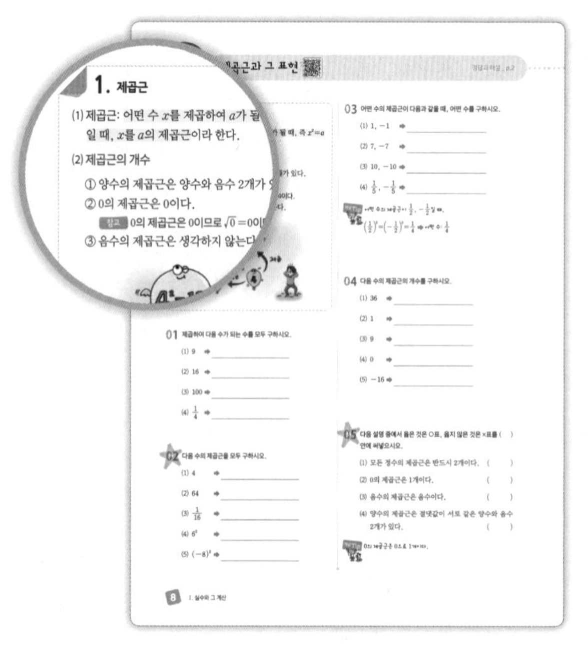

힘이 붙는 수학은

- 교과서 개념에서 나올 수 있는 연산 관련된 개념을 세분화해서 정리하여 공부할 수 있도록 하였습니다.
- 각 강마다 연산 문제를 2~4쪽씩 제공하여 많이 풀 수 있도록 하였고, 중단원마다 그 연산 문제를 반복할 수 있도록 하였습니다.

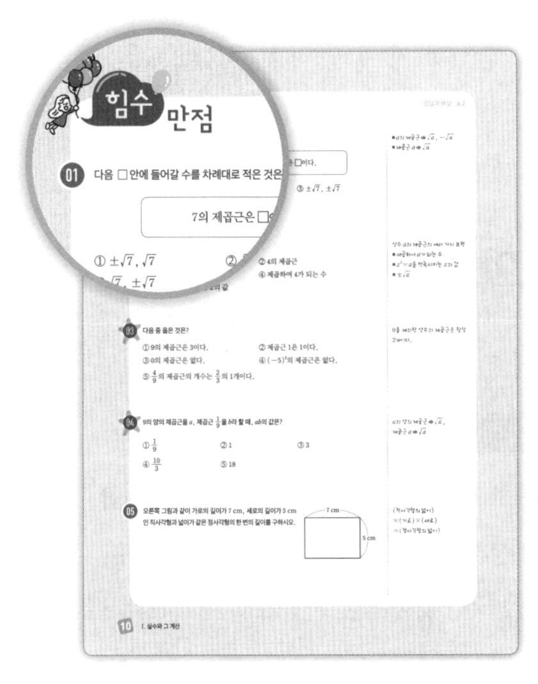

힘수 만점

연산을 적용한 문제 풀기
앞에서 배운 연산 문제를 이용하여 풀 수 있는 문제들로 구성하여 개념을 쉽게 익힐 수 있도록 하였습니다.

중단원 연산 마무리

중단원마다 앞에서 나왔던 연산 문제보다 난이도가 있는 문제들로 구성하여 내신 대비를 할 수 있도록 하였습니다.

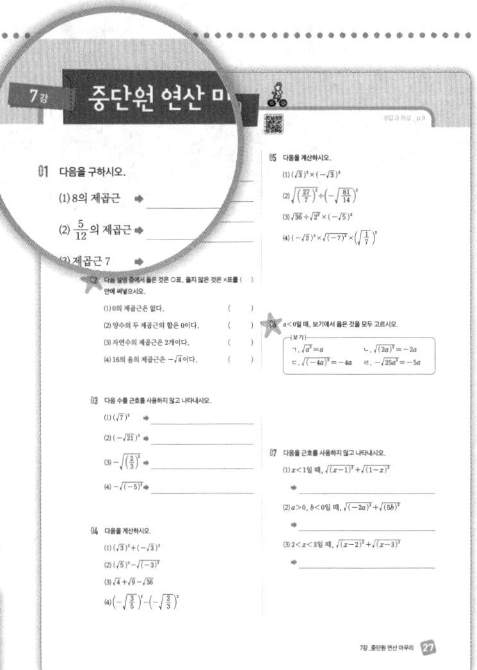

정답과 해설

혼자서도 쉽게 이해할 수 있도록 자세하고 친절한 풀이를 제시하였습니다.

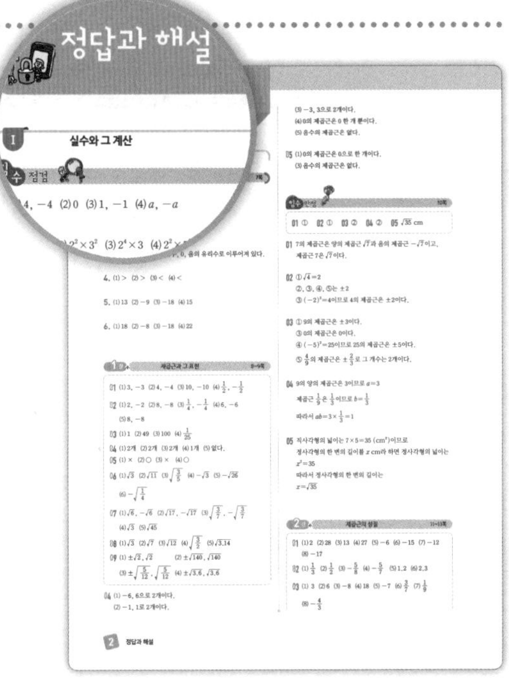

이 책의 차례

I 실수와 그 계산

1 제곱근과 실수

1강 제곱근과 그 표현 ···· 8
2강 제곱근의 성질 ···· 11
3강 근호가 있는 수를 자연수로 만들기 ···· 15
4강 제곱근의 대소 관계 ···· 18
5강 무리수와 실수 ···· 21
6강 실수의 대소 관계 ···· 24
7강 중단원 연산 마무리 ···· 27

2 근호를 포함한 식의 계산

8강 제곱근의 곱셈 ···· 30
9강 제곱근의 나눗셈 ···· 33
10강 제곱근의 덧셈과 뺄셈 ···· 37
11강 제곱근표 ···· 41
12강 중단원 연산 마무리 ···· 44

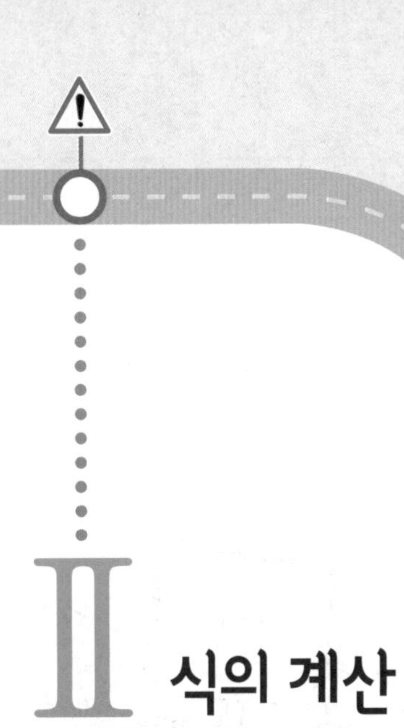

Ⅱ 식의 계산

1 다항식의 곱셈과 인수분해

13강 곱셈 공식 ······ 50
14강 곱셈 공식을 이용한 수 또는 식의 계산 ······ 54
15강 곱셈 공식의 활용 ······ 58
16강 인수분해와 공통 인수를 이용한 인수분해 ······ 61
17강 인수분해 공식(1), (2) ······ 64
18강 인수분해 공식(3), (4) ······ 68
19강 복잡한 식의 인수분해 ······ 71
20강 인수분해 공식의 활용 ······ 74
21강 중단원 연산 마무리 ······ 77

2 이차방정식

22강 이차방정식과 그 해 ······ 81
23강 인수분해를 이용한 이차방정식의 풀이 ······ 84
24강 제곱근을 이용한 이차방정식의 풀이 ······ 88
25강 이차방정식의 근의 공식 ······ 92
26강 이차방정식의 활용 ······ 96
27강 중단원 연산 마무리 ······ 100

Ⅲ 이차함수

1 이차함수와 그 그래프

28강 이차함수 ······ 106
29강 이차함수 $y=ax^2$의 그래프 ······ 109
30강 이차함수 $y=ax^2+q$그래프 ······ 113
31강 이차함수 $y=a(x-p)^2$의 그래프 ······ 116
32강 이차함수 $y=a(x-p)^2+q$의 그래프 ······ 119
33강 이차함수 $y=ax^2+bx+c$의 그래프 ······ 124
34강 이차함수의 식 구하기 ······ 128
35강 중단원 연산 마무리 ······ 132

I. 실수와 그 계산

연산 문제와 시험 대비 문제를 많이 풀어 보고 개념과 원리를 확실하게 이해하자.
또한 이해도를 바탕으로 자신의 수준에 맞는 계획을 세워 반복 학습을 하자.

중단원명	강의명	학습 날짜	이해도
1. 제곱근과 실수	1강 제곱근과 그 표현	월 일	
	2강 제곱근의 성질	월 일	
	3강 근호가 있는 수를 자연수로 만들기	월 일	
	4강 제곱근의 대소 관계	월 일	
	5강 무리수와 실수	월 일	
	6강 실수의 대소 관계	월 일	
	7강 중단원 연산 마무리	월 일	
2. 근호를 포함한 식의 계산	8강 제곱근의 곱셈	월 일	
	9강 제곱근의 나눗셈	월 일	
	10강 제곱근의 덧셈과 뺄셈	월 일	
	11강 제곱근표	월 일	
	12강 중단원 연산 마무리	월 일	

힘수 점검

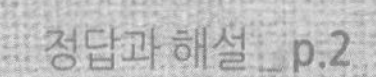

절댓값을 알고 있나요?

1 다음을 구하시오. 중등 7

(1) 절댓값이 4인 수

(2) 절댓값이 0인 수

(3) 절댓값이 1인 수

(4) 절댓값이 $a(a>0)$인 수

소인수분해를 알고 있나요?

2 소인수분해하시오. 중등 7

(1) 12

(2) 36

(3) 48

(4) 100

유리수를 알고 있나요?

3 옳은 것에는 ○표, 옳지 않은 것에는 ×표 하시오. 중등 7

(1) 0은 정수이다. (　　)

(2) 자연수는 모두 유리수이다. (　　)

(3) 유리수는 양의 유리수와 음의 유리수로 이루어져 있다. (　　)

유리수의 대소 관계를 알 수 있나요?

4 □ 안에 알맞은 부등호를 써넣으시오. 중등 7

(1) $2 \square 1$

(2) $5 \square -7$

(3) $\frac{13}{4} \square 4$

(4) $-3.5 \square -\frac{3}{2}$

유리수의 덧셈과 뺄셈을 할 수 있나요?

5 다음을 계산하시오. 중등 7

(1) $(+4)+(+9)$

(2) $(-2)+(-7)$

(3) $(-9)-(+9)$

(4) $(+12)-(-3)$

유리수의 곱셈과 나눗셈을 할 수 있나요?

6 다음을 계산하시오. 중등 7

(1) $(+3)\times(+6)$

(2) $(+64)\div(-8)$

(3) $12\div(-4)\times6$

(4) $2^2\times3+18\div9\times5$

1. 제곱근

(1) 제곱근: 어떤 수 x를 제곱하여 a가 될 때, 즉 $x^2=a$일 때, x를 a의 제곱근이라 한다.

(2) 제곱근의 개수

① 양수의 제곱근은 양수와 음수 2개가 있다.

② 0의 제곱근은 0이다.

참고 0의 제곱근은 0이므로 $\sqrt{0}=0$이다.

③ 음수의 제곱근은 생각하지 않는다.

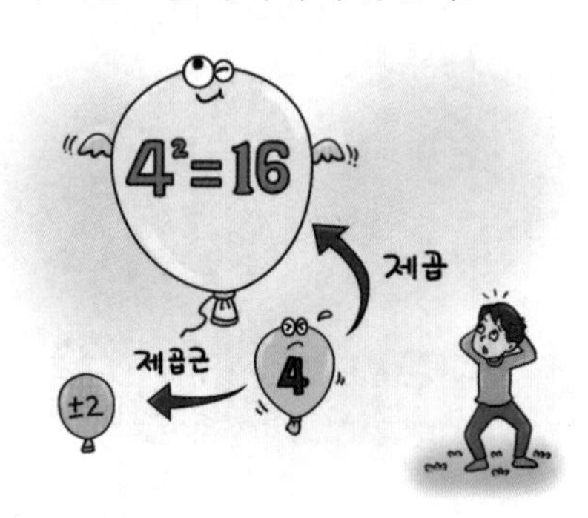

01 제곱하여 다음 수가 되는 수를 모두 구하시오.

(1) 9 ➡ ______

(2) 16 ➡ ______

(3) 100 ➡ ______

(4) $\frac{1}{4}$ ➡ ______

02 다음 수의 제곱근을 모두 구하시오.

(1) 4 ➡ ______

(2) 64 ➡ ______

(3) $\frac{1}{16}$ ➡ ______

(4) 6^2 ➡ ______

(5) $(-8)^2$ ➡ ______

03 어떤 수의 제곱근이 다음과 같을 때, 어떤 수를 구하시오.

(1) $1,\ -1$ ➡ ______

(2) $7,\ -7$ ➡ ______

(3) $10,\ -10$ ➡ ______

(4) $\frac{1}{5},\ -\frac{1}{5}$ ➡ ______

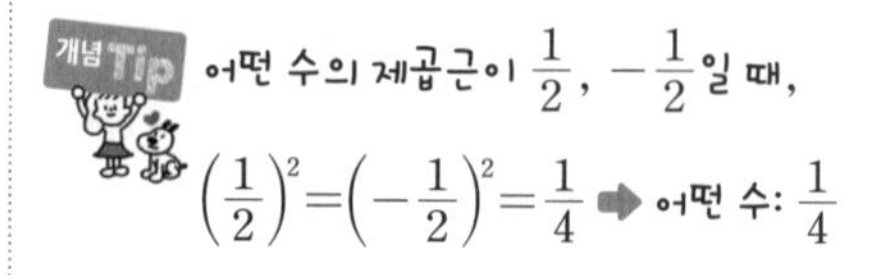

개념 Tip 어떤 수의 제곱근이 $\frac{1}{2},\ -\frac{1}{2}$일 때,

$\left(\frac{1}{2}\right)^2=\left(-\frac{1}{2}\right)^2=\frac{1}{4}$ ➡ 어떤 수: $\frac{1}{4}$

04 다음 수의 제곱근의 개수를 구하시오.

(1) 36 ➡ ______

(2) 1 ➡ ______

(3) 9 ➡ ______

(4) 0 ➡ ______

(5) -16 ➡ ______

05 다음 설명 중에서 옳은 것은 ○표, 옳지 않은 것은 ×표를 ( ) 안에 써넣으시오.

(1) 모든 정수의 제곱근은 반드시 2개이다. ( )

(2) 0의 제곱근은 1개이다. ( )

(3) 음수의 제곱근은 음수이다. ( )

(4) 양수의 제곱근은 절댓값이 서로 같은 양수와 음수 2개가 있다. ( )

개념 Tip 0의 제곱근은 0으로 1개이다.

2. 제곱근의 표현 up+

(1) 근호: 제곱근을 나타내기 위해 기호($\sqrt{\ }$)를 사용하고, '제곱근' 또는 '루트(*root*)'라고 읽는다.

$\sqrt{a}$ ← 제곱근 a, 루트 a

(2) 양수 a의 제곱근

양수 a의 두 제곱근 중에서 양수인 것을 양의 제곱근, 음수인 것을 음의 제곱근이라 한다.

a의 양의 제곱근: $\sqrt{a}$

a의 음의 제곱근: $-\sqrt{a}$

➡ a의 제곱근: $\pm\sqrt{a}$

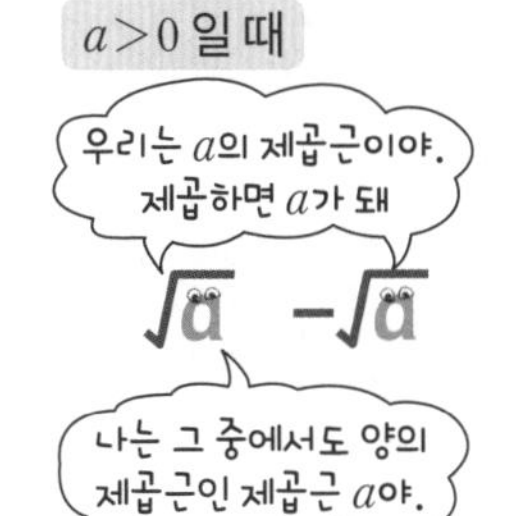

참고 $\sqrt{a}$와 $-\sqrt{a}$를 한꺼번에 $\pm\sqrt{a}$로 나타내고 '플러스 마이너스 루트 a'라고 읽는다.

(3) 제곱근 a

양수 a의 제곱근 중 양의 제곱근, 즉 $\sqrt{a}$를 의미한다.

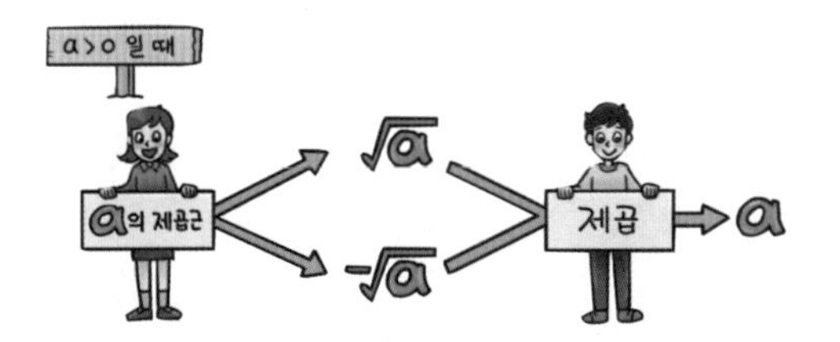

06 다음을 근호를 사용하여 나타내시오.

(1) 3의 양의 제곱근 ➡ ______

(2) 11의 양의 제곱근 ➡ ______

(3) $\frac{3}{5}$의 양의 제곱근 ➡ ______

(4) 3의 음의 제곱근 ➡ ______

(5) 26의 음의 제곱근 ➡ ______

(6) $\frac{1}{4}$의 음의 제곱근 ➡ ______

07 다음을 구하시오.

(1) 6의 제곱근 ➡ ______

(2) 17의 제곱근 ➡ ______

(3) $\frac{3}{7}$의 제곱근 ➡ ______

(4) 제곱근 3 ➡ ______

(5) 제곱근 45 ➡ ______

08 다음 수의 양의 제곱근을 근호를 사용하여 나타내시오.

(1) 3 ➡ ______

(2) 7 ➡ ______

(3) 12 ➡ ______

(4) $\frac{3}{2}$ ➡ ______

(5) 3.14 ➡ ______

09 다음 빈칸을 채우시오.

a	a의 제곱근	제곱근 a
(1) 2		
(2) 140		
(3) $\frac{5}{12}$		
(4) 3.6		

개념 Tip a의 제곱근과 제곱근 a의 비교(단, $a>0$)

	a의 제곱근	제곱근 a
뜻	제곱하여 a가 되는 수	a의 제곱근 중 양의 제곱근
표현	$\sqrt{a}$, $-\sqrt{a}$	$\sqrt{a}$
개수	2개	1개

정답과 해설 _ p.2

01 다음 □ 안에 들어갈 수를 차례대로 적은 것은?

> 7의 제곱근은 □이고, 제곱근 7은 □이다.

① $\pm\sqrt{7}$, $\sqrt{7}$ ② $\sqrt{7}$, $\sqrt{7}$ ③ $\pm\sqrt{7}$, $\pm\sqrt{7}$
④ $\sqrt{7}$, $\pm\sqrt{7}$ ⑤ $\sqrt{7}$, $-\sqrt{7}$

■ a의 제곱근 ➡ $\sqrt{a}$, $-\sqrt{a}$
■ 제곱근 a ➡ $\sqrt{a}$

02 다음 중 나머지 넷과 다른 것은?

① 제곱근 4 ② 4의 제곱근
③ $(-2)^2$의 제곱근 ④ 제곱하여 4가 되는 수
⑤ $x^2=4$를 만족시키는 x의 값

양수 a의 제곱근의 여러 가지 표현
■ 제곱하여 a가 되는 수
■ $x^2=a$를 만족시키는 x의 값
■ $\pm\sqrt{a}$

03 다음 중 옳은 것은?

① 9의 제곱근은 3이다. ② 제곱근 1은 1이다.
③ 0의 제곱근은 없다. ④ $(-5)^2$의 제곱근은 없다.
⑤ $\frac{4}{9}$의 제곱근의 개수는 $\frac{2}{3}$의 1개이다.

0을 제외한 양수의 제곱근은 항상 2개이다.

04 9의 양의 제곱근을 a, 제곱근 $\frac{1}{9}$을 b라 할 때, ab의 값은?

① $\frac{1}{9}$ ② 1 ③ 3
④ $\frac{10}{3}$ ⑤ 18

a의 양의 제곱근 ➡ $\sqrt{a}$,
제곱근 a ➡ $\sqrt{a}$

05 오른쪽 그림과 같이 가로의 길이가 7 cm, 세로의 길이가 5 cm인 직사각형과 넓이가 같은 정사각형의 한 변의 길이를 구하시오.

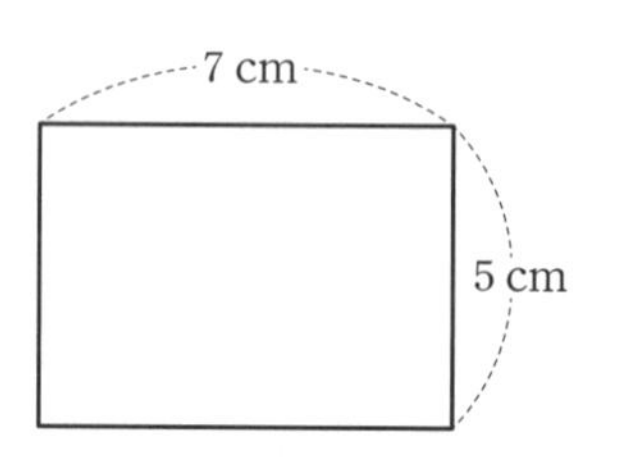

(직사각형의 넓이)
=(가로)×(세로)
=(정사각형의 넓이)

정답과 해설 _ p.2

1. 제곱근의 성질(1) up+

(1) 제곱근의 제곱 계산하기

$a>0$일 때,
$(\sqrt{a})^2=a$, $(-\sqrt{a})^2=a$

참고 $(\sqrt{a})^2$, $(-\sqrt{a})^2$은 제곱한 것이므로 양수이다.

$a>0$일 때

$(-\sqrt{a})^2=a$

우리 사이에 '−'가 붙어도 제곱하면 항상 a야.

$\sqrt{(-a)^2}=a$

(2) 제곱의 제곱근 계산하기

$a>0$일 때,
$\sqrt{a^2}=a$, $\sqrt{(-a)^2}=a$

01 다음 수를 근호를 사용하지 않고 나타내시오.

(1) $(\sqrt{2})^2$ ➡ ______

(2) $(\sqrt{28})^2$ ➡ ______

(3) $(-\sqrt{13})^2$ ➡ ______

(4) $(-\sqrt{27})^2$ ➡ ______

(5) $-(\sqrt{6})^2$ ➡ ______

(6) $-(\sqrt{15})^2$ ➡ ______

(7) $-(-\sqrt{12})^2$ ➡ ______

(8) $-(-\sqrt{17})^2$ ➡ ______

02 다음 수를 근호를 사용하지 않고 나타내시오.

(1) $\left(\sqrt{\frac{1}{3}}\right)^2$ ➡ ______

(2) $\left(-\sqrt{\frac{1}{2}}\right)^2$ ➡ ______

(3) $-\left(\sqrt{\frac{5}{8}}\right)^2$ ➡ ______

(4) $-\left(-\sqrt{\frac{5}{7}}\right)^2$ ➡ ______

(5) $(\sqrt{1.2})^2$ ➡ ______

(6) $(-\sqrt{2.3})^2$ ➡ ______

03 다음 수를 근호를 사용하지 않고 나타내시오.

(1) $\sqrt{3^2}$ ➡ ______

(2) $\sqrt{36}$ ➡ ______

(3) $-\sqrt{8^2}$ ➡ ______

(4) $\sqrt{(-18)^2}$ ➡ ______

(5) $-\sqrt{49}$ ➡ ______

(6) $\sqrt{\left(-\frac{3}{7}\right)^2}$ ➡ ______

(7) $\sqrt{\frac{1}{81}}$ ➡ ______

(8) $-\sqrt{\left(-\frac{4}{3}\right)^2}$ ➡ ______

2. 제곱근의 성질을 이용한 계산 up+

제곱근의 성질을 이용하여 근호를 없앤 후 계산한다.

예 $(\sqrt{6})^2+(\sqrt{3})^2$ ➡ $6+3=9$

$(\sqrt{6})^2-(\sqrt{3})^2$ ➡ $6-3=3$

$(\sqrt{6})^2\times(\sqrt{3})^2$ ➡ $6\times3=18$

$(\sqrt{6})^2\div(\sqrt{3})^2$ ➡ $6\div3=2$

04 제곱근의 성질을 이용하여 다음을 계산하시오.

(1) $(\sqrt{5})^2+(\sqrt{3})^2$

(2) $(\sqrt{2})^2+(-\sqrt{2})^2$

(3) $\sqrt{(-3)^2}+\sqrt{4^2}$

(4) $\sqrt{16}+\sqrt{25}$

(5) $\sqrt{(-6)^2}+(-\sqrt{7})^2$

05 다음을 계산하시오.

(1) $(\sqrt{3})^2-(-\sqrt{3})^2$

(2) $(\sqrt{12})^2-\sqrt{(-8)^2}$

(3) $\sqrt{100}-\sqrt{64}$

(4) $(-\sqrt{7})^2-\sqrt{(-4)^2}$

06 다음을 계산하시오.

(1) $(\sqrt{5})^2\times(\sqrt{6})^2$

(2) $\left(-\sqrt{\frac{3}{2}}\right)^2\times\sqrt{2^2}$

(3) $\sqrt{\left(\frac{3}{4}\right)^2}\times\sqrt{\left(-\frac{20}{3}\right)^2}$

(4) $\left(-\sqrt{\frac{5}{8}}\right)^2\times\left(-\sqrt{\frac{48}{5}}\right)^2$

07 다음을 계산하시오.

(1) $\sqrt{16^2}\div\sqrt{(-4)^2}$

(2) $(-\sqrt{6})^2\div\sqrt{\left(\frac{1}{5}\right)^2}$

(3) $\sqrt{\left(-\frac{14}{9}\right)^2}\div\left(-\sqrt{\frac{7}{36}}\right)^2$

(4) $\sqrt{6^2}\div\left(-\sqrt{\frac{2}{3}}\right)^2$

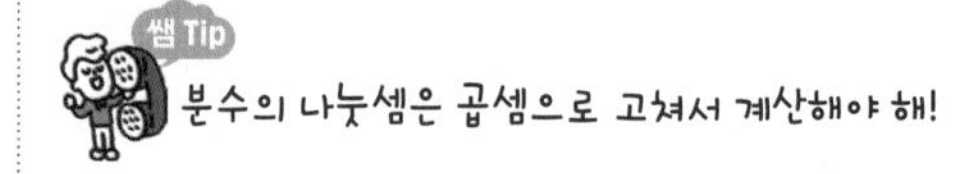

08 다음을 계산하시오.

(1) $\sqrt{10^2}-\sqrt{(-11)^2}+(-\sqrt{6})^2$

(2) $\sqrt{2^2}\times(\sqrt{3})^2+(-\sqrt{5})^2-(\sqrt{7})^2$

3. 제곱근의 성질(2) up+

모든 수 a에 대하여

(1) $a \geq 0$일 때, $\sqrt{a^2}=a$
$a<0$일 때, $\sqrt{a^2}=-a$

참고 $\sqrt{a^2}$은 $|a|$를 다른 기호를 사용하여 나타낸 것일 뿐 $|a|$와 같은 것이다.

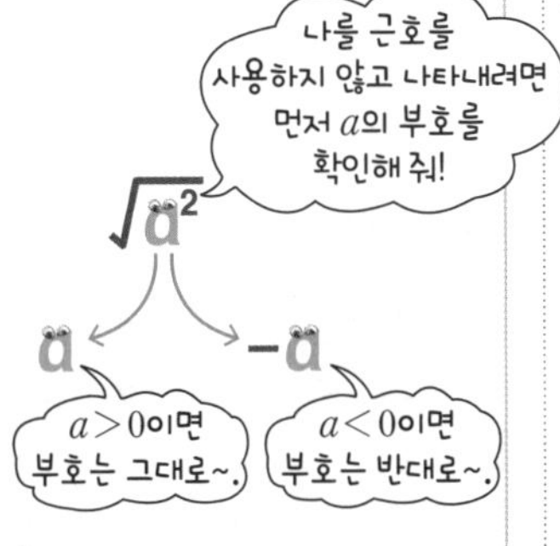

(2) $\sqrt{(a-b)^2}$의 꼴 간단히 하기

① $a>b$이면 $\sqrt{(a-b)^2}=a-b$

② $a<b$이면 $\sqrt{(a-b)^2}=-(a-b)$ ($a-b<0$)

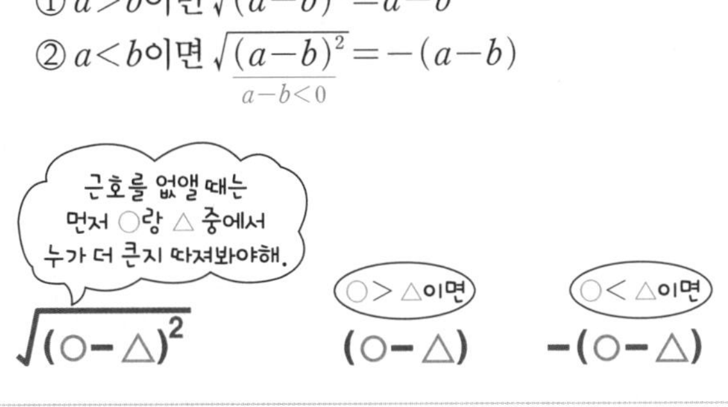

09 $a>0$일 때, 다음 수를 근호를 사용하지 않고 나타내시오.

(1) $\sqrt{(2a)^2}$ ➡ ____________

(2) $\sqrt{(7a)^2}$ ➡ ____________

(3) $-\sqrt{(5a)^2}$ ➡ ____________

(4) $-8\sqrt{a^2}$ ➡ ____________

(5) $\sqrt{(-4a)^2}$ ➡ ____________

(6) $6\sqrt{(-a)^2}$ ➡ ____________

(7) $-\sqrt{(-3a)^2}$ ➡ ____________

(8) $-\sqrt{(-10a)^2}$ ➡ ____________

쌤 Tip
$\sqrt{a^2}$은 a^2의 양의 제곱근이므로 음수가 될 수 없어. 따라서 $a \geq 0$일 때는 그대로 a가 되고 $a<0$일 때는 부호를 바꾸어 양수가 되도록 해야 해.

10 $a<0$일 때, 다음 수를 근호를 사용하지 않고 나타내시오.

(1) $\sqrt{(3a)^2}$

(2) $\sqrt{(-7a)^2}$

(3) $-\sqrt{(12a)^2}$

(4) $-\sqrt{(-5a)^2}$

11 다음을 각 범위에서 근호를 사용하지 않고 나타내시오.

	$a \geq 0$	$a<0$
(1) $\sqrt{a^2}$		
(2) $\sqrt{(-a)^2}$		
(3) $-\sqrt{a^2}$		
(4) $-\sqrt{(-a)^2}$		

12 다음을 근호를 사용하지 않고 나타내시오.

(1) $x>3$일 때, $\sqrt{(x-3)^2}$

(2) $x<2$일 때, $\sqrt{(x-2)^2}$

(3) $x>-3$일 때, $-\sqrt{(x+3)^2}$

(4) $x<-4$일 때, $\sqrt{(x+4)^2}$

(5) $0<x<1$일 때, $\sqrt{(x-1)^2}$

(6) $0<x<1$일 때, $\sqrt{(1-x)^2}$

(7) $0<x<2$일 때, $\sqrt{x^2}+\sqrt{(x-2)^2}$

정답과 해설 _ p.3

01 다음 중 나머지 넷과 다른 하나는?

① $(\sqrt{2})^2$ ② $\sqrt{(-2)^2}$ ③ $(-\sqrt{2})^2$
④ $-\sqrt{(-2)^2}$ ⑤ $\sqrt{2^2}$

$a>0$일 때,
$(\sqrt{a})^2=a$, $(-\sqrt{a})^2=a$
$\sqrt{a^2}=a$, $\sqrt{(-a)^2}=a$

02 다음 중 옳지 않은 것은?

① $(\sqrt{0.1})^2=0.1$ ② $-(-\sqrt{2})^2=-2$
③ $-\sqrt{5^2}=-5$ ④ $(\sqrt{81})^2=9$
⑤ $\sqrt{\left(-\frac{4}{5}\right)^2}=\frac{4}{5}$

03 $a>0$일 때, 다음 중 옳지 않은 것은?

① $\sqrt{a^2}=a$ ② $\sqrt{(-a)^2}=a$ ③ $(-\sqrt{a})^2=a$
④ $(\sqrt{a})^2=a$ ⑤ $-(\sqrt{a})^2=a$

$\sqrt{A^2}=\begin{cases} A & (A\ge 0) \\ -A & (A<0) \end{cases}$

04 다음 중 옳지 않은 것은?

① $(\sqrt{5})^2+(-\sqrt{11})^2=16$
② $(-\sqrt{6})^2\times\sqrt{(-3)^2}=-18$
③ $\sqrt{(-12)^2}\div\sqrt{\left(\frac{1}{3}\right)^2}=36$
④ $-\sqrt{\left(\frac{3}{2}\right)^2}\times\left(\sqrt{\frac{4}{3}}\right)^2\times(-\sqrt{8})^2=-16$
⑤ $\sqrt{(-4)^2}-\sqrt{(-10)^2}=-6$

제곱근의 성질을 이용하여 근호를 없앤 후 계산한다.

05 $1<a<2$일 때, $\sqrt{(a-1)^2}-\sqrt{(a-2)^2}$을 간단히 하면?

① -1 ② 1 ③ $2a-3$
④ $2a-1$ ⑤ $-2a$

$1<a<2$일 때,
$a-1>0$, $a-2<0$

3강 ••• 근호가 있는 수를 자연수로 만들기

정답과 해설 _ p.4

1. 근호가 있는 수를 자연수로 만들기(1) up+

(1) 제곱수

① $1(=1^2)$, $4(=2^2)$, $9(=3^2)$, $16(=4^2)$, …과 같이 자연수의 제곱인 수를 제곱수라고 한다.

② 모든 자연수는 근호를 사용한 제곱수로 고쳐서 나타낼 수 있다.

참고 근호 ($\sqrt{\ }$) 안의 수가 제곱수이면 근호를 없애고 자연수로 나타낼 수 있다.

(2) $\sqrt{Ax}$, $\sqrt{\frac{A}{x}}$ (A는 자연수) 꼴을 자연수로 만들기

① A를 소인수분해한다.

② 소인수의 지수가 모두 짝수가 되도록 x의 값을 정한다.

예 $\sqrt{12x}=\sqrt{2^2\times3\times x}$

➡ 지수가 홀수인 소인수는 3이므로 가장 작은 $x=3$

예 $\sqrt{\frac{18}{x}}=\sqrt{\frac{2\times3^2}{x}}$

➡ 지수가 홀수인 소인수는 2이므로 가장 작은 $x=2$

우리가 자연수가 되려면

$\sqrt{Ax}=\sqrt{■^2\times▲\times x}$

나를 소인수분해하여 $■^2\times▲$꼴로 만들어봐.

내가 ▲가 되면 지수가 모두 짝수가 돼.

우리가 자연수가 되려면

$\sqrt{\frac{A}{x}}=\sqrt{\frac{♥^2\times★}{x}}$

나를 소인수분해하여 $♥^2\times★$꼴로 만들어봐.

내가 ★이 되면 지수가 모두 짝수가 돼.

01 다음 표의 빈 칸을 알맞게 채우시오.

$\sqrt{(\text{제곱수})}$	$\sqrt{(\text{자연수})^2}$	자연수
$\sqrt{4}$	$\sqrt{2^2}$	2
(1) $\sqrt{81}$		
(2) $\sqrt{144}$		
(3) $\sqrt{400}$		
(4) $\sqrt{625}$		

02 $a>0$일 때, 다음 수를 근호를 사용하지 않고 나타내시오.

(1) $\sqrt{64a^2}$

(2) $\sqrt{121a^2}$

(3) $\sqrt{2^2\times3^2\times5^2}$

(4) $\sqrt{2^2\times3^4\times7^2}$

쌤 Tip 근호 안이 제곱수로 된 수이면 근호가 필요 없는 수가 되어 근호와 제곱을 마치 약분하듯이 없애면 돼.

03 다음 수가 자연수가 되게 하는 가장 작은 자연수 x를 구하시오.

(1) $\sqrt{3x}$ ➡ ____________

(2) $\sqrt{2^2\times5\times x}$ ➡ ____________

(3) $\sqrt{2\times3^2\times5\times x}$ ➡ ____________

(4) $\sqrt{3\times5^3\times7\times x}$ ➡ ____________

(5) $\sqrt{24x}$ ➡ ____________

(6) $\sqrt{104x}$ ➡ ____________

(7) $\sqrt{120x}$ ➡ ____________

(8) $\sqrt{300x}$ ➡ ____________

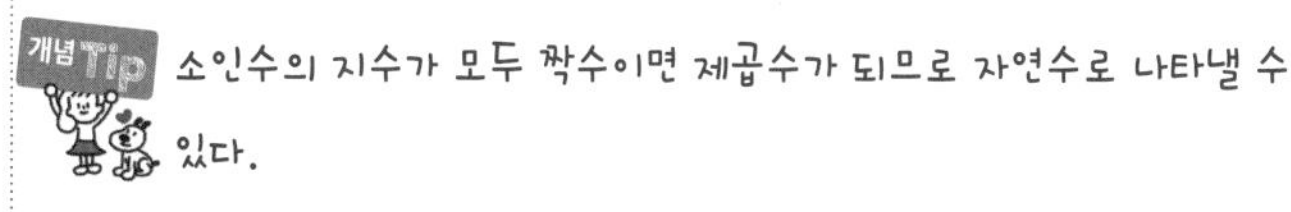

04 다음 수가 자연수가 되게 하는 가장 작은 자연수 x를 구하시오.

(1) $\sqrt{\dfrac{2^4\times3}{x}}$ ➡ ________

(2) $\sqrt{\dfrac{2^2\times3^2\times5}{x}}$ ➡ ________

(3) $\sqrt{\dfrac{2\times3\times5}{x}}$ ➡ ________

(4) $\sqrt{\dfrac{56}{x}}$ ➡ ________

(5) $\sqrt{\dfrac{168}{x}}$ ➡ ________

(6) $\sqrt{\dfrac{360}{x}}$ ➡ ________

2. 근호가 있는 수를 자연수로 만들기(2)

(1) $\sqrt{A+x}$ (A는 자연수) 꼴을 자연수로 만들기

A보다 큰 수 중에서 제곱수가 되는 자연수 x를 찾는다. 예 $\sqrt{5+x}=\sqrt{5+4}=\sqrt{9}=3$이므로 $x=4$

(2) $\sqrt{A-x}$ (A는 자연수) 꼴을 정수 또는 자연수로 만들기

① $\sqrt{A-x}$의 꼴을 정수로 만들 때는 A보다 작은 제곱수 또는 0이 되는 값을 찾는다.

② $\sqrt{A-x}$의 꼴을 자연수로 만들 때는 A보다 작은 제곱수를 찾는다.

예 $\sqrt{18-x}=\sqrt{18-2}=\sqrt{16}=\sqrt{4^2}=4$이므로 $x=2$

05 다음 수가 자연수가 되게 하는 가장 작은 자연수 x를 구하시오.

(1) $\sqrt{3+x}$ ➡ ________

(2) $\sqrt{21+x}$ ➡ ________

(3) $\sqrt{40+x}$ ➡ ________

(4) $\sqrt{120+x}$ ➡ ________

06 다음 수가 자연수가 되게 하는 가장 작은 자연수 x를 구하시오.

(1) $\sqrt{7-x}$ ➡ ________

(2) $\sqrt{13-x}$ ➡ ________

(3) $\sqrt{18-x}$ ➡ ________

07 다음 수가 정수가 되게 하는 자연수 x의 개수를 구하시오.

(1) $\sqrt{3-x}$ ➡ ________

(2) $\sqrt{8-x}$ ➡ ________

(3) $\sqrt{28-x}$ ➡ ________

쎔 Tip
$\sqrt{A-x}$가 정수가 되게 하는 자연수를 찾을 때는 A보다 작은 제곱수를 찾아 봐! 이때 0이 되는 경우도 빠뜨리지 않고 찾아야 해!

힘수 만점

정답과 해설 _ p.5

01 $\sqrt{48x}$가 자연수가 되도록 하는 가장 작은 자연수 x의 값을 구하시오.

소인수의 지수가 모두 짝수가 되도록 x의 값을 정한다.

02 $\sqrt{28+x}$가 자연수가 되도록 하는 가장 작은 자연수 x의 값을 구하시오.

28보다 큰 수 중에서 제곱수가 되는 경우를 찾는다.

03 $\sqrt{47+m}=n$이라고 할 때, n의 값이 자연수가 되도록 하는 가장 작은 자연수 m의 값과 그때의 n의 값의 합은?

① 5　　② 6　　③ 7
④ 8　　⑤ 9

47보다 큰 수 중에서 제곱수가 되는 가장 작은 수를 찾는다.

04 $\sqrt{\frac{240}{x}}$이 자연수가 되도록 하는 가장 큰 두 자리의 자연수 x의 값을 구하시오.

240의 약수 중에서 x로 나누었을 때 $(\text{자연수})^2$ 꼴이어야 한다.

05 다음 중 $\sqrt{108x}$가 자연수가 되기 위한 정수 x의 값이 될 수 없는 것은?

① 3　　② 6　　③ 12
④ 27　　⑤ 48

지수가 홀수인 소인수를 홀수 번 곱하거나 짝수인 소인수를 짝수 번 곱해 주면 된다.

정답과 해설 _ p.5

1. 제곱근의 대소 관계 up+

$a>0$, $b>0$일 때,

(1) $a<b$이면 $\sqrt{a}<\sqrt{b}$ 예 $2<3$이면 $\sqrt{2}<\sqrt{3}$

(2) $\sqrt{a}<\sqrt{b}$이면 $a<b$ 예 $\sqrt{2}<\sqrt{3}$이면 $2<3$

(3) $\sqrt{a}<\sqrt{b}$이면 $-\sqrt{a}>-\sqrt{b}$ 예 $\sqrt{2}<\sqrt{3}$이면 $-\sqrt{2}>-\sqrt{3}$

(4) 근호가 있는 수와 근호가 없는 수의 대소 비교는 각 수를 제곱하여 비교하거나 근호가 없는 수를 근호가 있는 수로 고쳐서 비교한다.

a와 $\sqrt{b}$의 대소 비교

[방법1] $\sqrt{a^2}$과 $\sqrt{b}$를 비교

[방법2] a^2과 b를 비교

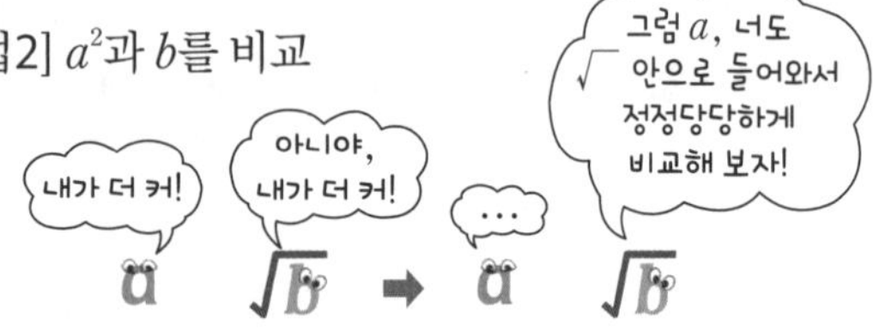

01 다음 □ 안에 부등호 < 또는 >를 써넣으시오.

(1) $\sqrt{2}$ □ $\sqrt{5}$

(2) $\sqrt{7}$ □ $\sqrt{4}$

(3) $\sqrt{0.4}$ □ $\sqrt{1.4}$

(4) $\sqrt{\frac{1}{3}}$ □ $\sqrt{\frac{1}{7}}$

02 다음 □ 안에 부등호 < 또는 >를 써넣으시오.

(1) $-\sqrt{3}$ □ $-\sqrt{8}$

(2) $-\sqrt{10}$ □ $-\sqrt{9}$

(3) $-\sqrt{\frac{2}{3}}$ □ $-\sqrt{\frac{4}{3}}$

(4) $-\sqrt{2.8}$ □ $-\sqrt{28}$

03 다음 □ 안에 부등호 < 또는 >를 써넣으시오.

(1) 3 □ $\sqrt{8}$

(2) $\sqrt{35}$ □ 6

(3) 3 □ $\sqrt{12}$

(4) $\frac{1}{3}$ □ $\sqrt{\frac{1}{6}}$

(5) $\frac{1}{4}$ □ $\sqrt{\frac{1}{4}}$

(6) $\sqrt{0.5}$ □ 0.5

개념 Tip $a>0$, $b>0$일 때, a와 $\sqrt{b}$의 대소 비교
[방법1] $\sqrt{a^2}$과 $\sqrt{b}$를 비교한다.
[방법2] a^2과 b를 비교한다.

04 다음 □ 안에 부등호 < 또는 >를 써넣으시오.

(1) -2 □ $-\sqrt{5}$

(2) $-\sqrt{24}$ □ -16

(3) -5 □ $-\sqrt{10}$

(4) $-\sqrt{\frac{2}{3}}$ □ $-\frac{2}{5}$

(5) $-\sqrt{\frac{1}{2}}$ □ $-\frac{1}{2}$

(6) -0.8 □ $-\sqrt{0.8}$

쌤 Tip $a>0$, $b>0$일 때, $-a$와 $-\sqrt{b}$의 대소 비교는 각 수를 제곱하여 비교한 후 음수를 곱해주면 돼! 이때 음수를 곱할 때는 부등호의 방향이 바뀌는 것을 주의해야 해!

2. 제곱근을 포함한 부등식

(1) 제곱근을 포함한 부등식

$a>0$, $b>0$, $c>0$일 때,
$\sqrt{a}<\sqrt{b}<\sqrt{c}$ ➡ $(\sqrt{a})^2<(\sqrt{b})^2<(\sqrt{c})^2$
➡ $a<b<c$

(2) 부등식을 만족시키는 자연수 x의 값 구하기

$\sqrt{x}$ 이하의 자연수를 구할 때는 x와 가장 가까운 제곱수 2개를 찾아 x의 값의 범위를 나타낸다.

예 $\sqrt{6}$ 이하의 자연수 ➡ $4<6<9$ ➡ $2<\sqrt{6}<3$
따라서 $\sqrt{6}$ 이하의 자연수는 1, 2이다.

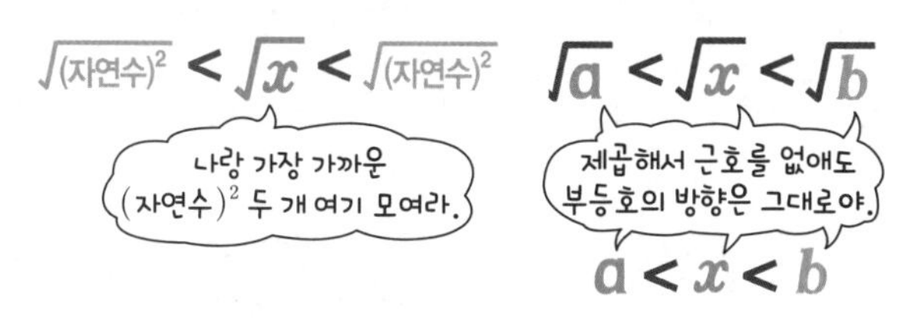

05 다음 수들을 작은 수부터 차례로 나열하시오.

(1) $\sqrt{2}$, $\sqrt{\frac{1}{2}}$, 2

➡ ____________________

(2) $\sqrt{3}$, 0, -1, $-\sqrt{2}$, $\sqrt{\frac{1}{2}}$

➡ ____________________

(3) $\sqrt{0.6}$, $\sqrt{0.\dot{1}}$, $-\sqrt{0.4}$, $-\sqrt{\frac{3}{10}}$

➡ ____________________

06 다음 부등식을 만족시키는 자연수 x의 값을 모두 구하시오.

(1) $\sqrt{x}<2$ ➡ ____________

(2) $\sqrt{x}\le 3$ ➡ ____________

(3) $\sqrt{x}\le 1$ ➡ ____________

07 다음 부등식을 만족시키는 자연수 x의 값을 모두 구하시오.

(1) $2<\sqrt{x}<3$ ➡ ____________

(2) $3<\sqrt{x}\le 4$ ➡ ____________

(3) $\sqrt{2}<x<\sqrt{10}$ ➡ ____________

(4) $\sqrt{5}<x\le\sqrt{36}$ ➡ ____________

08 다음을 구하시오.

(1) $\sqrt{9}$보다 작은 자연수의 개수 ➡ ____________

(2) $\sqrt{24}$보다 작은 자연수의 개수 ➡ ____________

(3) $\sqrt{70}$보다 작은 자연수의 개수 ➡ ____________

(4) $\sqrt{99}$보다 작은 자연수의 개수 ➡ ____________

09 다음을 만족시키는 자연수 n을 모두 구하시오.

(1) $3<\sqrt{2n}<4$

(2) $\frac{3}{2}<\sqrt{n-1}\le 2$

부등식의 각 변을 제곱해도 부등호의 방향은 바뀌지 않는다.

만점

정답과 해설 _ p.7

01 다음 중 두 수의 대소를 옳게 비교한 것은?

① $\sqrt{2}>\sqrt{3}$　② $-\sqrt{5}<-\sqrt{6}$　③ $\sqrt{7}>3$
④ $-2<-\sqrt{2}$　⑤ $\sqrt{8}>4$

$a>0$, $b>0$일 때,
$a<b$이면 $\sqrt{a}<\sqrt{b}$
$\sqrt{a}<\sqrt{b}$이면 $a<b$

02 다음 중 대소 관계가 옳은 것은?

① $-\sqrt{8}<-3$　② $\sqrt{3}>\sqrt{7}$　③ $\sqrt{\frac{1}{2}}<\sqrt{\frac{1}{3}}$
④ $\sqrt{24}>5$　⑤ $\sqrt{(-4)^2}>\sqrt{(-3)^2}$

근호가 있는 수와 근호가 없는 수의 대소 비교는 각 수를 제곱하여 비교하거나 근호가 없는 수를 근호가 있는 수로 고쳐서 비교한다.

03 두 수의 대소 관계가 옳은 것을 보기에서 모두 고른 것은?

|보기|
ㄱ. $\sqrt{5}<2$　ㄴ. $0.2<\sqrt{0.2}$
ㄷ. $3-\sqrt{10}<0$　ㄹ. $\sqrt{14}-4>0$

① ㄱ, ㄴ　② ㄱ, ㄷ　③ ㄴ, ㄷ
④ ㄴ, ㄹ　⑤ ㄷ, ㄹ

a와 $\sqrt{b}$의 비교
■ $\sqrt{a^2}$과 $\sqrt{b}$의 비교
■ a^2과 b의 비교

04 다음 수를 작은 것부터 순서대로 나열하시오.

$\sqrt{\frac{1}{2}}$, $-\sqrt{\frac{1}{3}}$, 0, $-\sqrt{\frac{3}{2}}$, $\frac{1}{4}$, $-\frac{2}{3}$

제곱근을 제곱하여 비교해 본다.
(음수)<0<(양수)

05 부등식 $\sqrt{3}<x<\sqrt{18}$을 만족시키는 모든 자연수 x의 값의 합을 구하시오.

부등식의 각 변을 제곱해도 부등호의 방향은 바뀌지 않는다.

5강 ••• 무리수와 실수

정답과 해설 _ p.7

1. 무리수 up+

(1) 무리수: 유리수가 아닌 수

소수 $\begin{cases} \text{유한소수} \\ \text{무한소수} \begin{cases} \text{순환소수} \\ \text{순환소수가 아닌 무한소수} \end{cases} \end{cases}$

- 유한소수, 순환소수 ➡ 유리수
- 순환소수가 아닌 무한소수 ➡ 무리수

(2) 실수

① 실수: 유리수와 무리수를 통틀어 실수라고 한다.

② 실수의 분류

실수
- 유리수
  - 정수
    - 양의 정수(자연수): $1, 2, 3, \cdots$
    - 0
    - 음의 정수: $-1, -2, -3, \cdots$
  - 정수가 아닌 유리수: $\frac{3}{2}, -\frac{1}{5}, 0.7, \cdots$
- 무리수: $\sqrt{2}, -\sqrt{3}, \pi, \cdots$

01 다음 수가 유리수이면 '유'를, 무리수이면 '무'를 (　) 안에 써넣으시오.

(1) $\sqrt{4}$ (　　)

(2) $-\sqrt{5}$ (　　)

(3) $0.\dot{5}2\dot{3}$ (　　)

(4) $\sqrt{12}$ (　　)

(5) 0.714 (　　)

(6) 2π (　　)

(7) $\sqrt{\frac{4}{9}}$ (　　)

02 무리수인 것에 모두 ○표 하고, 무리수는 몇 개인지 쓰시오.

(1) $\sqrt{25}$, $\sqrt{\frac{9}{100}}$, $\sqrt{12}$, $\sqrt{\frac{1}{9}}$, $\sqrt{0.1}$

➡ ____________________

(2) $\sqrt{3}$, $\sqrt{16}$, $3.\dot{1}\dot{4}$, $\sqrt{\frac{1}{2}}$, $\sqrt{0.01}$

➡ ____________________

(3) $\sqrt{6}$, $\sqrt{\frac{7}{25}}$, $\sqrt{\frac{18}{6}}$, $\sqrt{4.9}$, $\sqrt{10}$

➡ ____________________

03 다음 중 옳은 것에는 ○표, 옳지 않은 것에는 ×표를 하시오.

(1) $\sqrt{2}$는 실수이다. (　　)

(2) $\sqrt{3}$은 순환소수가 아닌 무한소수이다. (　　)

(3) 유한소수는 모두 유리수이다. (　　)

(4) 무한소수는 모두 무리수이다. (　　)

(5) 무한소수 중에는 유리수인 것도 있다. (　　)

(6) 근호를 사용하여 나타낸 수는 모두 무리수이다. (　　)

04 다음 □ 안의 수에 해당하는 것이 아닌 것을 모두 찾으시오.

실수
- 유리수
  - 정수
    - 양의 정수(자연수)
    - 0
    - 음의 정수
  - 정수가 아닌 유리수
- □

$\sqrt{\frac{16}{25}}$, $\sqrt{\frac{3}{4}}$, $\sqrt{3.6}$, $\sqrt{0.64}$, $5-\sqrt{3}$

➡ ____________________

2. 무리수를 수직선 위에 나타내기

(1) 실수와 수직선

① 모든 실수는 각각 수직선 위의 한 점에 대응한다.
② 두 실수 사이에는 무수히 많은 실수가 존재한다.
③ 수직선은 실수에 대응하는 점들로 메워져 있다.

(2) 무리수를 수직선 위에 나타내기

$\sqrt{2}$, $-\sqrt{2}$를 수직선 위에 나타내는 방법

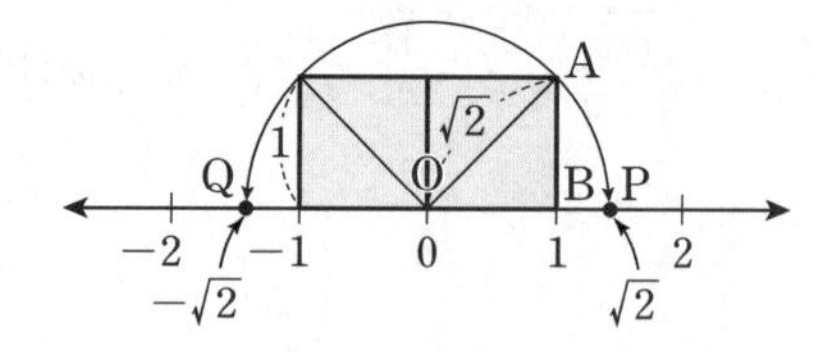

① 수직선 위에 점 O를 중심으로 하고 $\overline{OA}$를 반지름으로 하는 원을 그린다.
② 이 원이 수직선과 만나는 점을 각각 P, Q라고 하면, 점 P, Q에 대응하는 수는 각각 $\sqrt{2}$, $-\sqrt{2}$이다.

05 다음 중 옳은 것은 ○표, 옳지 않은 것은 ×표를 하시오.

(1) 1과 2 사이에는 무수히 많은 무리수가 있다. ( )

(2) 서로 다른 무리수 사이에는 무리수만 있다. ( )

(3) 유리수에 대응하는 모든 점들로 수직선을 완전히 메울 수 있다. ( )

(4) 모든 실수는 수직선 위에 나타낼 수 있다. ( )

(5) 실수는 유리수와 무리수로 이루어져 있다. ( )

(6) 수직선은 유리수와 무리수만으로 완전히 메울 수 없다. ( )

(7) 실수 중에서 유리수이면서 동시에 무리수인 수는 없다. ( )

06 다음은 한 눈금의 길이가 1인 모눈종이 위에 직각삼각형을 그린 것이다. $\overline{AC}$의 길이를 구하시오.

(1)
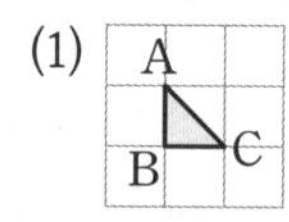

(2)
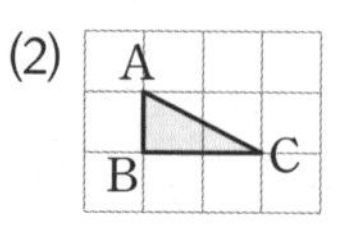

(3)
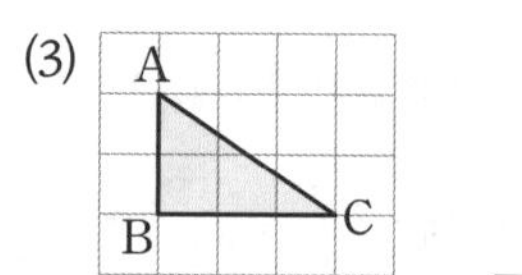

07 다음 그림에서 수직선 위의 점 P에 대응하는 수를 구하시오.

(1)
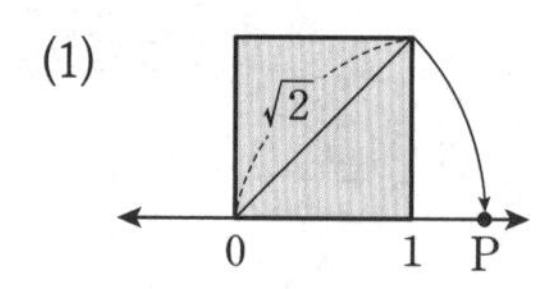

(2)
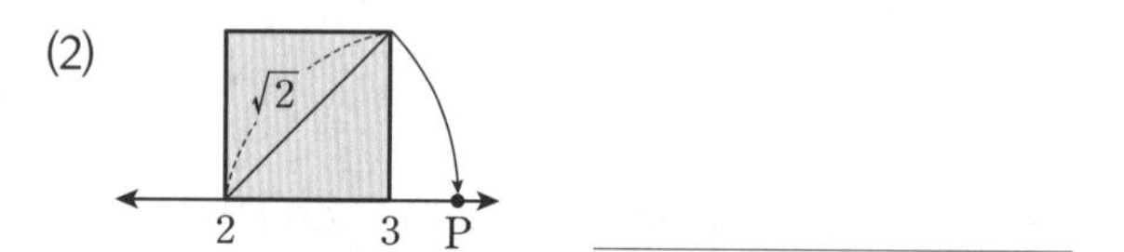

(3)
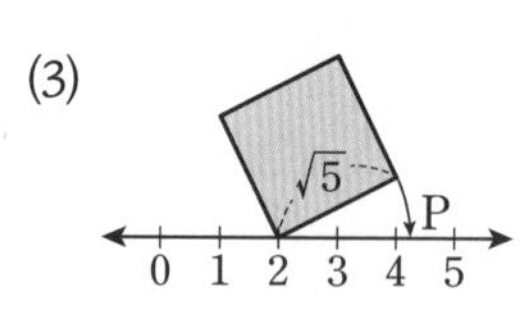

(4)
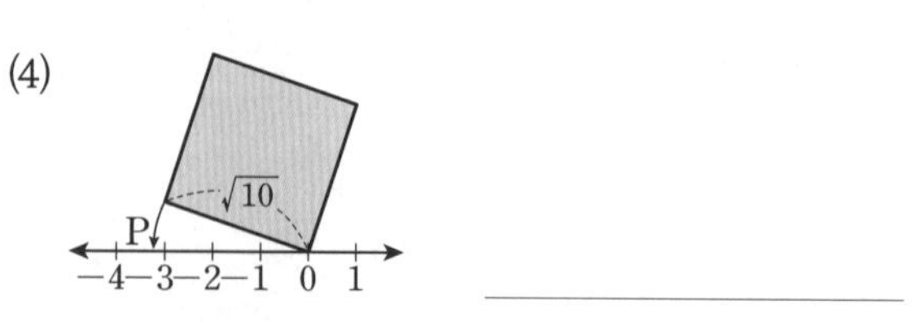

넓이가 1인 정사각형의 대각선의 길이는 $\sqrt{2}$이다.

힘수 만점

정답과 해설 _ p.8

01 다음 중 무리수는 모두 몇 개인가?

$\sqrt{0.\dot{4}}$ $\quad -\sqrt{4.9}$ $\quad 0.1121231234\cdots$ $\quad \pi$

$\sqrt{\frac{1}{4}}$ $\quad \sqrt{0.09}$ $\quad \sqrt{32}$ $\quad -0.1313$ $\quad 3.14$

① 6개 ② 5개 ③ 4개
④ 3개 ⑤ 2개

■ 순환소수가 아닌 무한소수는 무리수이다.
■ 제곱근을 없앨 수 있으면 유리수이다.

02 다음 중 옳지 않은 것을 모두 고르면? (정답 2개)

① 실수는 유리수와 무리수로 이루어져 있다.
② 순환소수가 아닌 무한소수는 실수가 아니다.
③ 모든 정수는 유리수이다.
④ 유리수이면서 무리수인 수는 없다.
⑤ 실수 중 정수가 아닌 수는 무리수이다.

■ 유리수: 유한소수, 순환소수
■ 무리수: 순환소수가 아닌 무한소수

03 오른쪽 그림의 사각형은 한 변의 길이가 1인 정사각형이다. 수직선 위의 점 A에 대응하는 수는?

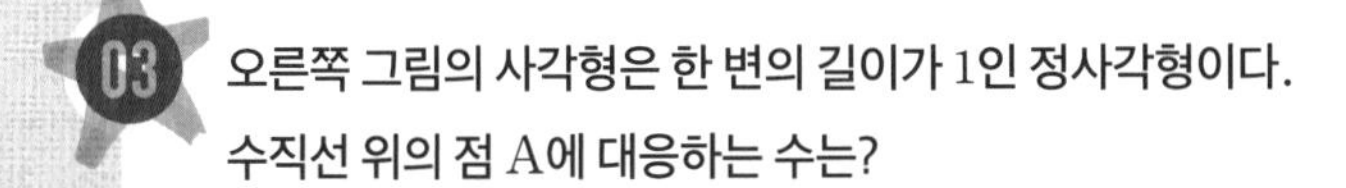

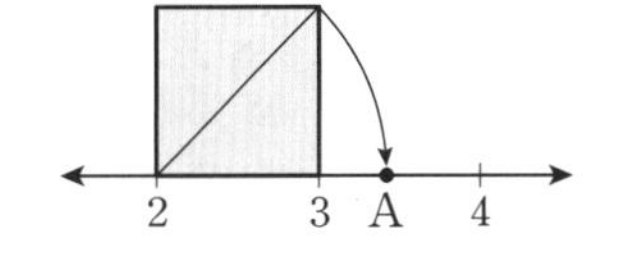

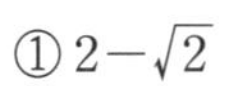

① $2-\sqrt{2}$ ② $2+\sqrt{2}$
③ $2-\sqrt{3}$ ④ $2+\sqrt{3}$
⑤ $2+\sqrt{5}$

한 변의 길이가 1인 정사각형의 대각선의 길이는 $\sqrt{2}$이다.

04 오른쪽 그림과 같이 한 눈금의 길이가 1인 모눈종이 위에 수직선과 직각삼각형 ABC를 그리고, 점 A를 중심으로 하고 $\overline{AB}$를 반지름으로 하는 원을 그렸다. 원과 수직선이 만나는 두 점을 각각 P, Q라 할 때, 다음 중 옳지 않은 것은?

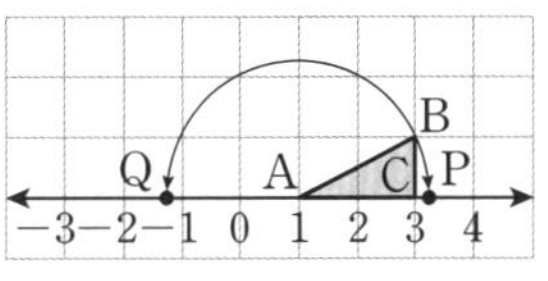

① $\overline{AB}=\sqrt{5}$ ② $\overline{AP}=\sqrt{5}$ ③ $P(2+\sqrt{5})$
④ $Q(1-\sqrt{5})$ ⑤ $\overline{CP}=\sqrt{5}-2$

$\overline{AB}=\sqrt{1^2+2^2}=\sqrt{5}$

정답과 해설 _ p.8

1. 실수의 대소 관계 up+

(1) 수직선 위에서 오른쪽에 있는 점에 대응하는 실수가 왼쪽에 있는 점에 대응하는 실수보다 크다.

① (음수) $<0<$ (양수)
② 양수는 음수보다 크다.
③ 양수끼리는 절댓값이 클수록 크다.
④ 음수끼리는 절댓값이 작을수록 크다.

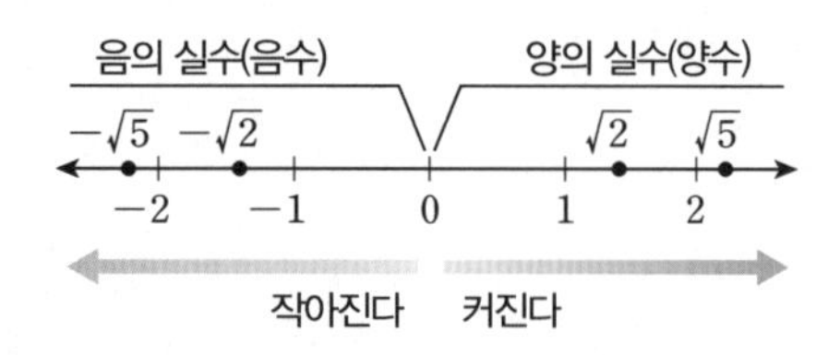

(2) 두 실수 a, b의 대소 관계는 $a-b$의 부호로 알 수 있다.

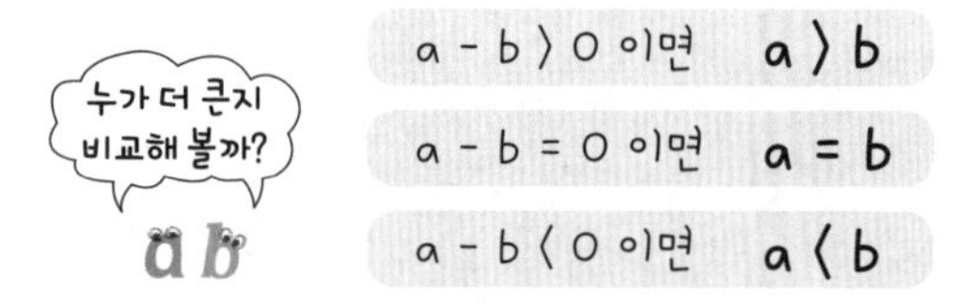

01 다음 □ 안에 $<$ 또는 $>$를 써넣으시오.

(1) 4 □ $\sqrt{3}+1$

(2) $\sqrt{6}+1$ □ 7

(3) -1 □ $-6+\sqrt{24}$

(4) $\sqrt{2}+1$ □ $\sqrt{3}+1$

(5) $\sqrt{2}+3$ □ $\sqrt{2}+\sqrt{8}$

(6) $2+\sqrt{3}$ □ $\sqrt{5}+\sqrt{3}$

(7) $1-\sqrt{5}$ □ $1-\sqrt{2}$

(8) $\sqrt{17}+\sqrt{5}$ □ $4+\sqrt{5}$

02 다음 □ 안에 $<$ 또는 $>$를 써넣으시오.

(1) $\sqrt{3}-1$ □ $\sqrt{2}-1$

(2) $\sqrt{8}-2$ □ $\sqrt{9}-2$

(3) $\sqrt{12}-\sqrt{7}$ □ $12-\sqrt{7}$

(4) $-\sqrt{18}-\sqrt{8}$ □ $-\sqrt{23}-\sqrt{8}$

03 다음 □ 안에 $<$ 또는 $>$를 써넣으시오.

(1) $\sqrt{2}+4$ □ 4

(2) $\sqrt{5}+6$ □ 9

(3) 3 □ $-\sqrt{10}+6$

(4) -3 □ $-5+\sqrt{12}$

04 세 수 $a=\sqrt{2}+5$, $b=7$, $c=5+\sqrt{6}$에 대하여 □ 안에 $<$ 또는 $>$를 써넣으시오.

(1) 두 수 a, b의 비교
$a-b=(\sqrt{2}+5)-7=\sqrt{2}-2$ □ 0
$\therefore a$ □ b

(2) 두 수 b, c의 비교
$7-(5+\sqrt{6})=2-\sqrt{6}=\sqrt{4}-\sqrt{6}$ □ 0
$\therefore b$ □ c

(3) 세 수 a, b, c의 비교
a □ b, b □ c이므로 a □ b □ c

2. 수직선에서 무리수에 대응하는 점 찾기

(1) 수직선에서 무리수에 대응하는 점 찾기

예 수직선에서 $\sqrt{8}$에 대응하는 점

$\sqrt{4}<\sqrt{8}<\sqrt{9}$이므로 $2<\sqrt{8}<3$

따라서 $\sqrt{8}$은 수직선 위에서 2와 3 사이의 점에 대응한다.

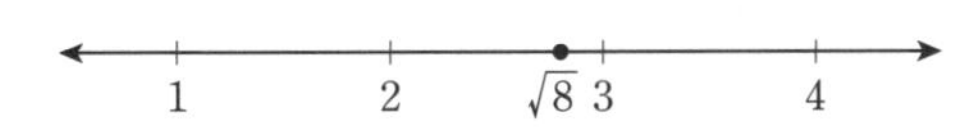

(2) 두 실수 a, b 사이에 있는 실수 구하기

[방법1] 평균을 이용한다. ➡ $\frac{a+b}{2}$

예 1과 $\sqrt{2}$ 사이에 있는 수 $\frac{1+\sqrt{2}}{2}$

[방법2] a, b의 차보다 작은 수를 a, b 중 작은 수에 더하거나 큰 수에서 뺀다.

05 다음 수직선 위의 점 중에서 주어진 수에 대응하는 점을 찾아 기호를 쓰시오.

A B C D E F

-3 -2 -1 0 1 2 3 4

(1) $\sqrt{2}$ ➡ ______

(2) $-\sqrt{3}$ ➡ ______

(3) $\sqrt{10}$ ➡ ______

(4) $-\sqrt{4}$ ➡ ______

(5) $\sqrt{\frac{9}{2}}$ ➡ ______

(6) $\sqrt{0.2}$ ➡ ______

06 다음 수가 [ ] 안에 주어진 두 실수 사이에 존재하는 수이면 ○표, 아니면 ×표 하시오.

(1) $\sqrt{12}$ [3, 4] ( )

(2) 5 [$\sqrt{15}$, $\sqrt{24}$] ( )

(3) $\sqrt{27}$ [4, 5] ( )

(4) $\sqrt{5}-1$ [1, 2] ( )

07 다음 수를 수직선 위에 나타내시오.

(1) $\sqrt{11}$, $\sqrt{3}$, $\sqrt{6}$

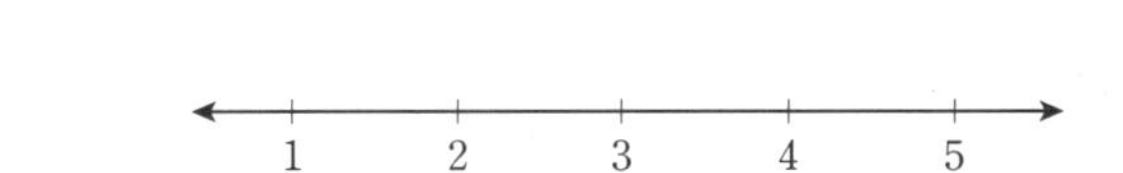

(2) $-\sqrt{15}$, $-\sqrt{20}$, $-\sqrt{8}$

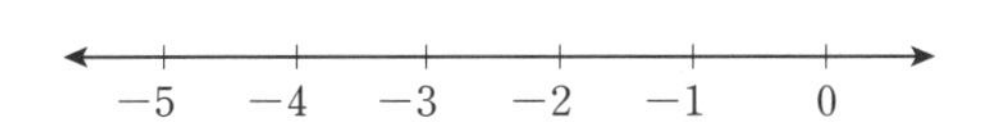

08 아래 수직선에서 다음 수에 대응하는 점이 있는 곳을 구하시오.

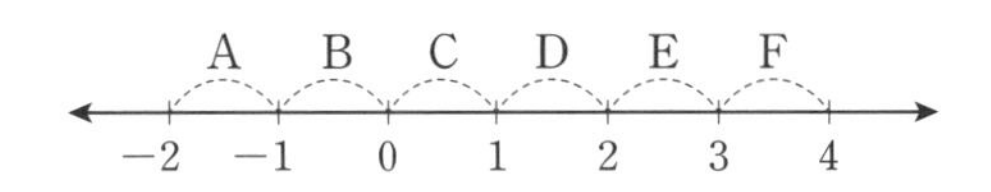

(1) $\sqrt{8}-1$ ➡ ______

(2) $\sqrt{5}+1$ ➡ ______

(3) $-4+\sqrt{13}$ ➡ ______

(4) $\sqrt{26}-5$ ➡ ______

정답과 해설 _ p.9

01 다음 두 실수의 대소 관계 중 옳은 것은?

① $\sqrt{2}<1$　② $5-\sqrt{3}>5-\sqrt{2}$　③ $-\sqrt{5}<-4$
④ $\sqrt{2}-3>1+\sqrt{2}$　⑤ $\sqrt{17}-3<\sqrt{17}+1$

두 실수 a, b의 대소 관계는 $a-b$의 부호로 알 수 있다.
① $a-b>0$이면 $a>b$
② $a-b=0$이면 $a=b$
③ $a-b<0$이면 $a<b$

02 다음 수 중 세 번째로 큰 수는?

$\sqrt{3}$, $\sqrt{\frac{5}{2}}$, 0, 2, -1, $\sqrt{2}$

03 다음 수직선 위의 점 중에서 $\sqrt{45}$에 대응하는 점을 구하시오.

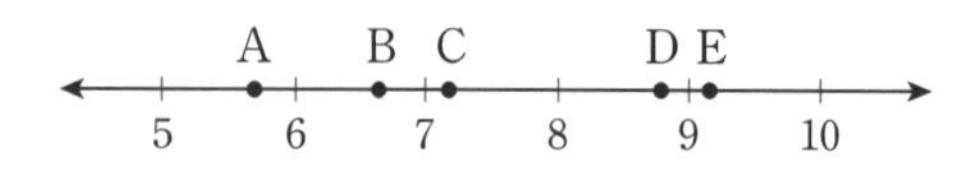

제곱수를 이용하여 알아본다.

04 다음 중 $\sqrt{2}$와 $\sqrt{3}$ 사이에 있는 수가 아닌 것은? (단, $\sqrt{2}=1.414$, $\sqrt{3}=1.732$)

① $\sqrt{2}+0.2$　② $\sqrt{3}-0.2$　③ $\sqrt{2}+0.03$
④ $\frac{\sqrt{2}+\sqrt{3}}{2}$　⑤ $\frac{\sqrt{2}-\sqrt{3}}{2}$

두 실수 a, b 사이에 있는 실수
■ 평균을 이용: $\frac{a+b}{2}$
■ a, b의 차보다 작은 수를 더하거나 뺀다.

05 세 실수 $a=3+\sqrt{3}$, $b=5$, $c=\sqrt{3}+\sqrt{5}$의 대소 관계를 나타내시오.

두 수씩 비교해 본다.
$a<b$이고 $b<c$이면
$a<b<c$

중단원 연산 마무리

정답과 해설 _ p.9

01 다음을 구하시오.

(1) 8의 제곱근 ➡ ____________

(2) $\frac{5}{12}$의 제곱근 ➡ ____________

(3) 제곱근 7 ➡ ____________

(4) 제곱근 0.1 ➡ ____________

02 다음 설명 중에서 옳은 것은 ○표, 옳지 않은 것은 ×표를 ( ) 안에 써넣으시오.

(1) 0의 제곱근은 없다. ( )

(2) 양수의 두 제곱근의 합은 0이다. ( )

(3) 자연수의 제곱근은 2개이다. ( )

(4) 16의 음의 제곱근은 $-\sqrt{4}$이다. ( )

03 다음 수를 근호를 사용하지 않고 나타내시오.

(1) $(\sqrt{7})^2$ ➡ ____________

(2) $(-\sqrt{21})^2$ ➡ ____________

(3) $-\sqrt{\left(\frac{2}{3}\right)^2}$ ➡ ____________

(4) $-\sqrt{(-5)^2}$ ➡ ____________

04 다음을 계산하시오.

(1) $(\sqrt{3})^2+(-\sqrt{3})^2$

(2) $(\sqrt{5})^2-\sqrt{(-3)^2}$

(3) $\sqrt{4}+\sqrt{9}-\sqrt{36}$

(4) $\left(-\sqrt{\frac{3}{5}}\right)^2-\left(-\sqrt{\frac{2}{3}}\right)^2$

05 다음을 계산하시오.

(1) $(\sqrt{3})^2\times(-\sqrt{3})^2$

(2) $\sqrt{\left(\frac{27}{7}\right)^2}\div\left(-\sqrt{\frac{81}{14}}\right)^2$

(3) $\sqrt{36}\div\sqrt{2^2}\times(-\sqrt{5})^2$

(4) $(-\sqrt{2})^2\times\sqrt{(-7)^2}\times\left(\sqrt{\frac{1}{7}}\right)^2$

06 $a<0$일 때, 보기에서 옳은 것을 모두 고르시오.

보기	
ㄱ. $\sqrt{a^2}=a$	ㄴ. $\sqrt{(2a)^2}=-2a$
ㄷ. $\sqrt{(-4a)^2}=-4a$	ㄹ. $-\sqrt{25a^2}=-5a$

07 다음을 근호를 사용하지 않고 나타내시오.

(1) $x<1$일 때, $\sqrt{(x-1)^2}+\sqrt{(1-x)^2}$

➡ ____________

(2) $a>0$, $b<0$일 때, $\sqrt{(-2a)^2}+\sqrt{(5b)^2}$

➡ ____________

(3) $2<x<3$일 때, $\sqrt{(x-2)^2}+\sqrt{(x-3)^2}$

➡ ____________

08 다음 수가 자연수가 되게 하는 가장 작은 자연수 x를 구하시오.

(1) $\sqrt{2^3\times3^2\times5\times x}$ ➡ ______

(2) $\sqrt{240x}$ ➡ ______

(3) $\sqrt{\dfrac{2\times3^4\times5\times7}{x}}$ ➡ ______

(4) $\sqrt{\dfrac{20}{x}}$ ➡ ______

09 다음 수가 자연수가 되게 하는 가장 작은 자연수 x를 구하시오.

(1) $\sqrt{15+x}$ ➡ ______

(2) $\sqrt{37+x}$ ➡ ______

10 다음 수가 정수가 되게 하는 자연수 x의 개수를 구하시오.

(1) $\sqrt{40-x}$ ➡ ______

(2) $\sqrt{\dfrac{72}{x}}$ ➡ ______

11 다음 □ 안에 부등호 $<$ 또는 $>$를 써넣으시오.

(1) $\sqrt{15}+1$ □ 4

(2) $3-\sqrt{3}$ □ 2

(3) $4-\sqrt{5}$ □ $\sqrt{17}-\sqrt{5}$

(4) $2-\sqrt{7}$ □ -1

12 다음 부등식을 만족시키는 자연수 x의 개수를 구하시오.

(1) $5<\sqrt{x}<6$ ➡ ______

(2) $\dfrac{3}{2}<\sqrt{x+1}\leq3$ ➡ ______

(3) $\sqrt{10}<x<\sqrt{48}$ ➡ ______

(4) $\sqrt{2}<3x<\sqrt{40}$ ➡ ______

13 다음 보기에서 무리수의 개수를 구하시오.

보기
$-\pi$, 0, $\sqrt{\dfrac{3}{4}}$, $0.6125215\cdots$, $\sqrt{25}$,
$0.3\dot{2}$, $\sqrt{0.9}$, $-\sqrt{11}$, $-\sqrt{169}$, $\sqrt{\dfrac{1}{16}}$

14 다음 중 옳은 것에는 ○표, 옳지 않은 것에는 ×표를 하시오.

(1) 0과 1 사이에는 무수히 많은 무리수가 있다. ( )

(2) 무한소수 중에는 유리수인 것도 있다. ( )

(3) 순환소수가 아닌 무한소수는 실수가 아니다. ( )

(4) 유리수이면서 무리수인 수는 없다. ( )

(5) 실수 중에서 정수가 아닌 수는 무리수이다. ( )

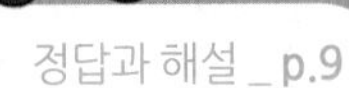

15 다음 □ 안에 < 또는 >를 써넣으시오.

(1) $3-\sqrt{5}$ □ $3-\sqrt{2}$

(2) $\sqrt{9}-\sqrt{3}$ □ $\sqrt{16}-\sqrt{3}$

(3) $-\sqrt{12}-1$ □ $-\sqrt{12}-\sqrt{2}$

(4) $-2-\sqrt{6}$ □ -3

16 다음 수직선 위의 점 중에서 주어진 수에 대응하는 점을 찾으시오.

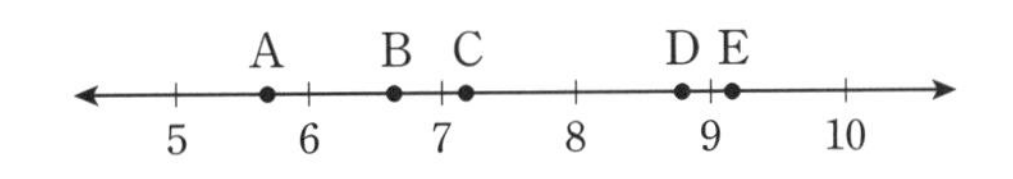

(1) $\sqrt{52}$ ➡ ______

(2) $\sqrt{45}$ ➡ ______

(3) $\sqrt{86}$ ➡ ______

(4) $\sqrt{78}$ ➡ ______

17 다음 그림은 수직선 위에 한 변의 길이가 1인 정사각형 ABCD를 그린 것이다. $\overline{BD}=\overline{BQ}$, $\overline{CA}=\overline{CP}$이고 $B(-3)$, $C(-2)$일 때, 다음을 구하시오.

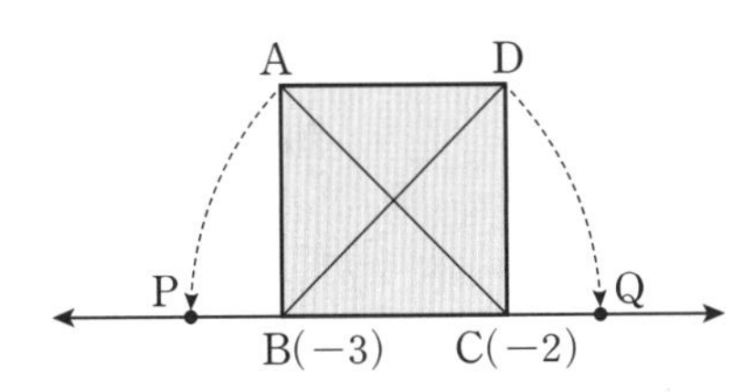

(1) 점 P의 좌표 ➡ ______

(2) 점 Q의 좌표 ➡ ______

(3) $\overline{PQ}$의 길이 ➡ ______

(4) $\overline{CQ}$의 길이 ➡ ______

18 $0<a<3$일 때, $\sqrt{(a-3)^2}+\sqrt{(3-a)^2}$을 간단히 하면?

① -6　② 0　③ 6
④ $2a-6$　⑤ $-2a+6$

19 $\sqrt{27-x}$가 자연수가 되도록 하는 자연수 x 중에서 가장 큰 값을 M, 가장 작은 값을 m이라고 할 때, $M-m$의 값은?

① 26　② 25　③ 24
④ 23　⑤ 22

20 다음 수직선에서 $6-\sqrt{7}$에 대응하는 점이 있는 구간은?

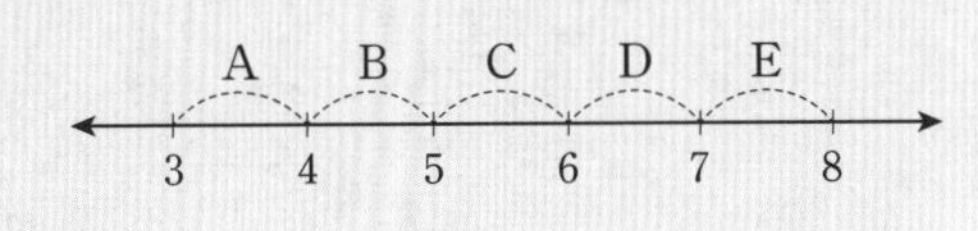

① 구간 A　② 구간 B　③ 구간 C
④ 구간 D　⑤ 구간 E

8강 ••• 제곱근의 곱셈

1. 제곱근의 곱셈 up⁺

$a>0$, $b>0$이고 m, n이 유리수일 때,

(1) $\sqrt{a}\times\sqrt{b}=\sqrt{ab}$

참고 $\sqrt{a}\times\sqrt{b}$는 곱셈 기호를 생략하고 보통 $\sqrt{ab}$와 같이 나타낸다.

(2) $m\sqrt{a}\times n=mn\sqrt{a}$ — 근호 밖의 수끼리 곱한다.

(3) $m\sqrt{a}\times n\sqrt{b}=mn\sqrt{ab}$ — 근호 안의 수끼리 곱한다.

01 다음 □ 안에 알맞은 수를 써넣으시오.

(1) $\sqrt{5}\times\sqrt{3}=\sqrt{5\times\square}=\sqrt{\square}$

(2) $\sqrt{2}\times\sqrt{3}\times\sqrt{7}=\sqrt{2\times\square\times\square}=\sqrt{\square}$

(3) $3\sqrt{2}\times4=(3\times\square)\times\sqrt{2}=\square$

(4) $-2\sqrt{6}\times\sqrt{2}=-2\times\sqrt{6\times\square}=\square$

(5) $2\sqrt{3}\times4\sqrt{2}=(2\times\square)\sqrt{3\times\square}=\square$

(6) $-9\sqrt{7}\times5\sqrt{6}=(-\square\times5)\times\sqrt{\square\times\square}$
$=\square$

02 다음을 간단히 하시오.

(1) $\sqrt{2}\times\sqrt{3}$ ➡

(2) $\sqrt{5}\times\sqrt{7}$ ➡

(3) $\sqrt{6}\times\sqrt{10}$ ➡

(4) $-\sqrt{8}\times\sqrt{2}$ ➡

03 다음을 간단히 하시오.

(1) $7\times2\sqrt{3}$

(2) $2\sqrt{3}\times3\sqrt{5}$

(3) $-3\sqrt{8}\times2\sqrt{6}$

(4) $2\sqrt{7}\times5\sqrt{2}\times\sqrt{5}$

(5) $5\sqrt{2}\times4\sqrt{2}$

(6) $6\sqrt{0.3}\times2\sqrt{10}$

04 다음을 간단히 하시오.

(1) $\sqrt{2}\times\sqrt{\frac{3}{4}}$

(2) $\sqrt{\frac{5}{7}}\times\sqrt{21}$

(3) $-\sqrt{\frac{9}{2}}\times\sqrt{\frac{4}{3}}$

(4) $-2\sqrt{5}\times2\sqrt{\frac{2}{5}}$

(5) $2\sqrt{\frac{6}{5}}\times3\sqrt{\frac{25}{3}}\times\sqrt{\frac{3}{2}}$

05 다음을 간단히 하시오.

(1) $\sqrt{3}\times\sqrt{12}$

(2) $3\sqrt{2}\times5\sqrt{8}$

(3) $\sqrt{\frac{5}{3}}\times\sqrt{\frac{6}{10}}$

(4) $\sqrt{\frac{15}{7}}\times4\sqrt{\frac{35}{3}}$

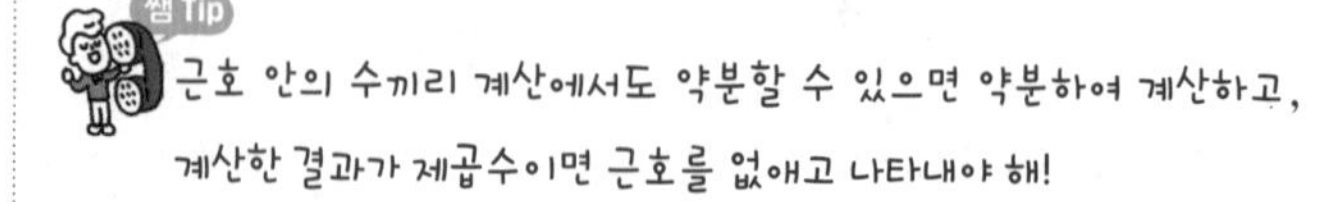

2. 근호가 있는 식의 변형 up+

(1) 근호 안의 수 빼내기

$a>0$, $b>0$일 때,

$\sqrt{a^2b}=\sqrt{a^2}\sqrt{b}=a\sqrt{b}$

참고 $a\sqrt{b}$꼴로 나타낼 때 보통 근호 안의 수는 가장 작은 자연수가 되도록 한다.

(2) 근호 안에 수 넣기

$a>0$, $b>0$일 때,

$a\sqrt{b}=\sqrt{a^2}\sqrt{b}=\sqrt{a^2b}$

주의 근호 밖의 수를 근호 안으로 넣을 때는 양수만 가능하므로 $-2\sqrt{3}=\sqrt{(-2)^2\times3}$으로 계산하지 않고, $-2\sqrt{3}=-\sqrt{2^2\times3}$과 같이 계산한다.

$a>0$, $b>0$일 때

$\sqrt{a^2b}=a\sqrt{b}$ $\quad$ $a\sqrt{b}=\sqrt{a^2b}$

06 다음 □ 안에 알맞은 수를 써넣으시오.

(1) $\sqrt{48}=\sqrt{16\times3}=\sqrt{\square^2\times3}=\square\sqrt{3}$

(2) $\sqrt{72}=\sqrt{36\times2}=\sqrt{\square^2\times2}=\square\sqrt{2}$

(3) $-\sqrt{18}=-\sqrt{9\times2}=-\sqrt{\square^2\times2}=-\square\sqrt{2}$

(4) $\sqrt{1000}=\sqrt{100\times10}=\sqrt{\square^2\times10}=\square\sqrt{10}$

07 다음 □ 안에 알맞은 수를 써넣으시오.

(1) $3\sqrt{2}=\sqrt{\square^2\times2}=\sqrt{\square}$

(2) $2\sqrt{7}=\sqrt{\square^2\times7}=\sqrt{\square}$

(3) $-5\sqrt{6}=-\sqrt{\square^2\times6}=-\sqrt{\square}$

08 다음 수를 $a\sqrt{b}$의 꼴로 나타내시오. (단, b는 가장 작은 자연수)

(1) $\sqrt{24}$ ➡ ________

(2) $\sqrt{50}$ ➡ ________

(3) $\sqrt{80}$ ➡ ________

(4) $\sqrt{128}$ ➡ ________

(5) $-\sqrt{20}$ ➡ ________

(6) $-\sqrt{98}$ ➡ ________

개념 Tip 근호 안의 수를 소인수분해하여 지수가 짝수인 인수를 근호 밖으로 꺼낸다.

09 다음 수를 $\sqrt{a}$ 또는 $-\sqrt{a}$의 꼴로 나타내시오.

(1) $3\sqrt{5}$ ➡ ________

(2) $6\sqrt{3}$ ➡ ________

(3) $-2\sqrt{8}$ ➡ ________

(4) $-3\sqrt{6}$ ➡ ________

10 $\sqrt{2}=a$, $\sqrt{3}=b$라 할 때, 주어진 수를 보기와 같이 a, b를 사용하여 나타낸 식을 바르게 연결하시오.

보기

$\sqrt{6}=\sqrt{2\times3}=\sqrt{2}\times\sqrt{3}=ab$

(1) $\sqrt{12}$ • $\quad$ • ㉠ ab^2

(2) $\sqrt{18}$ • $\quad$ • ㉡ a^2b^2

(3) $\sqrt{36}$ • $\quad$ • ㉢ ab^3

(4) $\sqrt{54}$ • $\quad$ • ㉣ a^2b

정답과 해설 _ p.12

01 다음 중 옳지 않은 것은?

① $\sqrt{2}\times\sqrt{6}=2\sqrt{3}$　② $-\sqrt{2}\times\sqrt{8}=-4$

③ $3\sqrt{3}\times2\sqrt{5}=6\sqrt{15}$　④ $\sqrt{\frac{5}{3}}\times\sqrt{\frac{6}{5}}=2$

⑤ $\sqrt{\frac{3}{4}}\times2\sqrt{\frac{16}{9}}=2\sqrt{\frac{4}{3}}$

(ⅰ) $a>0$, $b>0$이고 m, n이 유리수일 때,
- $\sqrt{a}\times\sqrt{b}=\sqrt{ab}$
- $m\sqrt{a}\times n=mn\sqrt{a}$
- $m\sqrt{a}\times n\sqrt{b}=mn\sqrt{ab}$

(ⅱ) 근호 안의 수끼리 약분할 수 있으면 약분한다.

02 다음 □ 안에 들어갈 수 중 가장 큰 것은?

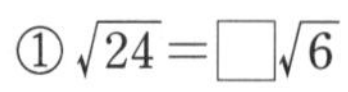

① $\sqrt{24}=\square\sqrt{6}$　② $-\sqrt{40}=-2\sqrt{\square}$

③ $\sqrt{76}=\square\sqrt{19}$　④ $\sqrt{99}=3\sqrt{\square}$

⑤ $\sqrt{108}=\square\sqrt{3}$

근호 안의 수를 소인수분해한 다음 제곱수가 있으면 근호 밖으로 빼낸다.

03 $\sqrt{18}\times\sqrt{20}=a\sqrt{10}$을 만족시키는 자연수 a의 값을 구하시오.

근호 안의 수를 소인수분해한 다음 제곱수를 빼내어 계산하는 것이 편리하다.

04 $\sqrt{32}=a\sqrt{2}$, $\sqrt{75}=b\sqrt{3}$일 때, 유리수 a, b에 대하여 $\sqrt{ab}$의 값은?

① $2\sqrt{2}$　② $2\sqrt{5}$　③ $4\sqrt{2}$

④ $5\sqrt{3}$　⑤ $4\sqrt{5}$

소인수분해하여 $a\sqrt{2}$, $b\sqrt{3}$의 꼴로 나타낸다.

05 $\sqrt{500}$은 $\sqrt{5}$의 a배, $\sqrt{63}$은 $\sqrt{7}$의 b배일 때, $a-b$의 값을 구하시오.

정답과 해설 _ p.13

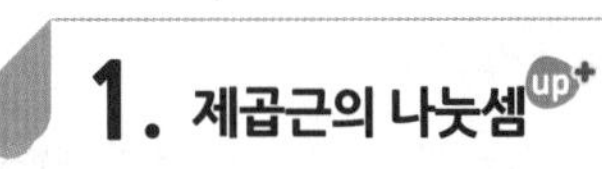

$a>0$, $b>0$이고 m, n이 유리수일 때,

(1) $\dfrac{\sqrt{b}}{\sqrt{a}}=\sqrt{\dfrac{b}{a}}$ (근호 밖의 수끼리 나눈다.)

(2) $m\sqrt{a}\div n\sqrt{b}=\dfrac{m}{n}\sqrt{\dfrac{a}{b}}$ (단, $n\neq 0$) (근호 안의 수끼리 나눈다.)

(3) $\dfrac{\sqrt{b}}{\sqrt{a}}\div\dfrac{\sqrt{d}}{\sqrt{c}}=\dfrac{\sqrt{b}}{\sqrt{a}}\times\dfrac{\sqrt{c}}{\sqrt{d}}=\sqrt{\dfrac{bc}{ad}}$ (나눗셈은 곱셈으로~.)

01 다음 □ 안에 알맞은 수를 써넣으시오.

(1) $\dfrac{\sqrt{18}}{\sqrt{3}}=\sqrt{\dfrac{18}{3}}=\sqrt{\square}$

(2) $\dfrac{\sqrt{15}}{\sqrt{45}}=\sqrt{\square}=\sqrt{\square}$

(3) $\sqrt{42}\div\sqrt{6}=\dfrac{\sqrt{\square}}{\sqrt{6}}=\sqrt{\square}=\sqrt{\square}$

(4) $4\sqrt{6}\div 2\sqrt{3}=\dfrac{\square}{2}\sqrt{\square}=\square\sqrt{\square}$

(5) $\sqrt{\dfrac{15}{4}}\div\sqrt{\dfrac{3}{20}}=\sqrt{\dfrac{15}{4}\times\square}=\square$

쌤 Tip 근호 안의 수끼리 약분이 되면 약분하여 간단히 한 후 계산하면 편리해!

02 다음을 간단히 하시오.

(1) $\dfrac{\sqrt{30}}{\sqrt{5}}$

(2) $\dfrac{\sqrt{63}}{\sqrt{7}}$

(3) $\sqrt{5}\div\sqrt{3}$

(4) $-\sqrt{35}\div\sqrt{5}$

03 다음을 간단히 하시오.

(1) $\sqrt{3}\div\sqrt{\dfrac{3}{5}}$

(2) $\sqrt{\dfrac{7}{8}}\div\sqrt{14}$

(3) $12\sqrt{10}\div 4\sqrt{5}$

(4) $-9\sqrt{28}\div 3\sqrt{7}$

(5) $8\sqrt{\dfrac{25}{2}}\div 2\sqrt{\dfrac{1}{2}}$

(6) $2\sqrt{\dfrac{3}{5}}\div\sqrt{\dfrac{6}{15}}\div\sqrt{\dfrac{1}{8}}$

개념 Tip 모두 곱셈으로 고쳐서 계산하고 근호 안의 수를 소인수분해하여 제곱수일 때는 근호 밖으로 꺼낸다.

04 다음을 간단히 하시오.

(1) $\sqrt{3}\times\sqrt{6}\div\sqrt{2}$

(2) $-\sqrt{48}\div\sqrt{6}\times\sqrt{3}$

(3) $5\sqrt{2}\times\sqrt{27}\div\sqrt{3}$

(4) $\dfrac{3\sqrt{2}}{2}\times\sqrt{\dfrac{5}{18}}\div\dfrac{\sqrt{5}}{4}$

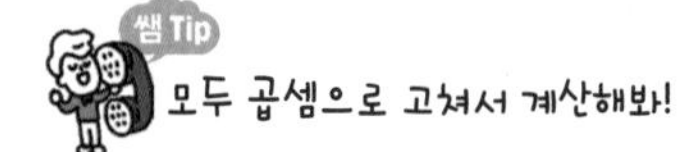

2. 근호가 있는 식의 변형 up+

$a>0$, $b>0$일 때,

① $\sqrt{\dfrac{b}{a^2}}=\dfrac{\sqrt{b}}{\sqrt{a^2}}=\dfrac{\sqrt{b}}{a}$

참고 $a>0$, $b>0$, $c>0$일 때,

$\sqrt{\dfrac{b^2c}{a^2}}=\dfrac{\sqrt{b^2c}}{\sqrt{a^2}}=\dfrac{b\sqrt{c}}{a}$

② $\dfrac{\sqrt{b}}{a}=\dfrac{\sqrt{b}}{\sqrt{a^2}}=\sqrt{\dfrac{b}{a^2}}$

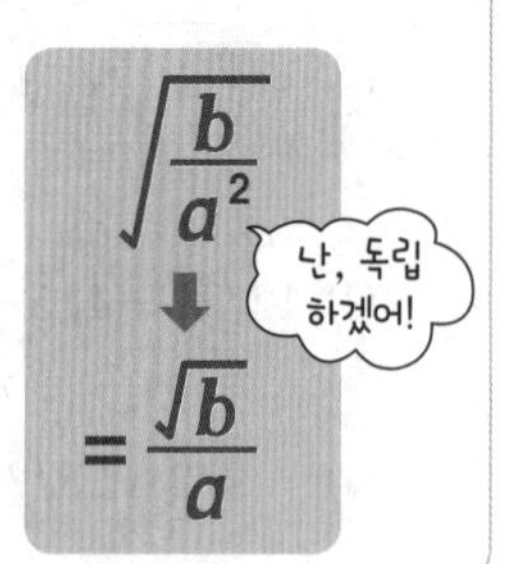

05 다음 □ 안에 알맞은 수를 써넣으시오.

(1) $\sqrt{\dfrac{5}{16}}=\sqrt{\dfrac{5}{\square^2}}=\dfrac{\sqrt{5}}{\square}$

(2) $\sqrt{\dfrac{11}{49}}=\sqrt{\dfrac{11}{\square^2}}=\dfrac{\sqrt{11}}{\square}$

(3) $-\sqrt{\dfrac{2}{9}}=-\sqrt{\dfrac{2}{\square^2}}=-\dfrac{\sqrt{2}}{\square}$

(4) $\sqrt{0.13}=\sqrt{\dfrac{13}{\square}}=\sqrt{\dfrac{13}{\square^2}}=\dfrac{\sqrt{13}}{\square}$

06 다음 □ 안에 알맞은 수를 써넣으시오.

(1) $\dfrac{\sqrt{2}}{5}=\sqrt{\dfrac{2}{\square^2}}=\sqrt{\square}$

(2) $-\dfrac{\sqrt{80}}{4}=-\sqrt{\dfrac{80}{\square^2}}=-\sqrt{\square}$

(3) $\dfrac{\sqrt{10}}{6}=\sqrt{\dfrac{10}{\square^2}}=\sqrt{\dfrac{5}{\square}}$

(4) $\dfrac{3\sqrt{3}}{2}=\sqrt{\dfrac{\square^2\times 3}{\square^2}}=\sqrt{\square}$

07 다음 수를 $\dfrac{\sqrt{b}}{c}$의 꼴로 나타내시오.

(단, b는 가능한 한 가장 작은 자연수)

(1) $\sqrt{\dfrac{13}{16}}$ ➡

(2) $\sqrt{\dfrac{21}{28}}$ ➡

(3) $\sqrt{\dfrac{50}{100}}$ ➡

(4) $-\sqrt{\dfrac{6}{9}}$ ➡

(5) $-\sqrt{\dfrac{5}{64}}$ ➡

(6) $-\sqrt{\dfrac{10}{72}}$ ➡

(7) $\sqrt{0.17}$ ➡

(8) $\sqrt{0.0012}$ ➡

08 다음 수를 $\sqrt{\dfrac{b}{a}}$ 또는 $-\sqrt{\dfrac{b}{a}}$의 꼴로 나타내시오.

(1) $\dfrac{\sqrt{3}}{4}$ ➡

(2) $\dfrac{\sqrt{12}}{3}$ ➡

(3) $\dfrac{\sqrt{42}}{6}$ ➡

(4) $-\dfrac{\sqrt{24}}{4}$ ➡

(5) $-\dfrac{\sqrt{10}}{5}$ ➡

(6) $-\dfrac{\sqrt{8}}{4}$ ➡

3. 분모의 유리화 up+

(1) 분모의 유리화: 분모가 근호를 포함한 무리수일 때, 분모, 분자에 0이 아닌 같은 수를 곱하여 분모의 근호를 없애고 분모를 유리수로 고치는 것

(2) $a>0$이고 b, c가 실수일 때,

$$\frac{1}{\sqrt{a}}=\frac{\sqrt{a}}{\sqrt{a}\times\sqrt{a}}=\frac{\sqrt{a}}{a},\ \frac{b}{\sqrt{a}}=\frac{b\times\sqrt{a}}{\sqrt{a}\times\sqrt{a}}=\frac{b\sqrt{a}}{a}$$

$$\frac{\sqrt{b}}{\sqrt{a}}=\frac{\sqrt{b}\times\sqrt{a}}{\sqrt{a}\times\sqrt{a}}=\frac{\sqrt{ab}}{a},$$

$$\frac{c}{b\sqrt{a}}=\frac{c\times\sqrt{a}}{b\sqrt{a}\times\sqrt{a}}=\frac{c\sqrt{a}}{ab}$$

$$\frac{1}{\sqrt{a}}=\frac{1\times\sqrt{a}}{\sqrt{a}\times\sqrt{a}}=\frac{\sqrt{a}}{a}$$

우리가 도와줄게!

근호를 벗고 싶어.

09 다음은 주어진 수의 분모를 유리화하는 과정이다. □ 안에 알맞은 수를 써넣으시오.

(1) $\frac{1}{\sqrt{7}}=\frac{\square}{\sqrt{7}\times\square}=\square$

(2) $\frac{2}{\sqrt{3}}=\frac{2\times\square}{\sqrt{3}\times\square}=\square$

(3) $\frac{\sqrt{3}}{\sqrt{2}}=\frac{\sqrt{3}\times\square}{\sqrt{2}\times\square}=\square$

(4) $\frac{\sqrt{6}}{2\sqrt{5}}=\frac{\sqrt{6}\times\square}{2\sqrt{5}\times\square}=\square$

10 다음 수의 분모를 유리화하시오.

(1) $\frac{1}{\sqrt{2}}$ ➡ ______

(2) $\frac{15}{\sqrt{5}}$ ➡ ______

(3) $-\frac{7}{\sqrt{7}}$ ➡ ______

11 다음 수의 분모를 유리화하시오.

(1) $\frac{\sqrt{6}}{\sqrt{7}}$ ➡ ______

(2) $\frac{\sqrt{11}}{\sqrt{3}}$ ➡ ______

(3) $\sqrt{\frac{5}{3}}$ ➡ ______

(4) $\frac{2}{3\sqrt{6}}$ ➡ ______

(5) $\frac{5\sqrt{3}}{2\sqrt{5}}$ ➡ ______

(6) $\frac{2\sqrt{3}}{\sqrt{10}}$ ➡ ______

12 다음을 분모의 유리화를 이용하여 간단히 하시오.

(1) $\sqrt{27}\div\sqrt{12}\times\sqrt{2}$

(2) $\sqrt{3}\times\sqrt{6}\div\sqrt{12}$

(3) $\sqrt{\frac{5}{2}}\div\sqrt{\frac{10}{3}}\times\sqrt{\frac{14}{3}}$

(4) $\frac{3\sqrt{2}}{2}\times\sqrt{\frac{3}{45}}\div\frac{\sqrt{6}}{4}$

(5) $3\sqrt{18}\div(-\sqrt{12})\times2\sqrt{5}$

개념 Tip 나눗셈은 곱셈으로 고쳐서 계산하고, 제곱근의 성질과 분모의 유리화를 이용하여 식을 간단히 한다.

정답과 해설 _ p.14

01 다음 중 옳지 않은 것은?

① $\sqrt{15} \div \sqrt{3} = \sqrt{5}$　　② $-\dfrac{\sqrt{12}}{\sqrt{3}} = -2$

③ $\sqrt{\dfrac{8}{3}} \div \sqrt{\dfrac{2}{3}} = 4$　　④ $-\sqrt{33} \div \sqrt{\dfrac{3}{11}} = -11$

⑤ $\sqrt{7} \div \sqrt{10} \div \left(-\sqrt{\dfrac{7}{50}}\right) = -\sqrt{5}$

나눗셈을 곱셈으로 고쳐서 계산한다.

02 $3\sqrt{2} \div \dfrac{1}{\sqrt{35}} \times \dfrac{\sqrt{5}}{\sqrt{7}} = a\sqrt{2}$를 만족시키는 자연수 a의 값을 구하시오.

나눗셈을 곱셈으로 고친 후 계산한 다음 $a\sqrt{2}$의 꼴이 되도록 한다.

03 $-\dfrac{\sqrt{7}}{3} \times \sqrt{\dfrac{15}{21}} \div \dfrac{\sqrt{30}}{6}$을 간단히 하면?

① $-3\sqrt{6}$　　② $-\dfrac{\sqrt{10}}{2}$　　③ $-\dfrac{\sqrt{6}}{3}$

④ $-\dfrac{2\sqrt{6}}{3}$　　⑤ $-2\sqrt{6}$

모두 곱셈으로 고친 후 약분하여 계산한다.

04 다음을 간단히 할 때, 나머지 넷과 다른 하나는?

① $\sqrt{\dfrac{2}{3}} \times \sqrt{\dfrac{1}{2}}$　　② $3 \times \dfrac{1}{\sqrt{3}}$　　③ $2\sqrt{2} \div \sqrt{24}$

④ $\sqrt{6} \div \sqrt{18}$　　⑤ $\dfrac{\sqrt{2}}{\sqrt{6}}$

나눗셈은 곱셈으로 고친 후 계산하고, 근호 안의 수끼리 약분할 수 있으면 약분한다.

05 $\dfrac{8}{\sqrt{2}} = a\sqrt{2}$, $\dfrac{9}{\sqrt{27}} = b\sqrt{3}$일 때, ab의 값을 구하시오.

분모를 유리화한다.

10강 제곱근의 덧셈과 뺄셈

1. 제곱근의 덧셈과 뺄셈

근호 안의 수가 같을 때, 다항식의 동류항의 계산처럼 제곱근의 덧셈과 뺄셈을 할 수 있다. 이때 근호 밖의 수끼리만 계산한다.

l, m, n이 유리수이고 $a>0$일 때,

(1) $m\sqrt{a}+n\sqrt{a}=(m+n)\sqrt{a}$

(2) $m\sqrt{a}-n\sqrt{a}=(m-n)\sqrt{a}$

(3) $m\sqrt{a}+n\sqrt{a}-l\sqrt{a}=(m+n-l)\sqrt{a}$

(4) 근호 안의 수를 소인수분해했을 때, a^2b의 꼴이면 $a\sqrt{b}$의 꼴로 고친 후 계산한다.

참고 근호를 포함한 식의 덧셈, 뺄셈은 근호 안의 수가 같을 때에만 계산할 수 있다.
$\sqrt{3}+\sqrt{2}\neq\sqrt{3+2}$, $\sqrt{3}-\sqrt{2}\neq\sqrt{3-2}$

01 다음 식과 그 계산 결과를 바르게 연결하시오.

(1) $2\sqrt{3}+3\sqrt{3}$ •   • ㉠ $6\sqrt{3}$

(2) $7\sqrt{3}-4\sqrt{3}$ •   • ㉡ $7\sqrt{3}$

(3) $\sqrt{3}+6\sqrt{3}$ •   • ㉢ $3\sqrt{3}$

(4) $9\sqrt{3}-3\sqrt{3}$ •   • ㉣ $5\sqrt{3}$

02 다음을 계산하시오.

(1) $3\sqrt{7}+8\sqrt{7}$

(2) $8\sqrt{6}-5\sqrt{6}$

(3) $\sqrt{2}+3\sqrt{2}+5\sqrt{2}$

(4) $12\sqrt{3}-3\sqrt{3}-5\sqrt{3}$

03 다음을 계산하시오.

(1) $4\sqrt{2}+5\sqrt{3}-7\sqrt{2}-2\sqrt{3}$

(2) $3\sqrt{5}-2\sqrt{7}+7\sqrt{5}+4\sqrt{7}$

(3) $3\sqrt{3}+5\sqrt{7}+4\sqrt{3}-2\sqrt{7}$

04 다음을 계산하시오.

(1) $\sqrt{7}+\sqrt{63}-\sqrt{28}$

(2) $\sqrt{54}-\sqrt{24}+\sqrt{96}$

(3) $\sqrt{20}+\sqrt{45}-\sqrt{80}$

(4) $\sqrt{169}-\sqrt{256}+\sqrt{144}+\sqrt{63}$

(5) $\sqrt{27}+2\sqrt{128}-6\sqrt{8}-\sqrt{75}$

(6) $2\sqrt{32}+3\sqrt{63}-5\sqrt{8}-4\sqrt{7}$

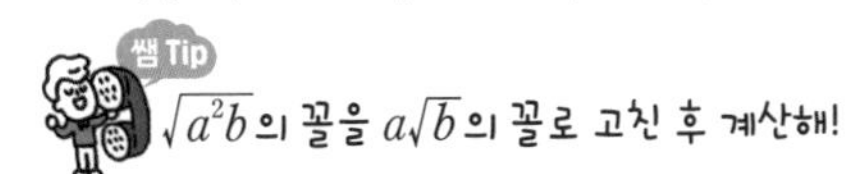

$\sqrt{a^2b}$의 꼴을 $a\sqrt{b}$의 꼴로 고친 후 계산해!

05 다음을 계산하시오.

(1) $\dfrac{\sqrt{5}}{2}+\dfrac{\sqrt{5}}{3}$

(2) $-\sqrt{3}+\dfrac{4\sqrt{3}}{3}$

(3) $\dfrac{\sqrt{80}}{3}-\dfrac{15}{\sqrt{5}}$

(4) $2\sqrt{6}+\dfrac{2\sqrt{20}}{3}+\sqrt{\dfrac{2}{3}}-\dfrac{3\sqrt{5}}{2}$

쌤 Tip 제곱근의 분수의 덧셈과 뺄셈은 근호 안의 수가 같은 것끼리 모아서 유리수의 계산과 같은 방법으로 계산하는 거야.

2. 근호를 포함한 식의 분배법칙

괄호가 있으면 분배법칙을 이용하여 괄호를 푼다.

$a>0$, $b>0$, $c>0$일 때,

(1) $\sqrt{a}(\sqrt{b}\pm\sqrt{c})=\sqrt{ab}\pm\sqrt{ac}$

(2) $(\sqrt{a}\pm\sqrt{b})\sqrt{c}=\sqrt{ac}\pm\sqrt{bc}$

참고 두 식에서 문자의 배열은 같고 부호만 다른 경우 부호를 차례로 겹쳐 써서 하나의 식으로 나타낼 수 있다. 예를 들어, $a\pm b=c\mp d$는 두 식 $a+b=c-d$, $a-b=c+d$를 하나의 식으로 나타낸 것이다.

$$\sqrt{a}(\sqrt{b}+\sqrt{c})=\sqrt{ab}+\sqrt{ac}$$

06 다음을 간단히 하시오.

(1) $\sqrt{3}(\sqrt{2}+\sqrt{7})$

(2) $\sqrt{2}(\sqrt{2}-2\sqrt{5})$

(3) $(\sqrt{5}+\sqrt{3})\sqrt{3}$

(4) $(\sqrt{7}-\sqrt{3})\sqrt{7}$

(5) $(\sqrt{15}-\sqrt{6})\div\sqrt{3}$

(6) $(\sqrt{48}-\sqrt{12})\div\sqrt{6}$

07 다음을 간단히 하시오.

(1) $(2\sqrt{3}+1)\sqrt{2}-2\sqrt{6}$

(2) $\sqrt{5}(3\sqrt{5}+\sqrt{2})-\sqrt{2}(2\sqrt{5}+4\sqrt{2})$

(3) $\sqrt{2}(\sqrt{24}-\sqrt{3})+(\sqrt{32}-\sqrt{81})\div\sqrt{3}$

(4) $\frac{1}{\sqrt{3}}(\sqrt{54}-6\sqrt{2})+\sqrt{6}\left(2-\frac{1}{\sqrt{12}}\right)$

08 다음은 주어진 수의 분모를 유리화하는 과정이다. □ 안에 알맞은 수를 써넣으시오.

(1) $\frac{1+\sqrt{2}}{\sqrt{3}}=\frac{(1+\sqrt{2})\times\square}{\sqrt{3}\times\square}=\square$

(2) $\frac{\sqrt{5}-2}{\sqrt{5}}=\frac{(\sqrt{5}-2)\times\square}{\sqrt{5}\times\square}=\square$

(3) $\frac{\sqrt{2}-\sqrt{3}}{\sqrt{6}}=\frac{(\sqrt{2}-\sqrt{3})\times\square}{\sqrt{6}\times\square}=\frac{\square\sqrt{3}-3\sqrt{2}}{\square}$

(4) $\frac{7\sqrt{2}+\sqrt{28}}{\sqrt{7}}=\frac{7\sqrt{2}+\square\sqrt{7}}{\sqrt{7}}$

$=\frac{(7\sqrt{2}+\square\sqrt{7})\times\square}{\sqrt{7}\times\square}=\square$

09 다음 분수의 분모를 유리화하시오.

(1) $\frac{\sqrt{2}+\sqrt{5}}{\sqrt{3}}$ ➡ ______

(2) $\frac{\sqrt{3}-\sqrt{2}}{\sqrt{5}}$ ➡ ______

(3) $\frac{2-\sqrt{6}}{\sqrt{7}}$ ➡ ______

(4) $\frac{2\sqrt{2}-\sqrt{3}}{4\sqrt{3}}$ ➡ ______

(5) $\frac{\sqrt{27}-\sqrt{18}}{\sqrt{72}}$ ➡ ______

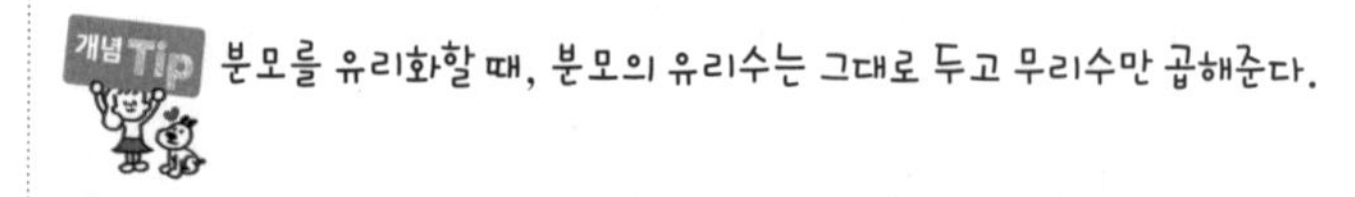

3. 근호를 포함한 식의 혼합 계산

(1) 괄호가 있으면 분배법칙을 이용하여 괄호를 푼다.

(2) 근호 안에 제곱인 수가 있으면 근호 밖으로 꺼낸다.

(3) 분모에 무리수가 있을 때 분모를 유리화한다.

(4) 곱셈과 나눗셈을 먼저 계산한다.

(5) 덧셈과 뺄셈을 한다.

10 다음을 계산하시오.

(1) $\sqrt{2}\times\sqrt{3}+\sqrt{12}\div\sqrt{2}$

(2) $\sqrt{10}\times\sqrt{2}-\sqrt{30}\times\frac{1}{\sqrt{5}}$

(3) $\sqrt{35}\div\sqrt{5}+\sqrt{2}\times\sqrt{14}$

(4) $8\sqrt{15}\times3\sqrt{6}\div18\sqrt{10}$

(5) $\sqrt{4}-\sqrt{(-6)^2}\div(-\sqrt{2})^2+\sqrt{64}$

(6) $\sqrt{2}(\sqrt{8}+\sqrt{32})+(\sqrt{800}-\sqrt{200})\div\sqrt{2}$

(7) $2\sqrt{2}\times4\sqrt{6}+6\sqrt{15}\div2\sqrt{5}$

(8) $\sqrt{18}-\frac{\sqrt{12}}{\sqrt{6}}+\sqrt{10}\times\sqrt{5}$

11 다음을 계산하시오.

(1) $(\sqrt{18}+\sqrt{32})\times\frac{1}{\sqrt{2}}+(\sqrt{12}+\sqrt{48})\times\frac{1}{\sqrt{6}}$

(2) $\sqrt{3}(\sqrt{6}-\sqrt{2})+(\sqrt{48}-\sqrt{64})\div\sqrt{2}$

(3) $(\sqrt{18}+2\sqrt{5})\div\sqrt{2}-\sqrt{5}\left(\sqrt{2}-\frac{2}{\sqrt{5}}\right)$

(4) $\frac{3}{\sqrt{2}}+\frac{5}{\sqrt{6}}-\sqrt{2}(2+\sqrt{3})$

12 다음 계산 결과가 유리수가 되게 하는 유리수 a의 값을 구하시오.

(1)
$3+5\sqrt{3}-\sqrt{3}+a\sqrt{3}=3+(\square)\sqrt{3}$
이 식이 유리수가 되려면 무리수 부분이 0이어야 하므로
$\square=0 \quad \therefore a=\square$

(2) $\sqrt{2}-2\sqrt{2}+a\sqrt{2}+8$

(3) $5a+15\sqrt{5}-2\sqrt{5}(a+3\sqrt{5})$

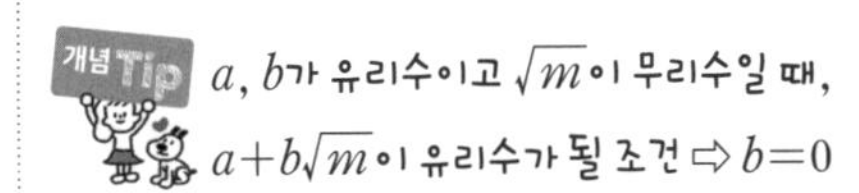

a, b가 유리수이고 $\sqrt{m}$이 무리수일 때,
$a+b\sqrt{m}$이 유리수가 될 조건 ⇨ $b=0$

정답과 해설 _ p.17

01 다음 중 계산한 결과가 옳지 않은 것은?

① $3\sqrt{5}+2\sqrt{5}=5\sqrt{5}$　② $7\sqrt{3}-3\sqrt{3}=4\sqrt{3}$
③ $\sqrt{5}-2\sqrt{5}=\sqrt{5}$　④ $\sqrt{2}+3\sqrt{2}-4\sqrt{2}=0$
⑤ $\frac{3\sqrt{2}}{5}-\frac{2\sqrt{2}}{3}=-\frac{\sqrt{2}}{15}$

l, m, n이 유리수이고 $a>0$일 때,
$m\sqrt{a}+n\sqrt{a}=(m+n)\sqrt{a}$
$m\sqrt{a}-n\sqrt{a}=(m-n)\sqrt{a}$
$m\sqrt{a}+n\sqrt{a}-l\sqrt{a}$
$=(m+n-l)\sqrt{a}$

02 $\sqrt{27}-\frac{12}{\sqrt{3}}-\frac{4}{\sqrt{8}}+\sqrt{72}$를 간단히 하면?

① $4\sqrt{2}-\sqrt{3}$　② $5\sqrt{2}-\sqrt{3}$　③ $7\sqrt{2}+7\sqrt{3}$
④ $5\sqrt{2}+5\sqrt{3}$　⑤ $5\sqrt{2}-9\sqrt{3}$

근호 안에 제곱인 수가 있으면 근호 밖으로 꺼내고, 분모에 무리수가 있을 때는 분모를 유리화한다.

03 $\sqrt{100}-\sqrt{13^2}+(-\sqrt{(-2)^2})^2$을 계산하면?

① -5　② -1　③ 1
④ 15　⑤ 25

$a>0$일 때,
$\sqrt{a^2}=a$
$(-\sqrt{a})^2=a$
$(-\sqrt{(-a)^2})^2=a^2$

04 $6\sqrt{3}-\sqrt{75}+\sqrt{45}-4\sqrt{5}=a\sqrt{3}+b\sqrt{5}$일 때, $a+b$의 값을 구하시오. (단, a, b는 유리수)

근호 안을 소인수분해하여 제곱인 수가 있으면 근호 밖으로 꺼내서 계산한다.

05 $\sqrt{40}-3\sqrt{6}+\sqrt{2}(3\sqrt{5}-\sqrt{3})=A\sqrt{10}+B\sqrt{6}$이라 할 때, $A+B$의 값을 구하시오. (단, A, B는 유리수)

11강 제곱근표

1. 제곱근표를 이용한 제곱근의 어림한 값

(1) 제곱근표: 1.00에서 99.9까지의 수에 대한 양의 제곱근의 값을 반올림하여 소수점 아래 셋째 자리까지 나타낸 표

(2) 제곱근표 읽는 방법

처음 두 자리 수의 가로 줄과 끝자리 수의 세로줄이 만나는 곳에 있는 수를 읽는다.

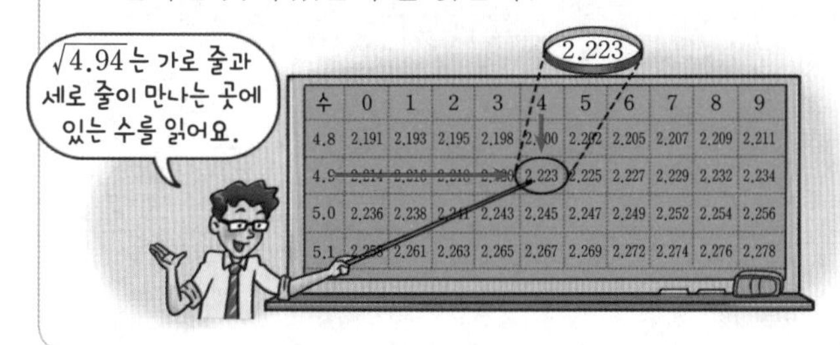

2. 제곱근표에 없는 제곱근의 값

$\sqrt{a^2b}=a\sqrt{b}$임을 이용하여 근호 안의 수를 제곱근표에 있는 수로 바꾸어 구한다.

(1) 100보다 큰 수

$\sqrt{100a}=10a$, $\sqrt{10000a}=100\sqrt{a}$, …임을 이용

(2) 0보다 크고 1보다 작은 수

$\sqrt{\dfrac{a}{100}}=\dfrac{\sqrt{a}}{10}$, $\sqrt{\dfrac{a}{10000}}=\dfrac{\sqrt{a}}{100}$, …임을 이용

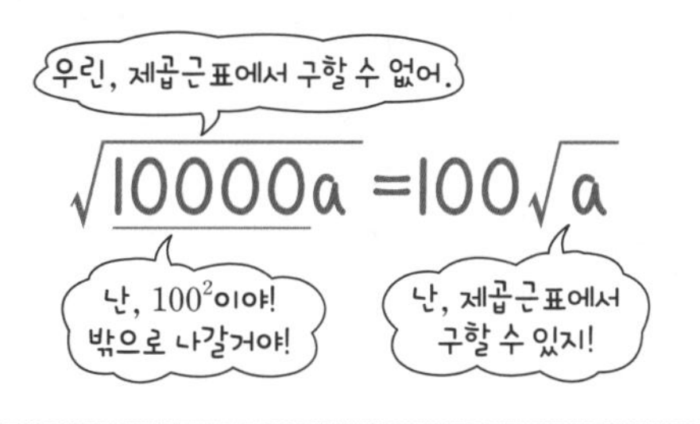

[01~02] 다음 표는 제곱근표의 일부이다. 물음에 답하시오.

수	0	1	2	3	4	5
4.8	2.191	2.193	2.195	2.198	2.200	2.202
4.9	2.214	2.216	2.218	2.220	2.223	2.225
5.0	2.236	2.238	2.241	2.243	2.245	2.247
5.1	2.258	2.261	2.263	2.265	2.267	2.269

01 위의 제곱근표를 이용하여 다음 수의 제곱근의 값을 소수로 나타내시오.

(1) $\sqrt{4.8}$ ➡ ________

(2) $\sqrt{5.05}$ ➡ ________

(3) $\sqrt{5.11}$ ➡ ________

(4) $\sqrt{5}$ ➡ ________

02 위의 제곱근표를 이용하여 a의 값을 구하시오.

(1) $\sqrt{a}=2.198$ $a=$ ________

(2) $\sqrt{a}=2.263$ $a=$ ________

(3) $\sqrt{a}=2.214$ $a=$ ________

03 $\sqrt{6}=2.449$일 때, 다음 □ 안에 알맞은 수를 써넣으시오.

(1) $\sqrt{600}=\sqrt{6\times\square}=\square\sqrt{6}=\square\times2.449$ $=\square$

(2) $\sqrt{60000}=\sqrt{6\times\square}=\square\sqrt{6}=\square$

(3) $\sqrt{0.06}=\sqrt{\dfrac{6}{\square}}=\dfrac{\sqrt{6}}{\square}=\dfrac{2.449}{\square}=\square$

(4) $\sqrt{0.0006}=\sqrt{\dfrac{6}{\square}}=\dfrac{\sqrt{6}}{\square}=\square$

04 $\sqrt{2}=1.414$, $\sqrt{20}=4.472$를 이용하여 다음 제곱근의 값을 구하시오.

(1) $\sqrt{200}$ ➡ ________

(2) $\sqrt{2000}$ ➡ ________

(3) $\sqrt{20000}$ ➡ ________

(4) $\sqrt{0.2}$ ➡ ________

(5) $\sqrt{0.02}$ ➡ ________

05 $\sqrt{3}=1.732$, $\sqrt{30}=5.477$을 이용하여 다음 제곱근의 값을 구하시오.

(1) $\sqrt{300}$ ➡ ________

(2) $\sqrt{30000}$ ➡ ________

(3) $\sqrt{0.03}$ ➡ ________

(4) $\sqrt{3000}$ ➡ ________

(5) $\sqrt{0.3}$ ➡ ________

06 $\sqrt{5}=2.236$일 때, 다음 □ 안에 알맞은 수를 써넣으시오.

(1) $\sqrt{20}=\sqrt{\square\times5}=\square\sqrt{5}=\square\times2.236=\square$

(2) $\sqrt{180}=\sqrt{\square\times5}=\square\sqrt{5}=\square\times2.236=\square$

(3) $\sqrt{0.8}=\sqrt{\dfrac{80}{\square}}=\dfrac{\square\sqrt{5}}{\square}=\dfrac{\square\times2.236}{\square}=\square$

2. 무리수의 정수 부분과 소수 부분

(1) 무리수는 순환소수가 아닌 무한소수이므로 정수 부분과 소수 부분으로 나눌 수 있다.

(2) 소수 부분은 무리수에서 정수 부분을 뺀 것과 같다.

> $\sqrt{a}$가 무리수일 때
> $\sqrt{a}=$(정수 부분)$+$(소수 부분)
> ➡ (소수 부분)$=\sqrt{a}-$(정수 부분)

참고 정수 부분은 주어진 무리수보다 작은 정수 중 가장 큰 수이다.

07 다음 무리수의 정수 부분과 소수 부분을 구하려고 한다. 빈칸을 알맞게 채우시오. (단, n은 정수)

수	$n<$(무리수)$<n+1$	정수 부분	소수 부분
$\sqrt{3}$	$1<\sqrt{3}<2$	1	$\sqrt{3}-1$
(1) $\sqrt{13}$			
(2) $\sqrt{19}$			
(3) $\sqrt{45}$			
(4) $\sqrt{60}$			
(5) $\sqrt{123}$			

08 다음 보기와 같이 계산하여 정수 부분과 소수 부분을 구하시오.

> 보기
> $1+\sqrt{2}$
> ➡ $1<\sqrt{2}<2$에서 $2<1+\sqrt{2}<3$이므로
> $1+\sqrt{2}$의 정수 부분은 2,
> 소수 부분은 $1+\sqrt{2}-2=\sqrt{2}-1$

(1) $2+\sqrt{3}$

정수 부분 ➡ ________ 소수 부분 ➡ ________

(2) $\sqrt{6}+2$

정수 부분 ➡ ________ 소수 부분 ➡ ________

(3) $4-\sqrt{5}$

정수 부분 ➡ ________ 소수 부분 ➡ ________

(4) $5-\sqrt{3}$

정수 부분 ➡ ________ 소수 부분 ➡ ________

(5) $2+\sqrt{18}$

정수 부분 ➡ ________ 소수 부분 ➡ ________

정답과 해설 _ p.18

01 다음은 제곱근표의 일부이다. 제곱근의 값을 바르게 나타낸 것은?

수	0	1	2	3	4	5	6
58	7.616	7.622	7.629	7.635	7.642	7.649	7.655
59	7.681	7.688	7.694	7.701	7.707	7.714	7.720
60	7.746	7.752	7.759	7.765	7.772	7.778	7.785
61	7.810	7.817	7.823	7.829	7.836	7.842	7.849

① $\sqrt{6}=7.746$　② $\sqrt{610}=7.810$　③ $\sqrt{66}=7.785$
④ $\sqrt{58.2}=7.629$　⑤ $\sqrt{4.59}=7.707$

제곱근표 읽는 법
$\sqrt{2.○■}$

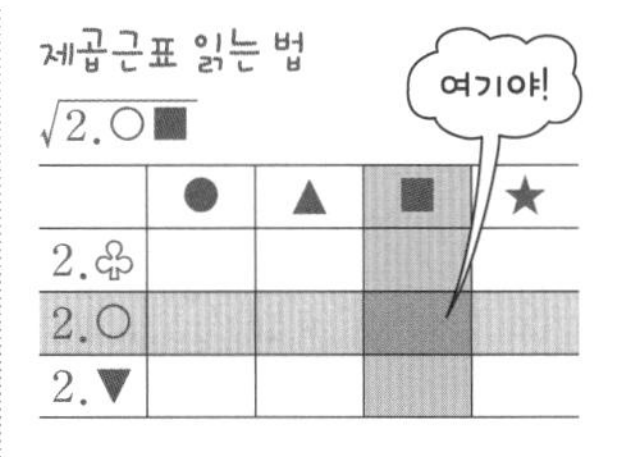

02 다음 중 $\sqrt{5}=2.236$을 이용하여 제곱근의 값을 구할 수 없는 것은?

① $\sqrt{0.05}$　② $\sqrt{0.2}$　③ $\sqrt{45}$
④ $\sqrt{80}$　⑤ $\sqrt{1000}$

■ $10\sqrt{5}$, $100\sqrt{5}$, …, $\frac{\sqrt{5}}{10}$, $\frac{\sqrt{5}}{100}$, … 꼴로 나타낼 수 없는 수를 찾는다.

03 $\sqrt{5}=a$일 때, $\sqrt{0.002}$를 a에 관한 식으로 나타내면?

① $\frac{1}{10a}$　② $\frac{1}{25a}$　③ $\frac{1}{50a}$
④ $\frac{1}{100a}$　⑤ $\frac{1}{500a}$

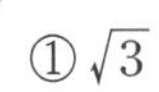
04 $\sqrt{3}$의 정수 부분을 a, 소수 부분을 b라 할 때, $2a+b$의 값은?

① $\sqrt{3}$　② $1+\sqrt{3}$　③ $2+\sqrt{3}$
④ 5　⑤ $2+2\sqrt{3}$

$1<\sqrt{3}<2$이므로 $\sqrt{3}$의 정수 부분과 소수 부분을 알아본다.

05 $5-\sqrt{3}$의 정수 부분을 A, 소수 부분을 B라고 할 때, A^2-B의 값을 구하시오.

중단원 연산 마무리

01 다음을 간단히 하시오.

(1) $\sqrt{2}\times\sqrt{3}\times\sqrt{6}$

(2) $\sqrt{\frac{7}{4}}\times3\sqrt{\frac{8}{21}}$

(3) $\sqrt{\frac{28}{3}}\div\sqrt{\frac{14}{9}}$

(4) $3\sqrt{2}\div\frac{\sqrt{7}}{\sqrt{8}}\div\frac{1}{\sqrt{56}}$

02 다음을 간단히 하시오.

(1) $\sqrt{24}\div\sqrt{6}\times2\sqrt{2}$

(2) $\frac{2}{\sqrt{2}}\times\frac{\sqrt{15}}{\sqrt{8}}\div\frac{\sqrt{5}}{6}$

(3) $3\sqrt{15}\div2\sqrt{18}\times2\sqrt{6}$

(4) $\frac{3\sqrt{2}}{2}\times\sqrt{\frac{5}{18}}\div\frac{\sqrt{5}}{4}$

03 다음 수를 $a\sqrt{b}$의 꼴로 나타내시오. (단, b는 가장 작은 자연수)

(1) $\sqrt{48}$ ➡ ______

(2) $\sqrt{96}$ ➡ ______

(3) $\sqrt{320}$ ➡ ______

(4) $\sqrt{30}\times\sqrt{5}$ ➡ ______

04 다음 수를 $\sqrt{a}$ 또는 $-\sqrt{a}$의 꼴로 나타내시오.

(1) $3\sqrt{5}$ ➡ ______

(2) $4\sqrt{8}$ ➡ ______

(3) $-5\sqrt{3}$ ➡ ______

(4) $-7\sqrt{2}$ ➡ ______

05 다음 수를 $\frac{\sqrt{b}}{a}$의 꼴로 나타내시오.

(단, b는 가능한 한 가장 작은 자연수)

(1) $\sqrt{\frac{6}{81}}$ ➡ ______

(2) $\sqrt{\frac{15}{192}}$ ➡ ______

(3) $\sqrt{0.07}$ ➡ ______

(4) $\sqrt{0.0033}$ ➡ ______

06 다음 수의 분모를 유리화하시오.

(1) $\frac{5}{\sqrt{8}}$ ➡ ______

(2) $\frac{1}{2\sqrt{3}}$ ➡ ______

(3) $\frac{5\sqrt{5}}{6\sqrt{3}}$ ➡ ______

(4) $\frac{5}{\sqrt{48}}$ ➡ ______

07 $a=\sqrt{3}$, $b=\sqrt{5}$일 때, 주어진 수를 a, b를 사용하여 나타내시오.

(1) $\sqrt{15}$ ➡ ______

(2) $\sqrt{\frac{12}{5}}$ ➡ ______

(3) $\sqrt{75}$ ➡ ______

(4) $\sqrt{0.03}$ ➡ ______

08 다음을 계산하시오.

(1) $5\sqrt{2}-6\sqrt{3}-9\sqrt{2}+8\sqrt{3}$

(2) $12\sqrt{5}-\sqrt{6}+6\sqrt{6}-3\sqrt{5}$

(3) $\sqrt{75}-2\sqrt{147}-2\sqrt{28}-\sqrt{63}$

(4) $\frac{7}{\sqrt{2}}+\frac{\sqrt{3}}{\sqrt{8}}-\sqrt{72}+\frac{3}{\sqrt{6}}$

09 다음 수의 분모를 유리화하시오.

(1) $\frac{10+\sqrt{10}}{\sqrt{2}}$

(2) $\frac{\sqrt{2}+5}{2\sqrt{2}}$

(3) $\frac{\sqrt{72}-18}{\sqrt{12}}$

10 다음을 계산하시오.

(1) $2\sqrt{2}(1-\sqrt{2})+\frac{2}{\sqrt{2}}-\sqrt{8}$

(2) $\sqrt{2}(\sqrt{8}+1)+\sqrt{5}(2\sqrt{5}-\sqrt{10})$

11 다음을 간단히 하시오.

(1) $\frac{\sqrt{18}}{3}+\frac{2\sqrt{6}+\sqrt{3}}{\sqrt{3}}-\sqrt{32}$

(2) $3\sqrt{3}(2-\sqrt{3})+\frac{6}{\sqrt{3}}-\sqrt{48}+\sqrt{81}$

(3) $\frac{3}{2\sqrt{3}}(\sqrt{2}-\sqrt{3})-\frac{2\sqrt{3}-\sqrt{8}}{\sqrt{2}}$

12 다음을 계산한 결과가 유리수가 되도록 하는 유리수 a의 값을 구하시오.

(1) $6\sqrt{3}+3a-6-2a\sqrt{3}$

(2) $3(2+a\sqrt{5})+4a-15\sqrt{5}$

정답과 해설 _ p.19

13 다음 표는 제곱근표의 일부이다. 이 표를 이용하여 x의 값을 구하시오.

수	0	1	2	3	4	5
2.0	1.414	1.418	1.421	1.425	1.428	1.432
2.1	1.449	1.453	1.456	1.459	1.463	1.466
⋮						
20	4.472	4.483	4.494	4.506	4.517	4.528
21	4.583	4.593	4.604	4.615	4.626	4.637

(1) $\sqrt{x}=4.626$

(2) $\sqrt{x}=1.421$

(3) $\sqrt{x}=1.463$

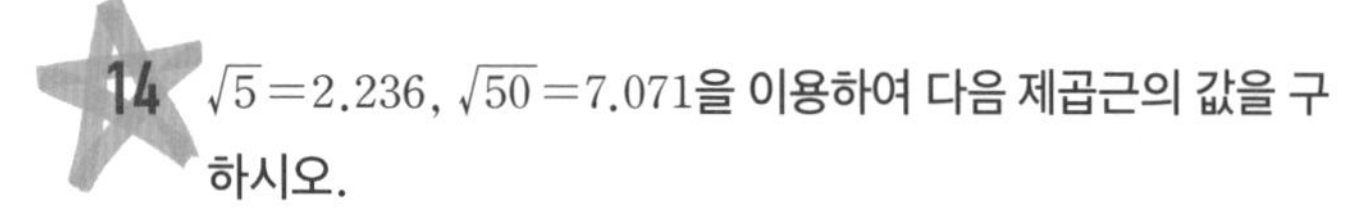

14 $\sqrt{5}=2.236$, $\sqrt{50}=7.071$을 이용하여 다음 제곱근의 값을 구하시오.

(1) $\sqrt{500}$ ➡ ____________

(2) $\sqrt{5000}$ ➡ ____________

(3) $\sqrt{0.005}$ ➡ ____________

(4) $\sqrt{0.05}$ ➡ ____________

15 $4+\sqrt{7}$의 정수 부분과 소수 부분을 구하시오.

➡ 정수 부분 ________, 소수 부분 ________

도전 100점

16 $\sqrt{12}\times\sqrt{k}=\sqrt{2}\times\sqrt{18}$을 만족시키는 양의 유리수 k의 값은?

① 2 ② 3 ③ 4
④ 5 ⑤ 6

17 $x=\dfrac{\sqrt{3}-2}{2\sqrt{3}}$, $y=\dfrac{\sqrt{15}-\sqrt{2}}{\sqrt{6}}$일 때, $2(x-y)$의 값을 구하시오.

18 오른쪽 그림과 같은 사다리꼴 ABCD의 넓이를 구하시오.

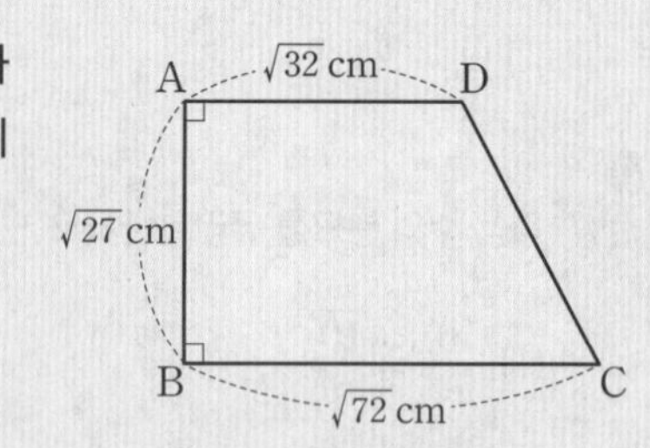

나만의 비법 노트

Ⅱ. 식의 계산

연산 문제와 시험 대비 문제를 많이 풀어 보고 개념과 원리를 확실하게 이해하자.
또한 이해도를 바탕으로 자신의 수준에 맞는 계획을 세워 반복 학습을 하자.

중단원명	강의명	학습 날짜	이해도
1. 다항식의 곱셈과 인수분해	13강 곱셈 공식	월 일	
	14강 곱셈 공식을 이용한 수 또는 식의 계산	월 일	
	15강 곱셈 공식의 활용	월 일	
	16강 인수분해와 공통 인수를 이용한 인수분해	월 일	
	17강 인수분해 공식(1), (2)	월 일	
	18강 인수분해 공식(3), (4)	월 일	
	19강 복잡한 식의 인수분해	월 일	
	20강 인수분해 공식의 활용	월 일	
	21강 중단원 연산 마무리	월 일	
2. 이차방정식	22강 이차방정식과 그 해	월 일	
	23강 인수분해를 이용한 이차방정식의 풀이	월 일	
	24강 제곱근을 이용한 이차방정식의 풀이	월 일	
	25강 이차방정식의 근의 공식	월 일	
	26강 이차방정식의 활용	월 일	
	27강 중단원 연산 마무리	월 일	

힘수 점검

정답과 해설 _p.21

소인수분해를 할 수 있나요?

1 다음을 소인수분해하시오. 중등 1

(1) 24

(2) 64

(3) 98

(4) 120

단항식의 곱셈, 나눗셈을 할 수 있나요?

2 다음을 간단히 하시오. 중등 2

(1) $3x\times8y$

(2) $(-3x)\times(-4y^2)$

(3) $(4a^2+6a)\div2a$

(4) $(-ab^2)\times4a^3b\div(2a^2b)^2$

분모의 유리화를 할 수 있나요?

3 다음 수의 분모를 유리화하시오. 중등 3

(1) $\dfrac{1}{\sqrt{2}}$

(2) $\dfrac{\sqrt{3}}{\sqrt{5}}$

(3) $\dfrac{2}{3\sqrt{3}}$

(4) $\dfrac{1}{\sqrt{12}}$

다항식을 계산할 수 있나요?

4 다음 식을 간단히 하시오. 중등 2

(1) $(3a+2b)-2(a-b)$

(2) $(x^2-2x+1)+(-2x^2+4x)$

(3) $(xy^2-3x^2y)\times(-xy)$

(4) $(5xy^2-10xy)\div\dfrac{5}{3}y$

일차방정식을 알고 있나요?

5 일차방정식은 ○표, 일차방정식이 아닌 것은 ×표 하시오. 중등 1

(1) $3x-5=2x+3$ ( )

(2) $2(x-2)=7+2x$ ( )

(3) $3+2x^2=-5+2x^2+4x$ ( )

(4) $\dfrac{x}{2}+3=0.5x$ ( )

일차방정식을 풀 수 있나요?

6 다음 방정식을 푸시오. 중등 1

(1) $3x-1=5$

(2) $3(x-1)+5=2(x-6)$

(3) $\dfrac{2}{3}x-\dfrac{3}{2}=\dfrac{1}{4}x$

(4) $0.2x+1=0.5(x-1)$

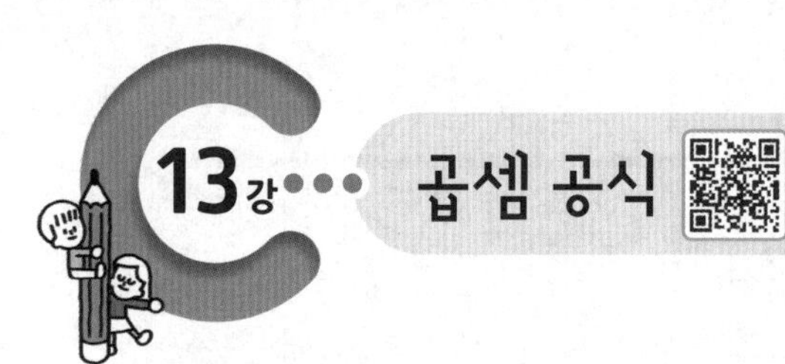

곱셈 공식

정답과 해설 _ p.21

1. 다항식의 곱셈

(1) 다항식의 곱셈

① 분배법칙을 이용하여 전개한다.
② 동류항이 있으면 동류항끼리 모아서 간단히 한다.
③ 차수가 높은 항부터 차례로 쓴다.

$$(a+b)(c+d)=\underset{㉠}{ac}+\underset{㉡}{ad}+\underset{㉢}{bc}+\underset{㉣}{bd}$$

(2) 복잡한 식의 전개에서 계수 구하기

필요한 항이 나오는 부분만 전개한다.

참고 계수를 구할 때는 계수를 구해야 하는 항이 나오는 부분만 전개하는 것이 더 간단하다.

예 $(x-2y+1)(x+y)$
의 전개식에서 xy의 계수는
$xy+(-2xy)=-xy$
$\therefore$ (xy의 계수)$=-1$

01 다음 식을 전개하시오.

(1) $(a+b)(x+y)$

(2) $(x+3)(y+7)$

(3) $(a-2b)(c+2d)$

(4) $(x-1)(x+2y)$

(5) $(2x-3)(y+2)$

(6) $(x-2y)(x-7)$

(7) $3(3x+2)(y+1)$

(8) $(x+y)(a+b+c)$

02 다음 식을 전개하시오.

(1) $(x+2)(x+5)$

(2) $(a-4)(2a+3)$

(3) $(-x+3y)(3x-4y)$

(4) $(3a-b)(a-3b)$

(5) $(x+y-1)(x-3y)$

03 다음 식을 전개하시오.

(1) $(a+b)(a+b-2)$

(2) $(x-y)(2x+3y+1)$

(3) $(x+y)(2x+y-2)$

(4) $(3x+y)(2x-3y+5)$

전개한 후 동류항이 있는 것은 정리한다.

04 다음을 구하시오.

(1) $(2x^2-3x-1)(-x+5)$의 전개식에서 x^2의 계수

(2) $(2x+3y-5)(3x+2y+4)$의 전개식에서 xy의 계수

(3) $(5x+2y)(3x-2y-4)$의 전개식에서 y^2의 계수

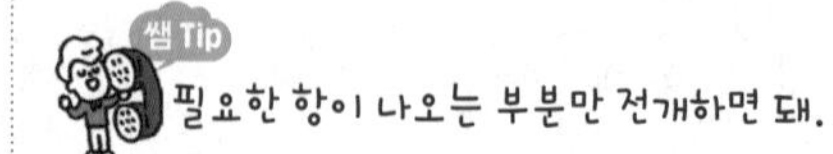

2. 곱셈 공식(1) up+

$(a+b)^2$, $(a-b)^2$의 전개

$(a+b)^2=a^2+2ab+b^2$(합의 제곱)
$(a-b)^2=a^2-2ab+b^2$(차의 제곱)

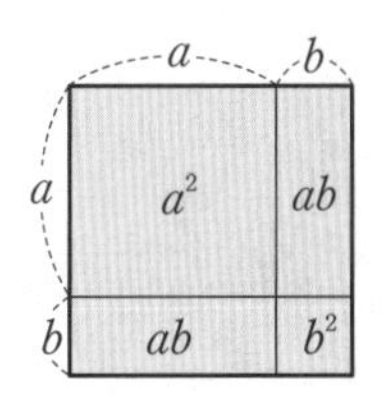

$(a+b)^2$
$=a^2+2ab+b^2$

$(a-b)^2$
$=a^2-2ab+b^2$

05 다음 식을 전개하시오.

(1) $(x+2)^2$

(2) $(a-5)^2$

(3) $(2x-1)^2$

(4) $(2a+5b)^2$

06 다음 식을 전개하시오.

(1) $(-a-3)^2$

(2) $(7-y)^2$

(3) $(-x+6y)^2$

$(-A+B)^2=(A-B)^2$, $(-A-B)^2=(A+B)^2$

3. 곱셈 공식(2) up+

$(a+b)(a-b)$의 전개(합과 차의 곱)

$(a+b)(a-b)=a^2-b^2$

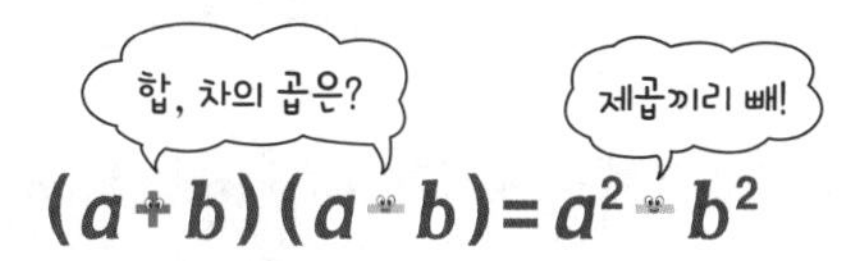

07 다음 식을 전개하시오.

(1) $(x-1)(x+1)$

(2) $(x+3)(x-3)$

(3) $(2b+5)(2b-5)$

(4) $(3y-2)(3y+2)$

(5) $(4x+7y)(4x-7y)$

(6) $\left(\frac{1}{2}x-\frac{1}{9}y\right)\left(\frac{1}{2}x+\frac{1}{9}y\right)$

08 다음 식을 전개하시오.

(1) $(2+x)(-2+x)$

(2) $(2-x)(-x-2)$

(3) $(-4x-3)(3-4x)$

(4) $(4x-3)(-4x-3)$

(5) $(-3a+2b)(-3a-2b)$

(6) $(-3a+2b)(3a+2b)$

(7) $\left(x+\frac{2}{3}y\right)\left(-\frac{2}{3}y+x\right)$

(8) $\left(\frac{1}{3}x-5y\right)\left(-5y-\frac{1}{3}x\right)$

$(-A+B)(A+B)=(B-A)(B+A)=B^2-A^2$
$(-A+B)(-A-B)=(-A)^2-B^2=A^2-B^2$

4. 곱셈 공식(3), (4) up+

(1) $(x+a)(x+b)$의 전개

(x의 계수가 1인 두 일차식의 곱)

곱

$$(x+a)(x+b)=x^2+(a+b)x+ab$$

합

(2) $(ax+b)(cx+d)$의 전개

(x의 계수가 1이 아닌 두 일차식의 곱)

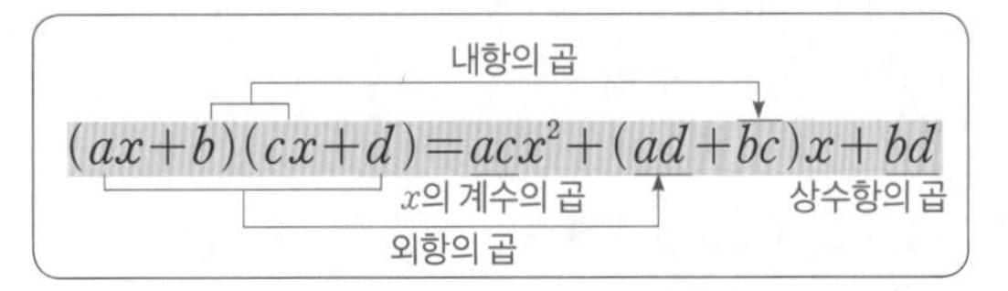

09 다음 식을 전개하시오.

(1) $(x+2)(x+3)$

(2) $(x+4)(x-5)$

(3) $(x-8)(x+3)$

(4) $(x-6)(x-3)$

(5) $(x+y)(x-5y)$

(6) $(x-3y)(x-8y)$

10 다음 식을 전개하시오.

(1) $\left(a-\frac{1}{2}\right)\left(a-\frac{1}{3}\right)$

(2) $(x-1)\left(x+\frac{1}{2}\right)$

(3) $(a+b)\left(a-\frac{2}{3}b\right)$

(4) $\left(x+\frac{1}{2}y\right)\left(x+\frac{1}{5}y\right)$

11 다음 식을 전개하시오.

(1) $(x+5)(4x+1)$

(2) $(2x-3)(3x+2)$

(3) $(5x-y)(7x-4y)$

(4) $(6x+5y)(4x-3y)$

12 다음 식을 전개하시오.

(1) $\left(3x-\frac{1}{4}\right)\left(4x-\frac{1}{3}\right)$

(2) $\left(4x+\frac{1}{2}y\right)\left(2x-\frac{1}{2}y\right)$

(3) $\left(\frac{1}{5}x+2y\right)\left(\frac{1}{3}x-4y\right)$

13 다음 □ 안에 알맞은 수를 써넣으시오.

(1) $(x-2)(x+\square)=x^2+3x-10$

(2) $(x+4)(x-\square)=x^2-3x-28$

(3) $(2x+\square)(3x-2y)=6x^2+5xy-6y^2$

(4) $(-3x+y)(4x-\square)=-12x^2+13xy-3y^2$

정답과 해설 _ p.23

01 다음 중 옳지 않은 것은?

① $(x+y)^2=x^2+2xy+y^2$
② $(2x+1)^2=4x^2+4x+1$
③ $(x-4)(x+2)=x^2-6x-6$
④ $(2x+2)(3x+4)=6x^2+14x+8$
⑤ $(3x-1)(3x+1)=9x^2-1$

02 다음 중 $(a-b)^2$의 전개식과 같은 것은?

① $(-a+b)^2$ ② $(a+b)^2$ ③ $(-a-b)^2$
④ $-(a-b)^2$ ⑤ $-(a+b)^2$

$(a-b)^2=a^2-2ab+b^2$

03 $(x-1)^2+(2x-5)(x+3)$을 간단히 하시오.

전개한 후 동류항을 정리한다.

04 가로, 세로의 길이가 각각 $2x+3y$, $x-4y+2$인 직사각형의 넓이를 구하시오.

(직사각형의 넓이)
=(가로)×(세로)

05 $(x-2y)(3x-4y)$의 전개식에서 x^2의 계수를 A, y^2의 계수를 B라 할 때, $B-A$의 값은?

① -5 ② -11 ③ -10
④ 5 ⑤ 11

필요한 항이 나오는 것만 전개해 본다.

정답과 해설 _ p.24

1. 복잡한 식의 전개 up+

(1) 공통부분이 있는 식의 전개

① 공통부분을 한 문자로 놓는다.
② 곱셈 공식을 이용하여 전개한다.
③ ②의 식에 문자 대신 원래의 식을 대입한다.
④ ③의 식을 전개하여 동류항끼리 정리한다.

(2) $(a+b+c)^2$꼴의 전개

공통부분을 하나의 문자로 치환하여 $(A+c)^2$꼴로 전개한다.

01 다음 식을 전개할 때, 이용할 수 있는 가장 편리한 식을 보기에서 고르시오.

보기	
ㄱ. $(A-1)^2$	ㄴ. $(A+1)^2$
ㄷ. $(A-2)^2$	ㄹ. $(A+1)(A-3)$
ㅁ. $(A+2)(A-2)$	ㅂ. $(A-3)(A+2)$

(1) $(x-y+1)(x-y-3)$ ➡ ______

(2) $(a+b+1)^2$ ➡ ______

(3) $(3x+y-2)^2$ ➡ ______

(4) $(x+y+2)(x+y-2)$ ➡ ______

(5) $(a-3-c)(a+2-c)$ ➡ ______

02 다음은 식을 전개하는 과정이다. □ 안에 알맞은 것을 쓰시오.

(1) $(x+y-3)^2$을 전개하기 위해 $x+y=A$로 놓으면

$(x+y-3)^2=(A-\square)^2=\square^2-6\square+9$
$=(x+y)^2-6(\square)+9$
$=x^2+2xy+y^2-6\square-6\square+9$

(2) $(x+y+3)(x+y-3)$을 전개하기 위해 $x+y=A$로 놓으면

$(x+y+3)(x+y-3)=(A+3)(\square-3)$
$=\square^2-9$
$=(\square)^2-9$
$=x^2+2xy+y^2-9$

03 다음 식을 전개하시오.

(1) $(a+b-4)^2$ ⬅ $a+b=A$로 놓으면

(2) $(3x-y+2)^2$ ⬅ $3x-y=A$로 놓으면

(3) $(a+b-1)(a+b-5)$ ⬅ $a+b=A$로 놓으면

(4) $(a+2b+1)(a+2b-4)$ ⬅ $a+2b=A$로 놓으면

(5) $(3x-2y-4)(3x+2y-4)$ ⬅ $3x-4=A$로 놓으면

(6) $(a+b-1)(a-b+1)$ ⬅ $b-1=A$로 놓으면

2. 곱셈 공식을 이용한 근호를 포함한 식의 계산

제곱근을 문자로 생각하고 곱셈 공식을 이용하여 전개한 후 계산한다.

$(\sqrt{a}+\sqrt{b})^2=a+2\sqrt{ab}+b$
$(\sqrt{a}-\sqrt{b})^2=a-2\sqrt{ab}+b$
$(\sqrt{a}+\sqrt{b})(\sqrt{a}-\sqrt{b})=a-b$

3. 곱셈 공식을 이용한 분모의 유리화 up+

분모가 두 수의 합 또는 차로 되어 있는 무리수일 때, 곱셈 공식 $(a+b)(a-b)=a^2-b^2$을 이용하여 분모를 유리화할 수 있다.

$a>0,\ b>0,\ a\neq b,\ c$가 실수일 때,

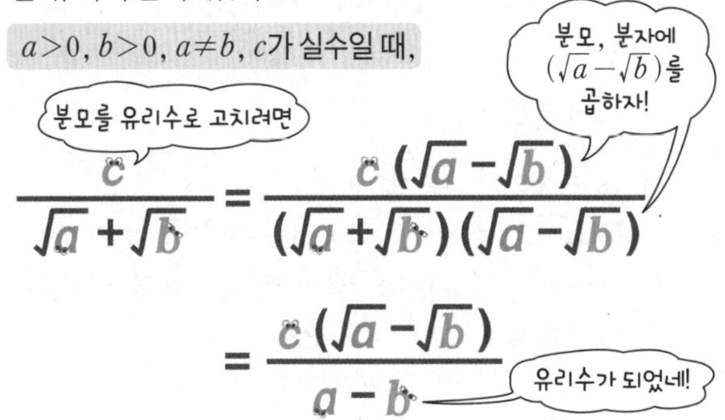

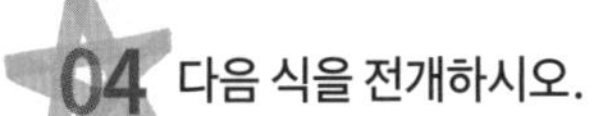

04 다음 식을 전개하시오.

(1) $(1+\sqrt{2})^2$

(2) $(\sqrt{3}+\sqrt{5})^2$

(3) $(4-\sqrt{3})^2$

(4) $(\sqrt{7}-\sqrt{5})^2$

(5) $(2\sqrt{2}-3)^2$

(6) $(\sqrt{6}-\sqrt{2})(\sqrt{2}+\sqrt{6})$

(7) $(3\sqrt{5}+2\sqrt{7})(3\sqrt{5}-2\sqrt{7})$

(8) $(4-2\sqrt{3})(3+4\sqrt{3})$

(9) $(2\sqrt{6}+3)(\sqrt{6}-2)$

(10) $(3\sqrt{5}+\sqrt{2})(4\sqrt{2}+\sqrt{5})$

05 다음 수의 분모를 유리화하시오.

(1) $\dfrac{2}{\sqrt{3}-1}=\dfrac{2(\square)}{(\sqrt{3}-1)(\square)}=\square$

(2) $\dfrac{1}{1+\sqrt{2}}$

(3) $\dfrac{2}{\sqrt{21}-\sqrt{19}}$

(4) $\dfrac{2}{3+\sqrt{7}}$

(5) $\dfrac{3}{\sqrt{10}-3}$

(6) $\dfrac{\sqrt{3}}{3-\sqrt{6}}$

(7) $\dfrac{\sqrt{2}-1}{\sqrt{2}+1}$

(8) $\dfrac{3+2\sqrt{2}}{3-2\sqrt{2}}$

4. 곱셈 공식을 이용한 수의 계산

(1) 수의 제곱의 계산

① $(a+b)^2=a^2+2ab+b^2$

② $(a-b)^2=a^2-2ab+b^2$을 이용한다.

예 $31^2=(30+1)^2=30^2+2\times30+1=961$

(2) 두 수의 곱의 계산

① $(a+b)(a-b)=a^2-b^2$

예 $31\times29=(30+1)(30-1)=30^2-1=899$

② $(x+a)(x+b)=a^2+(a+b)x+ab$를이용한다.

예 $31\times32=(30+1)(30+2)$

$=30^2+(1+2)\times30+2=992$

06 다음 수를 계산할 때 이용하면 가장 편리한 곱셈 공식을 보기에서 고르시오.

|보기|

ㄱ. $(a+b)^2=a^2+2ab+b^2$

ㄴ. $(a-b)^2=a^2-2ab+b^2$

ㄷ. $(a+b)(a-b)=a^2-b^2$

ㄹ. $(x+a)(x+b)=x^2+(a+b)x+ab$

(1) 101×99 ➡ ______

(2) 102^2 ➡ ______

(3) 51×54 ➡ ______

(4) 99^2 ➡ ______

07 다음은 곱셈 공식을 이용하여 계산하는 방법이다. □ 안에 알맞은 수를 써넣으시오.

(1) $103^2=(100+\square)^2$

$=10000+\square+9=\square$

(2) $97^2=(\square-3)^2$

$=\square-\square+9=\square$

(3) $9.8^2=(10-\square)^2$

$=10^2-2\times10\times\square+\square=\square$

08 곱셈 공식을 이용하여 다음을 계산하시오.

(1) 101^2

(2) 105^2

(3) 52^2

(4) 48^2

(5) 199^2

09 다음은 곱셈 공식을 이용하여 계산하는 방법이다. □ 안에 알맞은 수를 써넣으시오.

(1) $98\times102=(100-\square)(100+\square)$

$=10000-\square=\square$

(2) $101\times102=(100+1)(100+\square)$

$=10000+\square+\square=\square$

10 곱셈 공식을 이용하여 다음을 계산하시오.

(1) 105×95

(2) 202×198

(3) 3.9×4.1

(4) 48×51

(5) 96×105

쌤 Tip

주어진 수를 {10의 거듭제곱+(한 자리의 정수)}와 같은 꼴로 바꾸어 곱셈 공식을 이용해 봐!

만점

정답과 해설 _ p.26

01 $(2x+y-3)(2x+y-5)$를 전개하시오.

$2x+y=A$로 놓고 식을 전개한다.

02 $(2x-5y+3)^2$을 전개했을 때 xy의 계수를 a, x의 계수를 b라고 할 때, $a+b$의 값을 구하시오.

복잡한 식은 적당한 식을 한 문자로 치환한 후 식을 전개한다.

03 다음 수의 분모를 유리화하여 계산하시오.

(1) $\dfrac{1}{4-\sqrt{15}}$

(2) $\dfrac{1}{\sqrt{3}-\sqrt{2}}+\dfrac{1}{\sqrt{3}+\sqrt{2}}$

$\dfrac{c}{a+\sqrt{b}}=\dfrac{c(a-\sqrt{b})}{(a+\sqrt{b})(a-\sqrt{b})}$

04 곱셈 공식을 이용하여 8.1×7.9를 계산하려고 할 때, 어떤 곱셈 공식을 이용하는 것이 가장 편리한가?

① $(a+b)^2=a^2+2ab+b^2$
② $(a-b)^2=a^2-2ab+b^2$
③ $(a+b)(a-b)=a^2-b^2$
④ $(x+a)(x+b)=a^2+(a+b)x+ab$
⑤ $(ax+b)(cx+d)=acx^2+(ad+bc)x+bd$

주어진 수를 (10의 거듭제곱)+(한 자리의 정수) 또는 계산하기 쉬운 꼴로 바꾸어 곱셈 공식을 이용한다.

05 다음 중 곱셈 공식 $(a-b)^2=a^2-2ab+b^2$을 이용하기에 가장 적당한 것은?

① 301^2
② 103×99
③ 99^2
④ 10.1×10.2
⑤ 95×105

06 $\dfrac{5+\sqrt{2}}{3-2\sqrt{2}}$의 분모를 유리화하였더니 $a+b\sqrt{2}$가 되었다. 이때 유리수 a, b에 대하여 $a-b$의 값은?

① -6
② 5
③ 6
④ 18
⑤ 32

분모를 유리화할 때 분자, 분모에 곱하는 수

분모	곱하는 수
$a+\sqrt{b}$	$a-\sqrt{b}$
$a-\sqrt{b}$	$a+\sqrt{b}$
$\sqrt{a}+\sqrt{b}$	$\sqrt{a}-\sqrt{b}$
$\sqrt{a}-\sqrt{b}$	$\sqrt{a}+\sqrt{b}$

15강 곱셈 공식의 활용

정답과 해설 _ p.26

1. 곱셈 공식의 변형

(1) 주어진 문제의 조건이 합·차·곱의 형태로 되어 있을 때, 곱셈 공식의 변형 공식을 이용한다.

$x^2+y^2=(x+y)^2-2xy$

$x^2+y^2=(x-y)^2+2xy$

$(x-y)^2=(x+y)^2-4xy$

$(x+y)^2=(x-y)^2+4xy$

$(x+y)^2 = (x-y)^2+4xy$

(2) 두 수의 곱이 1인 곱셈 공식의 변형

$x^2+\frac{1}{x^2}=\left(x+\frac{1}{x}\right)^2-2$

$x^2+\frac{1}{x^2}=\left(x-\frac{1}{x}\right)^2+2$

$\left(x+\frac{1}{x}\right)^2=\left(x-\frac{1}{x}\right)^2+4$

$\left(x-\frac{1}{x}\right)^2=\left(x+\frac{1}{x}\right)^2-4$

$\left(x+\frac{1}{x}\right)^2 = \left(x-\frac{1}{x}\right)^2+4$

01 □ 안에 알맞은 것을 써넣으시오.

(1) $a^2+b^2=(a+b)^2-\square$

(2) $(a+b)^2=(a-b)^2+\square$

(3) $(a-b)^2=(\square)^2-4ab$

(4) $a^2+\frac{1}{a^2}=\left(a-\frac{1}{a}\right)^2+\square$

(5) $a^2+\frac{1}{a^2}=\left(\square\right)^2-2$

(6) $\left(a+\frac{1}{a}\right)^2=\left(a-\frac{1}{a}\right)^2+\square$

(7) $\left(a-\frac{1}{a}\right)^2=\left(\square\right)^2-4$

02 $a+b=4$, $ab=3$일 때, □ 안에 알맞은 것을 써넣으시오.

(1) $a^2+b^2=(a+b)^2-\square=16-\square=\square$

(2) $(a-b)^2=(a+b)^2-\square=16-\square=\square$

03 $a-b=5$, $ab=3$일 때, □ 안에 알맞은 것을 써넣으시오.

(1) $a^2+b^2=(a-b)^2+\square=25+\square=\square$

(2) $(a+b)^2=(a-b)^2+\square=25+\square=\square$

04 다음 식의 값을 구하시오.

(1) $x+y=10$, $xy=5$일 때,

① x^2+y^2

② $(x-y)^2$

(2) $x-y=6$, $xy=2$일 때,

① x^2+y^2

② $(x+y)^2$

05 $a+\frac{1}{a}=2$일 때, □ 안에 알맞은 것을 써넣으시오.

(1) $a^2+\frac{1}{a^2}=\left(a+\frac{1}{a}\right)^2-\square=4-\square=\square$

(2) $\left(a-\frac{1}{a}\right)^2=\left(a+\frac{1}{a}\right)^2-\square=4-\square=\square$

06 다음 식의 값을 구하시오.

(1) $x+\frac{1}{x}=-3$일 때,

① $x^2+\frac{1}{x^2}$

② $\left(x-\frac{1}{x}\right)^2$

(2) $x-\frac{1}{x}=5$일 때,

① $x^2+\frac{1}{x^2}$

② $\left(x+\frac{1}{x}\right)^2$

07 다음을 구하시오.

(1) $x-y=2$, $x^2+y^2=5$일 때, xy의 값

(2) $a+b=7$, $ab=10$일 때, $a-b$의 값(단, $a>b$)

(3) $x^2+\frac{1}{x^2}=12$일 때, $x-\frac{1}{x}$의 값(단, $x>1$)

2. $x=a\pm\sqrt{b}$꼴이 주어진 경우 식의 값

(1) 주어진 조건 변형하기

① 우변의 유리수를 좌변으로 이항한다.

② 양변을 제곱하여 근호를 없앤다.

(2) 주어진 조건 대입하기

x의 값을 대입하여 곱셈 공식을 이용하여 계산한다.

08 다음 식의 값을 구하시오.

(1) $x=\sqrt{2}$, $y=\sqrt{5}$일 때,

① $(x-3)(x+3)$의 값

② $(y-3)(y+3)$의 값

③ $(x-y)(x+y)$의 값

(2) $x=3+\sqrt{7}$, $y=3-\sqrt{7}$일 때,

① $x+y$의 값

② xy의 값

③ $\frac{y}{x}+\frac{x}{y}$의 값

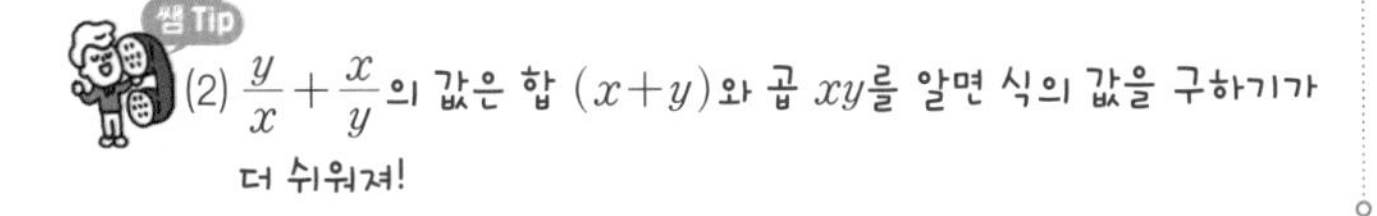

09 다음 □ 안에 알맞은 수를 써넣으시오.

(1) $x=\sqrt{3}+1$일 때, x^2-2x+2의 값

$x-1=\square$ ➡ $(x-1)^2=\square$ ➡ $x^2-2x+1=\square$

➡ $x^2-2x+2=\square$

(2) $x^2-5x=1$일 때, $x^2-5+\frac{1}{x^2}$의 값

양변을 $x(x\neq0)$로 나누면

$x-\square=\frac{1}{x}$ ➡ $x-\frac{1}{x}=\square$

$x^2+\frac{1}{x^2}-5=\left(x-\frac{1}{x}\right)^2+\square-5$

$=\square+\square-5=\square$

10 다음을 구하시오.

(1) $x=2+\sqrt{3}$일 때, $x+\frac{1}{x}$의 값

(2) $x=-1+\sqrt{5}$일 때, x^2+2x+5의 값

(3) $x=\frac{1}{3+2\sqrt{2}}$일 때, x^2-6x+1의 값

(4) $x=\frac{2}{\sqrt{3}-1}$일 때, $2x^2+3x+7$의 값

(5) $x^2+x-1=0$일 때, $\left(x+\frac{1}{x}\right)^2$의 값

쌤 Tip

x의 값을 직접 대입하여 구해도 되지만 식을 변형하면 더 간단히 풀 수 있어!

힘수 만점

정답과 해설 _ p.27

01 $x-y=2\sqrt{3}$, $xy=8$일 때, 다음 식의 값을 구하시오.

(1) x^2+y^2

(2) $(x+y)^2$

곱셈 공식을 변형해 본다.
$x^2+y^2=(x-y)^2+2xy$
$(x+y)^2=(x-y)^2+4xy$

02 $x-\frac{1}{x}=-2$일 때, 다음 식의 값을 구하시오. (단, $x>0$)

(1) $x^2+\frac{1}{x^2}$

(2) $x+\frac{1}{x}$

곱셈 공식을 변형해 본다.
$x^2+\frac{1}{x^2}=\left(x-\frac{1}{x}\right)^2+2$
$\left(x+\frac{1}{x}\right)^2=\left(x-\frac{1}{x}\right)^2+4$

03 $x=-3+\sqrt{7}$일 때, x^2+6x+3의 값은?

① -1 ② 1 ③ 2
④ 3 ⑤ 4

유리수를 좌변으로 이항한 후 제곱해 본다.

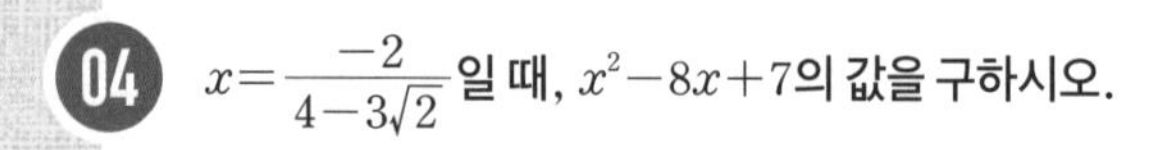

04 $x=\frac{-2}{4-3\sqrt{2}}$일 때, x^2-8x+7의 값을 구하시오.

분모를 유리화하여 식의 값을 구한다.

05 $x=\frac{\sqrt{2}+1}{\sqrt{2}-1}$일 때, x^2-6x+2의 값은?

① -2 ② -1 ③ 0
④ 1 ⑤ 2

분모를 유리화한다.

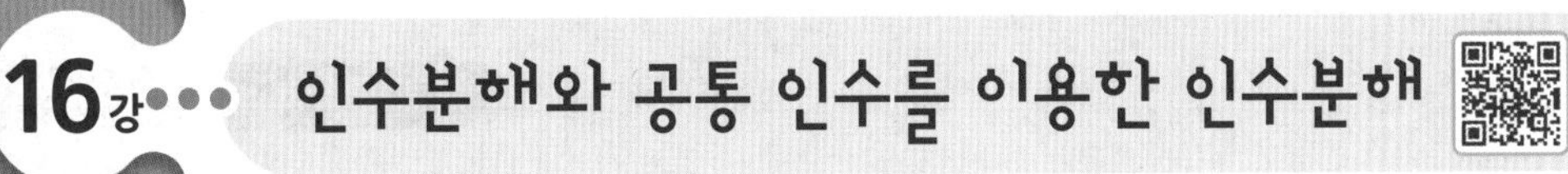

16강 인수분해와 공통 인수를 이용한 인수분해

정답과 해설 _ p.28

1. 인수분해

(1) 인수: 하나의 다항식을 2개 이상의 단항식이나 다항식의 곱의 꼴로 나타낼 때, 이들 각각의 식을 처음 다항식의 인수라고 한다.

(2) 인수분해: 하나의 다항식을 2개 이상의 인수의 곱으로 나타낸 것을 그 다항식을 인수분해한다고 한다. 인수분해는 전개를 거꾸로 한 과정이다.

$$x^2+5x+6 \underset{\text{전개}}{\overset{\text{인수분해}}{\rightleftarrows}} (x+2)(x+3)$$

(합의 모양) (곱의 모양)

01 다음 식은 어떤 다항식을 인수분해한 것인지 구하시오.

(1) $a(x+1)$

(2) $(x+2)^2$

(3) $(x-3)^2$

(4) $(x+3)(x-3)$

(5) $(3x-1)(3x+1)$

(6) $(x+1)(x+2)$

(7) $(x+3)(x-2)$

(8) $(2x+1)(x-5)$

02 다음 식의 인수를 모두 찾아 ○표 하시오.

(1) x^2y

x y x^2 y^2 xy

(2) ab^2

a b ab^2 b^2 a^2b^2

(3) $x(x+y)$

x y $x+y$ $x(x+y)$

(4) $(x-2)(x+1)$

x $x+1$ x^2-2 $(x-2)(x+1)$

(5) $xy(a-b)$

1 y xy $x(a-b)$ $a+b$

(6) $xy(x+1)$

x xy $y(x+1)$ x^2y x^2+1

(7) $x(x+2y)(x+3y)$

x $x+2y$ $x(x+3y)$ $(x+2y)(x+3y)$

(8) $x(x+1)(x-1)$

x x^2+1 x^2-1 x^2

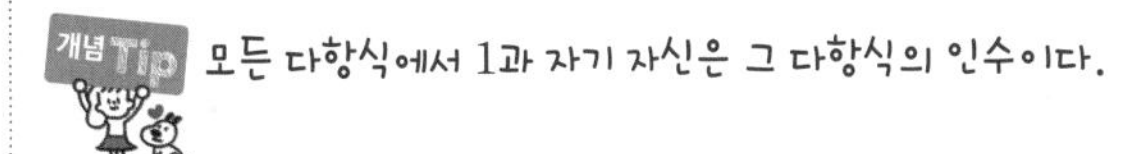

개념 Tip 모든 다항식에서 1과 자기 자신은 그 다항식의 인수이다.

2. 공통 인수를 이용한 인수분해 up+

(1) 공통 인수 : 다항식의 각 항에 공통으로 들어 있는 인수

(2) 공통 인수를 이용한 인수분해

① 공통 인수를 찾는다.
② 분배법칙을 이용하여 공통 인수로 묶어 낸다.
③ 정리하여 인수분해를 완성한다.

$$ma+mb=m(a+b)$$

공통인수

참고 인수분해할 때는 공통 인수가 남지 않도록 모두 묶어 낸다.

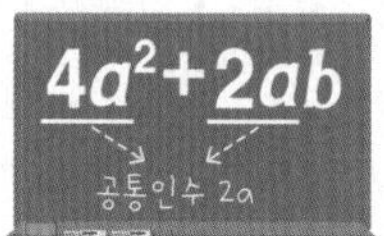

03 다음 다항식에서 각 항의 공통 인수를 찾은 후 인수분해하시오.

다항식	공통 인수	인수분해한 식
(1) $ax+ay+az$	a	
(2) a^2b+2ab		$ab(a+2)$
(3) $2ax+4bx-10x$		
(4) $2x^2y+4xy$		

04 다음 식을 인수분해하시오.

(1) $ax+ay$

(2) $ax+3ay$

(3) $-3ax-6ay$

(4) $3xy-9yz$

(5) $2xy-4y$

(6) $12a^2b-8ab$

05 다음 식을 인수분해하시오.

(1) $ab+ac-3a$

(2) a^2b+b^2c+abc

(3) $6ax-2ay+4az$

(4) $2x^2y-6xy+2x$

(5) $ax^2-3bx-acx$

(6) $4x^2y+2xy^2+4xy$

06 다음 식을 인수분해하시오.

(1) $(a+1)+b(a+1)$

(2) $(a-b)x-(a-b)y$

(3) $ab(x+3)-(x+3)$

(4) $x(y-1)-(1-y)$

(5) $(a-3)(x-y)+(a-3)(2x-y)$

(6) $x(x+1)+(x+1)(x-1)$

만점

정답과 해설 _ p.28

01 다음 식을 인수분해하시오.

(1) $a(x-y)-b(y-x)$

(2) $-6x^2+3x$

(3) $a(x-2)-x+2$

(4) $(a+2)^2-(a+2)$

공통 인수를 묶어 낸 다음 식을 정리한다.

02 $2a^2b+4ab-6b^2$에서 각 항의 공통 인수는?

① a ② $2a$ ③ $2b$
④ a^2 ⑤ $2ab$

공통 인수는 문자 이외에 수자도 공통 인수로 묶어낸다.

03 다음 중 $a(a+2)(a-2)$의 인수가 아닌 것은?

① a ② $a+2$ ③ $a(a-2)$
④ a^2-4 ⑤ a^2-2

모든 다항식에서 1과 자기 자신은 그 다항식의 인수이다.

04 다음 중 인수분해가 바르게 된 것은?

① $4x^2y-6xy^2=xy(4x-6y)$
② $-2x^2+6x=-2x(x+3)$
③ $3x^2y+6xy=3xy(x-2)$
④ $-3xy-12x=-3x(y+4)$
⑤ $2xy-8x+4y^2=2x(y+4+2y^2)$

공통 인수가 남지 않도록 묶어 낸다.

05 다음 중 다항식 xy^2-x^2y의 인수가 아닌 것은?

① x ② y ③ xy
④ $x-y$ ⑤ $x^2(y-x)$

공통 인수로 묶어 내어 인수분해한 다음 인수를 찾는다.

정답과 해설 _ p.28

1. 인수분해 공식(1)

인수분해 공식 - 완전제곱식

(1) $a^2+2ab+b^2=(a+b)^2$

(2) $a^2-2ab+b^2=(a-b)^2$

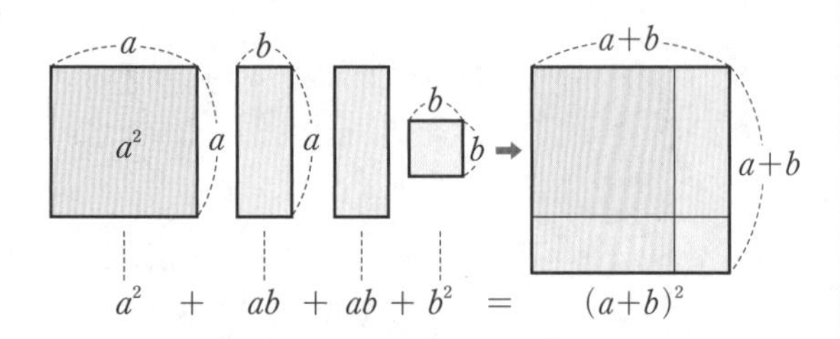

(2) 완전제곱식: 다항식의 제곱으로 된 식 또는 이 식에 상수를 곱한 식 예 $(x+1)^2$, $3(3a-5)^2$

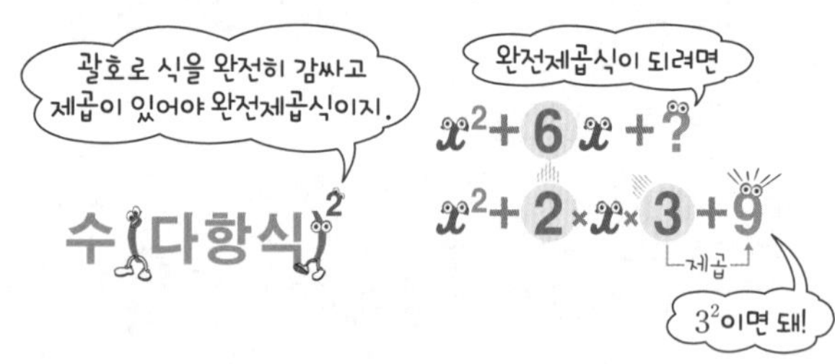

01 다음 □ 안에 알맞은 수를 써넣으시오.

(1) $x^2+8x+16=x^2+2\times x\times\square+\square^2$

(2) $x^2-10x+25=x^2-2\times x\times\square+\square^2$

(3) $4x^2+12x+9=(2x)^2+2\times 2x\times\square+\square^2$

(4) $25x^2+40xy+16y^2$
$=(5x)^2+2\times 5x\times\square+(\square)^2$

02 다음 식을 인수분해하시오.

(1) x^2+4x+4

(2) x^2+6x+9

(3) $x^2+14x+49$

(4) $x^2+2xy+y^2$

(5) $x^2+18xy+81y^2$

(6) $x^2+24xy+144y^2$

03 다음 식을 인수분해하시오.

(1) x^2-2x+1

(2) $x^2-10x+25$

(3) $x^2-16x+64$

(4) $x^2-2xy+y^2$

(5) $x^2-6xy+9y^2$

(6) $x^2-40xy+400y^2$

04 다음 식을 인수분해하시오.

(1) $4x^2+4x+1$

(2) $25x^2+30xy+9y^2$

(3) $9x^2-6x+1$

(4) $49x^2-28x+4$

(5) $x^2-x+\frac{1}{4}$

(6) $x^2-\frac{2}{3}x+\frac{1}{9}$

(7) $8x^2+40xy+50y^2$

(8) $\frac{3}{4}x^2-3xy+3y^2$

2. 완전제곱식이 되기 위한 조건 up+

(1) x^2+ax+b가 완전제곱식이 될 b의 조건

$$x^2+ax+b=x^2+2\times\frac{a}{2}\times x+\left(\frac{a}{2}\right)^2=\left(x+\frac{a}{2}\right)^2$$

에서 $b=\left(\frac{a}{2}\right)^2$

(2) x^2+ax+b가 완전제곱식이 될 a의 조건

$$x^2+ax+b=x^2+2\times x\times(\pm\sqrt{b})+(\pm\sqrt{b})^2$$
$$=(x\pm\sqrt{b})^2$$

에서 $a=\pm2\sqrt{b}$

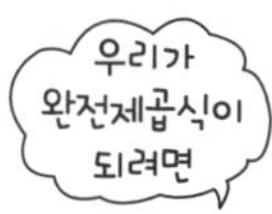

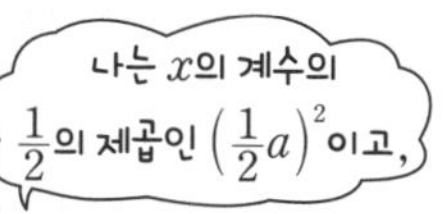

x^2+ax+b(단, $b>0$)

나는 상수항의 제곱근의 2배에 ±를 붙인 $\pm2\sqrt{b}$여야 해!

(3) 근호 안이 완전제곱식으로 인수분해되는 식

근호 안의 식을 인수분해한 후 부호에 주의하여 근호를 없앤다.

$$\sqrt{a^2}=\begin{cases}a & (a\geq0)\\ -a & (a<0)\end{cases}$$

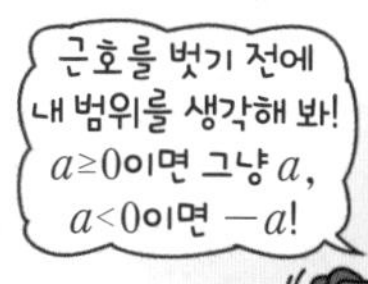

05 다음 등식이 성립하도록 □ 안에 알맞은 수를 써넣으시오.

(1) $x^2+8x+\square=(x+\square)^2$

(2) $x^2-12x+\square=(x-\square)^2$

(3) $x^2-18xy+\square y^2=(x-\square y)^2$

(4) $x^2+x+\square=\left(x+\square\right)^2$

06 다음 식이 완전제곱식이 되도록 □ 안에 알맞은 수를 모두 구하시오.

(1) $x^2+\square x+25$

(2) $x^2+\square xy+9y^2$

(3) $x^2+\square x+\frac{1}{16}$

07 다음 등식이 성립하도록 □ 안에 알맞은 수를 써넣으시오.

(1) $4x^2+28x+\square=(2x)^2+2\times2x\times7+\square^2$
$=(2x+\square)^2$

(2) $9x^2-12x+\square=(3x)^2-2\times3x\times2+\square^2$
$=(3x-\square)^2$

(3) $49x^2-14x+\square=(7x-\square)^2$

(4) $16x^2+40xy+\square y^2=(4x+\square)^2$

08 다음 등식이 성립하도록 □ 안에 알맞은 수를 모두 구하시오.

(1) $4x^2+\square x+9=(2x+\square)^2$

(2) $81x^2+\square x+4=(9x+\square)^2$

(3) $36x^2+\square xy+y^2=(6x+\square)^2$

(4) $25x^2+\square xy+\frac{1}{25}y^2=\left(5x+\square\right)^2$

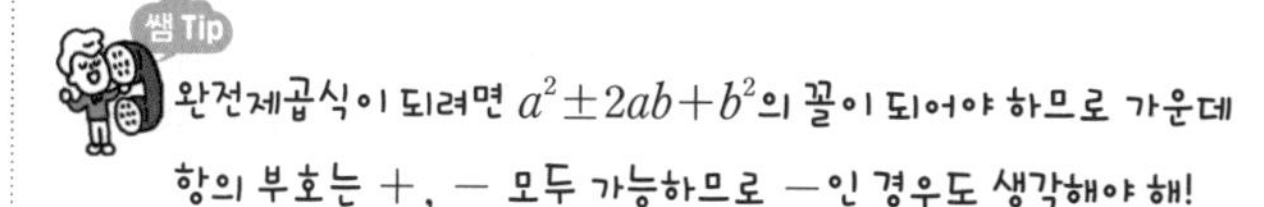

09 다음을 간단히 하시오.

(1) $0<x<3$일 때,
$\sqrt{x^2}+\sqrt{x^2-6x+9}$

(2) $x>0$, $y<0$일 때,
$\sqrt{x^2}+\sqrt{y^2}+\sqrt{x^2-2xy+y^2}$

(3) $2<x<4$일 때,
$\sqrt{x^2-8x+16}+\sqrt{x^2-4x+4}$

3. 인수분해 공식(2) up+

a^2-b^2의 인수분해

$$a^2-b^2=(a+b)(a-b)$$

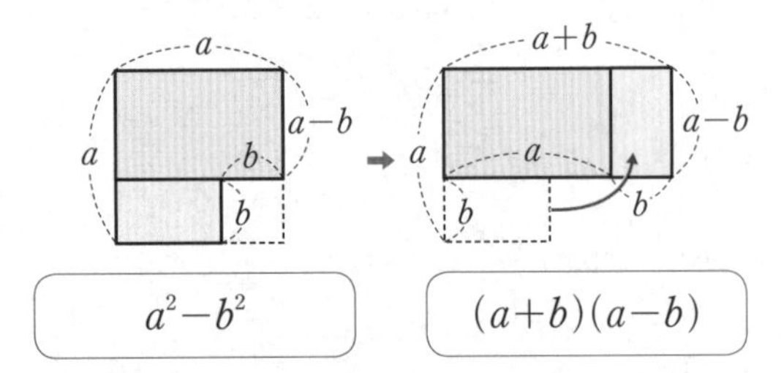

참고 특별한 조건이 없으면 다항식의 인수분해는 유리수의 범위에서 더 이상 인수분해할 수 없을 때까지 계속한다.

10 다음 □ 안에 알맞은 수나 식을 써넣으시오.

(1) $x^2-16=(x+\square)(x-\square)$

(2) $x^2-100=(x+\square)(x-\square)$

(3) $9x^2-25y^2=(3x+\square)(3x-\square)$

(4) $\frac{1}{49}x^2-\frac{1}{64}y^2=\left(\frac{1}{7}x+\square\right)\left(\frac{1}{7}x-\square\right)$

11 다음 식을 인수분해하시오.

(1) x^2-4

(2) x^2-25y^2

(3) $x^2-\frac{1}{25}$

(4) $x^2-\frac{9}{16}y^2$

12 다음 식을 인수분해하시오.

(1) $1-16x^2$

(2) $-x^2+36$

(3) $64x^2-y^2$

(4) $\frac{1}{9}-y^2$

(5) $4x^2-81y^2$

(6) $64x^2-121y^2$

13 다음 식을 인수분해하시오.

(1) $5x^2-20$

(2) $3x^2-48$

(3) x^3-x

(4) x^2y-y^3

(5) $\frac{1}{2}x^2-\frac{1}{8}y^2$

(6) $7x^2-\frac{7}{25}y^2$

14 다음 중 인수분해 결과가 옳은 것은 ○표, 옳지 않은 것은 ×표를 ( ) 안에 쓰고, 옳지 않은 것은 바르게 인수분해하시오.

(1) $-x^2+y^2=(x+y)(x-y)$ ( )

(2) $x^3-xy^2=x(x+y)(x-y)$ ( )

(3) $ax^2-4ay^2=a(x+2y)(x-2y)$ ( )

(4) $\frac{9}{49}x^2-16y^2=\left(\frac{3}{7}x+8y\right)\left(\frac{3}{7}x-2y\right)$ ( )

01 다음 중 완전제곱식이 아닌 것은?

① x^2+2x+1 ② $x^2-12x+36$ ③ x^2+4x+4
④ $x^2+\frac{1}{2}x+\frac{1}{4}$ ⑤ $x^2+2xy+y^2$

$(x+1)^2$의 꼴로 나타낼 수 있는 식이다.

02 $x^2-10x+A$를 완전제곱식 $(x+B)^2$의 꼴로 고칠 때, $A-B$의 값은? (단, A, B는 상수)

① -25 ② -5 ③ 5
④ 25 ⑤ 30

x^2+ax+b가 완전제곱식이 될 b의 조건은
$b=\left(\frac{a}{2}\right)^2$

03 $9x^2-y^2$을 인수분해하면?

① $(3x+y)(3x-y)$ ② $(9x+y)(x-y)$
③ $(9x+y)(9x-y)$ ④ $(3x+y)^2$
⑤ $(3x-y)^2$

$a^2-b^2=(a+b)(a-b)$

04 $9x^2-64y^2=(Ax+By)(Ax-By)$일 때, 자연수 A, B의 곱 AB의 값을 구하시오.

05 $3x^2+12xy+\square$가 완전제곱식이 되도록 $\square$ 안에 알맞은 식을 구하면?

① $8y^2$ ② $12y^2$ ③ $18y^2$
④ $20y^2$ ⑤ $22y^2$

계수가 제곱수가 아닐 때는 제곱수가 되게 식을 공통인 인수를 묶어 내거나 식을 변형해 본다.

18강 인수분해 공식(3), (4)

정답과 해설 _ p.30

1. 인수분해 공식(3) up+

(1) $x^2+(a+b)x+ab$의 인수분해

$$x^2+(a+b)x+ab=(x+a)(x+b)$$

(2) $x^2+(a+b)x+ab$의 인수분해 방법

① 곱했을 때 상수항이 되는 두 수를 모두 찾는다.

② ① 중에서 두 수의 합이 x의 계수가 되는 두 수 a, b를 고른다.

③ $(x+a)(x+b)$의 꼴로 나타낸다

$$x^2+\underbrace{(a+b)}_{\text{두 수의 합}}x+\underbrace{ab}_{\text{두 수의 곱}}=(x+a)(x+b)$$

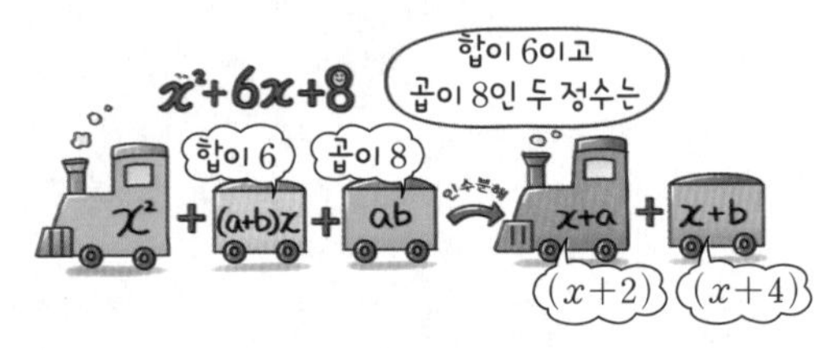

01 합과 곱이 각각 다음과 같은 두 정수를 구하시오.

(1) 합이 4, 곱이 3 ➡ ____________

(2) 합이 2, 곱이 -8 ➡ ____________

(3) 합이 -5, 곱이 6 ➡ ____________

(4) 합이 -3, 곱이 -10 ➡ ____________

02 다음은 주어진 식을 인수분해하는 과정이다. □ 안에 알맞은 것을 써넣으시오.

(1) $x^2+7x+10=(x+\square)(x+5)$

$x \quad 2 \longrightarrow \square$
$x \quad 5 \longrightarrow 5x$ (+
$7x$

(2) $x^2-5xy-24y^2=(x+3y)(x-\square)$

$x \quad 3y \longrightarrow 3xy$
$x \quad \square \longrightarrow \square$ (+
$-5xy$

03 다음 식을 인수분해하시오.

(1) x^2+3x+2

(2) $x^2-8x+12$

(3) x^2-x-2

(4) x^2-3x-4

(5) $x^2-15x+56$

(6) $x^2-4x-21$

(7) $x^2+3x-40$

(8) $x^2-6x-27$

04 다음 식을 인수분해하시오.

(1) $x^2-xy-30y^2$

(2) $x^2-10xy+16y^2$

(3) $x^2+2xy-24y^2$

(4) $x^2-6xy-16y^2$

(5) $x^2-12xy+27y^2$

(6) $x^2-4xy-21y^2$

2. 인수분해 공식(4) up+

(1) $acx^2+(ad+bc)x+bd$의 인수분해

$$acx^2+(ad+bc)x+bd=(ax+b)(cx+d)$$

(2) $acx^2+(ad+bc)x+bd$의 인수분해 방법

① 곱하여 x^2의 계수가 되는 두 정수를 세로로 나열한다.

② 곱하여 상수항이 되는 두 정수를 세로로 나열한다.

③ ①, ②의 정수를 대각선으로 곱하여 합한 것이 x의 계수가 되는 것을 찾는다.

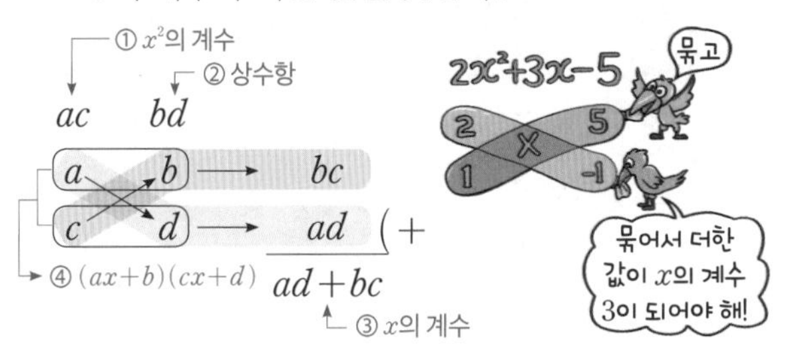

05 다음은 주어진 식을 인수분해하는 과정이다. □ 안에 알맞은 것을 써넣으시오.

(1) $6x^2+5x+1=(2x+1)(\square x+1)$

$2x \to 1 \to 3x$
$3x \to \square \to \square$ (+
$\square$

(2) $2x^2+x-3=(x-\square)(2x+3)$

$x \to -1 \to -2x$
$2x \to \square \to \square$ (+
$\square$

(3) $6x^2-13xy+2y^2=(x-\square)(6x-y)$

$x \to \square \to -12xy$
$6x \to -y \to \square$ (+
$\square$

(4) $4x^2+4xy-15y^2=(2x-\square)(2x+5y)$

$2x \to -3y \to \square$
$2x \to \square \to \square$ (+
$\square$

06 다음 식을 인수분해하시오.

(1) $2x^2-5x+3$

(2) $3x^2-8x-3$

(3) $6x^2+11x-10$

(4) $2x^2+7x+3$

(5) $4x^2-11x-3$

(6) $5x^2-x-6$

(7) $3x^2+7x-6$

(8) $24x^2-14x-5$

07 다음 식을 인수분해하시오.

(1) $3x^2+11xy-4y^2$

(2) $10x^2-9xy+2y^2$

(3) $2x^2-xy-6y^2$

(4) $8x^2-2xy-3y^2$

정답과 해설 _ p.32

01 다음을 인수분해하시오.

(1) $5x^2+19x-4$

(2) $3x^2-x-10$

02 x에 관한 이차식 x^2+ax-3이 $(x-1)(x+b)$로 인수분해될 때, ab의 값은? (단, a, b는 상수)

① 6 ② 3 ③ -1
④ -3 ⑤ -6

b의 값을 먼저 구한 후 곱셈 공식을 이용한다.

03 x^2+x-30이 x의 계수가 1인 두 일차식의 곱으로 인수분해될 때, 이 두 일차식의 합을 구하시오.

04 다음 중 두 다항식 $2x^2-3x-9$, $x^2+2x-15$의 공통 인수는?

① $x-3$ ② $x+3$ ③ $x+5$
④ $2x-3$ ⑤ $2x+3$

인수분해했을 때 공통으로 들어 있는 인수를 찾는다.

05 오른쪽 액자는 넓이가 x^2+6x+5이고, 세로의 길이는 $x+1$인 직사각형 모양이다. 이 액자의 가로의 길이를 구하시오.

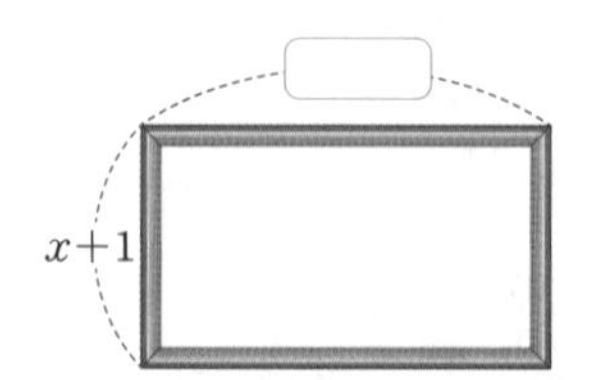

(직사각형의 넓이)
=(가로의 길이)×(세로의 길이)

19강 복잡한 식의 인수분해

정답과 해설 _ p.32

1. 복잡한 식의 인수분해(1)

(1) 공통 인수가 있을 때

공통 인수로 묶어 낸 다음 인수분해 공식을 이용한다.

예 $ax^2-a=a(x^2-1)=a(x+1)(x-1)$

(2) 공통인 부분이 있을 때

① 공통인 부분을 한 문자로 치환한 후 인수분해 공식을 이용한다.

② 치환하여 인수분해한 후 원래의 식에 대입하여 정리한다.

예 $(x+1)^2+2(x+1)+1$에서 $x+1=A$로 놓으면
$A^2+2A+1=(A+1)^2=(x+1+1)^2=(x+2)^2$

01 다음 식을 공통 인수로 묶어 내어 인수분해하시오.

(1) $-x^2-2x-1$

(2) $-x^2+4x-4$

(3) $2x^2-18$

(4) x^3-xy^2

(5) $3x^2-3x-6$

(6) $3bx^2-6bxy-72by^2$

(7) $-4x^2-10xy+6y^2$

(8) x^3y+6x^2y+9xy

02 다음은 공통인 부분을 한 문자로 놓고 인수분해하는 과정이다. □ 안에 알맞은 것을 써넣으시오.

(1) $(x+1)^2+8(x+1)+16$ ← $x+1=A$로 놓으면
$=A^2+8A+16$
$=(A+\square)^2$ ← $A=x+1$을 대입
$=(x+1+\square)^2$
$=(x+\square)^2$

(2) $(a-b)^2-4(a-b)+4$ ← $a-b=A$로 놓으면
$=A^2-4A+4$
$=(A-\square)^2$ ← $A=a-b$를 대입
$=(a-b-\square)^2$

(3) $(a+5)^2-(b-3)^2$ ← $a+5=A,\ b-3=B$로 놓으면
$=A^2-B^2$
$=(A+B)(\square)$
$=\{(a+5)+(\square)\}\{(a+5-(\square)\}$
$=(a+b+\square)(a-b+\square)$

03 다음 식을 인수분해하시오.

(1) $(x-y)^2+6(x-y)+9$

(2) $(2x+3)^2-9$

(3) $(x-1)^2-3(x-1)-28$

(4) $(2x+3y)(2x+3y-5)-6$

(5) $2(3x-y)^2-(3x-y)-6$

(6) $a^2(2x-1)-4(2x-1)$

2. 복잡한 식의 인수분해(2)

(1) 항이 여러 개 있을 때

① (2항)+(2항)으로 묶기
공통 인수가 생기도록 두 항씩 묶는다.

② (3항)+(1항) 또는 (1항)+(3항)으로 묶기
3개의 항을 완전제곱식으로 나타낸 후 A^2-B^2의 꼴로 만들어 인수분해한다.

(2) 문자가 여러 개 있을 때

① 내림차순으로 정리한다. 이때 문자의 차수가 모두 같으면 어느 한 문자에 관하여 내림차순으로 정리한다.

② 상수항이 길면 상수항을 먼저 인수분해하고 전체를 인수분해한다.

04 다음 □ 안에 공통으로 들어갈 식을 써넣으시오.

(1) $xy+y+x+1=y(\square)+(\square)$
$=(\square)(y+1)$

(2) $xy-x-2y+2=x(\square)-2(\square)$
$=(x-2)(\square)$

(3) $6xy-3x-5z+10yz=3x(\square)+5z(\square)$
$=(\square)(3x+5z)$

(4) $x^3+x^2-x-1=x^2(\square)-(\square)$
$=(\square)(x^2-1)$
$=(\square)^2(x-1)$

05 다음 식을 인수분해하시오.

(1) $xy-6x+2y-12$

(2) $ac-bd+ad-bc$

(3) $x-x^2+y-xy$

06 다음 식을 인수분해하시오.

(1) $x^2+2x+1-y^2$

(2) x^2-y^2+4x+4

(3) $1-9a^2-6ab-b^2$

(4) $4y^2-x^2-10x-25$

(5) $x^2+9y^2-6xy-16$

(6) $xyz-2xy+z^2-4$

07 다음 식을 인수분해하시오.

(1) $x^2+1+xy-2x-y$

(2) $x^2-xy+x+2y-6$

(3) $a^2+b^2-2ab-bc+ac$

(4) $4x^2-y^2+4x+6y-8$

힘수 만점

정답과 해설 _ p.33

01 다음 중 인수분해가 바르게 된 것은?

① $-3a^2-12ab=3a(a-4b)$
② $-4x^2+25=(2x+5)(2x-5)$
③ $(x+4)^2-(x-3)^2=2x+1$
④ $-12x^2-2x+2=-2(3x+1)(2x-1)$
⑤ $(a+b)x+(a+b)(y-z)=(a+b)(x+y-z)$

공통 인수가 있으면 묶어내고 부호에 주의하여 인수분해한다.

02 $(a-1)^2-4(a-1)-12$를 인수분해하시오.

$a-1=A$로 놓고 인수분해한다.

03 다음 중 $a^2x^2-a^2$을 인수분해했을 때, 이 식의 인수가 아닌 것은?

① a^2 ② a^2x^2 ③ $x+1$
④ x^2-1 ⑤ $x-1$

04 두 다항식 $xy-y^2+x-y$, $2x^2-xy-y^2$의 공통 인수는?

① $x-y$ ② $x+y$ ③ $y+1$
④ $y-1$ ⑤ $2x+y$

각각 인수분해한 후 두 식에 공통으로 들어 있는 인수를 찾는다.

05 다음 중 $x^3-x+y-x^2y$의 인수가 아닌 것을 모두 고르면?

① $x-y$ ② $x+y$ ③ $x-1$
④ $x+1$ ⑤ $y+1$

공통 인수가 생기도록 두 항씩 묶는다.

20강 인수분해 공식의 활용

1. 인수분해를 이용한 수의 계산

복잡한 수의 계산을 할 때, 주어진 식을 인수분해한 후 계산하면 편리하다.
이때 인수분해 공식을 이용할 수 있도록 수의 모양을 바꾸어 계산한다.

① 공통 인수를 묶어 내기
$ma+mb=m(a+b)$

② 완전제곱식 이용하기
$a^2\pm2ab+b^2=(a\pm b)^2$

③ 제곱의 차 이용하기
$a^2-b^2=(a+b)(a-b)$

135^2-134^2

답은 269야!

아니! 어떻게 그렇게 빨리 계산을...

01 다음 □ 안에 알맞은 수를 써넣으시오.

(1) $24\times49+24\times51=24(49+\square)$
$=24\times\square=\square$

(2) $96^2+2\times96\times4+16=(96+\square)^2$
$=\square^2=\square$

(3) $103^2-6\times103+9=(103-\square)^2$
$=\square^2=\square$

(4) $52^2-48^2=(52+\square)(52-\square)$
$=100\times\square=\square$

02 인수분해 공식을 이용하여 다음을 계산하시오.

(1) $28\times16+72\times16$

(2) $92\times78+92\times22$

(3) $69\times89-69\times79$

(4) $257\times26-257\times25$

03 인수분해 공식을 이용하여 다음을 계산하시오.

(1) $26^2+2\times26\times4+16$

(2) $94^2+2\times94\times6+36$

(3) $101^2-2\times101+1$

(4) $78^2-16\times78+64$

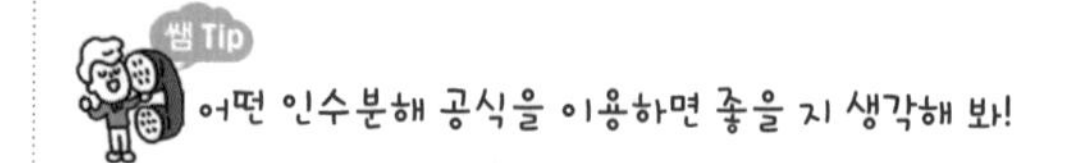

04 인수분해 공식을 이용하여 다음을 계산하시오.

(1) 100^2-99^2

(2) 151^2-149^2

(3) 85^2-15^2

(4) $17\times55^2-17\times45^2$

05 인수분해 공식을 이용하여 다음을 계산하시오.

(1) $7.5^2+5\times7.5+2.5^2$

(2) $\sqrt{6.8^2-3.2^2}$

(3) $\sqrt{82^2-18^2}$

(4) $42^2-38^2+36^2-34^2$

2. 인수분해 공식을 이용한 식의 값 up+

(1) 주어진 식을 인수분해한 후 수나 식을 대입한다.

(2) 복잡한 문자의 값은 변형해 본다.

(3) 분모가 무리수인 것은 분모를 유리화한다.

** 활용에 많이 이용되는 인수분해 공식

$a^2+2ab+b^2=(a+b)^2$

$a^2-2ab+b^2=(a-b)^2$

$a^2-b^2=(a+b)(a-b)$

참고 식에 주어진 값을 직접 대입하여 구할 수 있지만 식을 인수분해하여 계산하는 것이 더 편리하다.

06 다음 □ 안에 알맞은 것을 써넣으시오.

(1) $x=97$일 때, x^2+6x+9의 값

$x^2+6x+9=(x+\square)^2$

$=(97+\square)^2=\square^2$

$=\square$

(2) $x=2+\sqrt{3}$일 때, x^2-4x+4의 값

$x^2-4x+4=(x-\square)^2$

$=(2+\sqrt{3}-\square)^2$

$=(\square)^2$

$=\square$

(3) $a=6.4$, $b=3.6$일 때, a^2-b^2의 값

$a^2-b^2=(a+\square)(a-\square)$

$=(6.4+\square)(6.4-\square)$

$=\square$

(4) $x=\dfrac{1}{\sqrt{5}-2}$, $y=\dfrac{1}{\sqrt{5}+2}$일 때, x^2-y^2의 값

$x=\dfrac{1}{\sqrt{5}-2}=\dfrac{\square}{(\sqrt{5}-2)\times(\square)}=\sqrt{5}+\square$

$y=\dfrac{1}{\sqrt{5}+2}=\dfrac{\square}{(\sqrt{5}+2)\times(\square)}=\square$

이므로 $x+y=\square$, $x-y=\square$

따라서 $x^2-y^2=(x+y)(x-y)$

$=\square\times\square=\square$

07 인수분해 공식을 이용하여 다음 식의 값을 구하시오.

(1) $x=103$일 때, x^2-6x+9의 값

(2) $x=18$일 때, $x^2-3x-40$의 값

(3) $x=\sqrt{2}-1$일 때, x^2+3x+2의 값

(4) $x=4+\sqrt{5}$일 때, $x^2-8x+16$의 값

쌤 Tip 주어진 식을 인수분해한 다음 대입해 봐!

08 인수분해 공식을 이용하여 다음 식의 값을 구하시오.

(1) $x=56$, $y=18$일 때, $x^2-4xy+4y^2$의 값

(2) $x=5+\sqrt{2}$, $y=5-\sqrt{2}$일 때, $x^2+2xy+y^2$의 값

(3) $x=\sqrt{7}+\sqrt{3}$, $y=\sqrt{7}-\sqrt{3}$일 때, x^2-y^2의 값

09 인수분해 공식을 이용하여 다음 식의 값을 구하시오.

(1) $x+y=2$, $xy=5$일 때, x^2y+xy^2의 값

(2) $x+y=5$, $x-y=3$일 때, x^2-2x-y^2+2y의 값

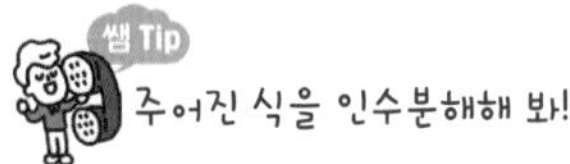

쌤 Tip 주어진 식을 인수분해해 봐!

만점

정답과 해설 _ p.35

01 인수분해 공식을 이용하여 $504^2-8\times504+16$을 계산할 때, 가장 편리한 것은?

① $a^2+2ab+b^2=(a+b)^2$ ② $a^2-2ab+b^2=(a-b)^2$
③ $a^2-b^2=(a+b)(a-b)$ ④ $x^2+(a+b)x+ab=(x+a)(x+b)$
⑤ $acx^2+(ad+bc)x+bd=(ax+b)(cx+d)$

인수분해 공식을 이용하여 수의 모양을 바꾸어 계산하면 편리하다.

02 인수분해 공식을 이용하여 76^2-24^2의 값을 구하시오.

$a^2-b^2=(a+b)(a-b)$

03 $\dfrac{\sqrt{3}+\sqrt{2}}{\sqrt{3}-\sqrt{2}}$의 분모를 유리화하면?

① $2\sqrt{6}+\sqrt{2}$ ② $-2+\sqrt{6}$ ③ $5-2\sqrt{6}$
④ $5+2\sqrt{6}$ ⑤ $2+\sqrt{6}$

04 $x=3-\sqrt{3}$일 때, x^2-6x+9의 값을 구하시오.

$x=3-\sqrt{3}$을 변형해 본다.

05 $x=\dfrac{1}{\sqrt{2}+1}$, $y=\dfrac{1}{\sqrt{2}-1}$ 일 때, x^2-y^2의 값은?

① $-4\sqrt{2}$ ② 2 ③ 0
④ $4\sqrt{2}$ ⑤ $2+\sqrt{2}$

먼저 분모를 유리화한다.
$a+\sqrt{b}$꼴이면 $a-\sqrt{b}$
$a-\sqrt{b}$꼴이면 $a+\sqrt{b}$
$a+\sqrt{b}$꼴이면 $a-\sqrt{b}$
$a-\sqrt{b}$꼴이면 $a+\sqrt{b}$
를 분모, 분자에 각각 곱해 준다.

06 인수분해 공식을 이용하여 다음 두 수 A, B의 합을 구하시오.

$A=\sqrt{68^2-32^2}$
$B=8.5^2+3\times8.5+1.5^2$

근호 안의 수가 제곱수가 되면 근호 밖으로 꺼낸다.

중단원 연산 마무리

정답과 해설 _ p.35

01 다음 식을 전개하시오.

(1) $-3x(5x+3y-1)$

(2) $(x+2)(x-6)$

(3) $(3a+7b)(-2a-3b)$

(4) $(2a-b)(5a+4b+3c)$

02 다음 식을 전개하시오.

(1) $(x+2)^2$

(2) $(x-1)^2$

(3) $\left(x+\frac{1}{3}\right)\left(x-\frac{1}{3}\right)$

(4) $(x-4)(x+2)$

(5) $(2x+5)(x-3)$

03 $(x+A)(x-6)=x^2+Bx+42$일 때, $A+B$의 값을 구하시오.

04 다음 식을 전개하시오.

(1) $(\sqrt{7}+\sqrt{3})^2$

(2) $(2-3\sqrt{2})^2$

(3) $(2\sqrt{5}+3)(2\sqrt{5}-3)$

(4) $(3\sqrt{3}+\sqrt{2})(2\sqrt{2}-\sqrt{3})$

05 다음 식을 전개하시오.

(1) $(3x+5)(x+4)-2(x-1)(x+5)$

(2) $(-2x+3+\sqrt{5})(-2x+3-\sqrt{5})$

06 다음 수의 분모를 유리화하시오.

(1) $\frac{5}{\sqrt{14}-3}$

(2) $\frac{3+\sqrt{6}}{3-\sqrt{6}}$

(3) $\frac{4+3\sqrt{2}}{3-2\sqrt{2}}$

(4) $\frac{2\sqrt{6}}{\sqrt{3}-1}+\frac{3\sqrt{2}}{\sqrt{6}-3}$

07 곱셈 공식을 이용하여 다음을 계산하시오.

(1) 104^2

(2) 98^2

(3) 202×198

(4) 103×99

08 다음 도형의 넓이를 구하시오.

(1)

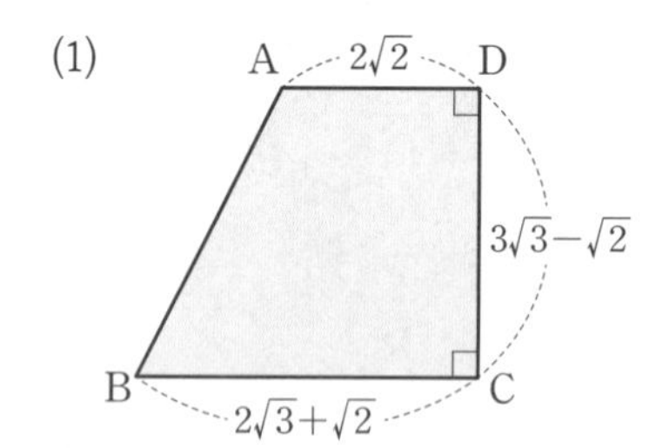

(2)

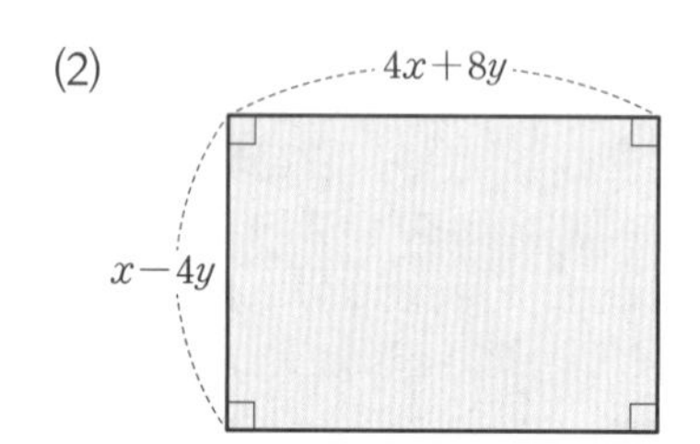

09 $x+y=2$, $xy=-8$일 때, 다음 식의 값을 구하시오.

(1) x^2+y^2

(2) $\dfrac{y}{x}+\dfrac{x}{y}$

10 다음 식의 값을 구하시오.

(1) $x-\dfrac{1}{x}=4$일 때, $x^2+\dfrac{1}{x^2}$의 값

(2) $x^2-3x+1=0$일 때, $x^2+x+\dfrac{1}{x}+\dfrac{1}{x^2}$의 값

11 $x=\dfrac{\sqrt{2}-1}{\sqrt{2}+1}$, $y=\dfrac{\sqrt{2}+1}{\sqrt{2}-1}$일 때, x^2+y^2의 값을 구하시오.

12 다음 식을 인수분해하시오.

(1) $3x^2y-6xy^2$

(2) $6ab^2-8b^2$

(3) $a^2b+2ab+3ab^2$

(4) xy^3-x^3y

13 다음 등식이 성립하도록 □ 안에 알맞은 수를 모두 구하시오.

(1) $x^2-6x+\square=(x-\square)^2$

(2) $x^2-18x+\square=(x-\square)^2$

(3) $x^2+\square x+25=(x+\square)^2$

(4) $x^2+\square x+100=(x+\square)^2$

14 다음 식을 인수분해하시오.

(1) a^2+a-2

(2) $1+2y+y^2$

(3) $9x^2-4y^2$

(4) $9x^2-30x+25$

15 다음 식을 인수분해하시오.

(1) $x^2+7x-18$

(2) $3x^2-11xy+6y^2$

(3) $4x^2-12xy+9y^2$

(4) $18x^2-26xy+8y^2$

16 다음 두 식의 공통 인수를 구하시오.

(1) $5x^2+12x+4$, $2x^2+3x-2$

(2) x^2-4x+3, $x^2+2x-15$

17 $x^2+(n+1)x+9$가 완전제곱식일 때, 가능한 모든 n의 값의 합을 구하시오.

18 $3x-2$가 다항식 $6x^2+ax-6$의 인수일 때, 다음 중 이 다항식의 다른 한 인수를 구하시오. (단, a는 상수)

19 다음 식을 인수분해하시오.

(1) $4x^2y+4xy+y$

(2) $(x+y)^2-(x-y)^2$

(3) $(x-1)^2-7(x-1)+10$

(4) $(x+2y)(x+2y-3)-4$

20 인수분해 공식을 이용하여 다음을 계산하시오.

(1) $74\times253+26\times253$

(2) $107^2-14\times107+49$

(3) $498^2+4\times498+4$

(4) $8.2^2-1.8^2+7.6^2-2.4^2$

정답과 해설 _ p.35

21 다음을 간단히 하시오.

(1) $x<0$, $y<0$일 때,
$\sqrt{x^2}+\sqrt{y^2}+\sqrt{x^2+2xy+y^2}$

(2) $3<x<5$일 때,
$\sqrt{x^2-6x+9}+\sqrt{x^2-10x+25}$

22 다음 식을 인수분해하시오.

(1) $16x^2-8x+1-y^2$

(2) $(x-y)(x-y-6)+5$

(3) $4x^2-y^2+2y-1$

23 인수분해 공식을 이용하여 다음 식의 값을 구하시오.

(1) $x=94$일 때, $x^2+12x+36$의 값

(2) $x=105$일 때, $x^2-10x+25$의 값

(3) $x=\dfrac{1}{\sqrt{2}+1}$일 때, $2x^2+4x+5$의 값

도전 100점

24 $x^2-4x-1=0$일 때, $x^2+6+\dfrac{1}{x^2}$의 값은?

① 20 ② 22 ③ 24
④ 26 ⑤ 28

25 $1<a<2$일 때, $\sqrt{a^2-2a+1}+\sqrt{a^2-4a+4}$를 간단히 하면?

① 1 ② -3 ③ $2a$
④ $2a+1$ ⑤ $2a-3$

26 $(x-y)(x-y+2)-15$를 인수분해하면 x의 계수가 1인 두 일차식의 곱으로 인수분해될 때, 두 일차식의 합을 구하시오.

27 $x+y=3$이고, $x^2-y^2+4x-4y=28$일 때, x^2-y^2의 값은?

① 12 ② 13 ③ 14
④ 15 ⑤ 16

정답과 해설 _ p.38

1. 이차방정식의 뜻 up+

(1) x에 대한 이차방정식

등식의 모든 항을 좌변으로 이항하여 정리한 식이

(x에 대한 이차식)$=0$

의 꼴로 나타내어지는 방정식을 x에 대한 이차방정식이라고 한다.

(2) 이차방정식의 일반형

일반적으로 x에 대한 이차방정식은

$ax^2+bx+c=0$(단, a, b, c는 상수이고 $a\neq0$)

과 같이 나타낼 수 있다.

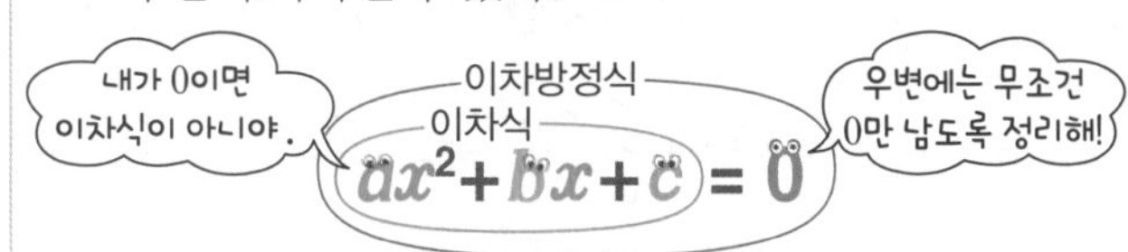

참고 a, b, c는 상수이고 $a\neq0$일 때,
ax^2+bx+c ⬅ 이차식
$ax^2+bx+c=0$ ⬅ 이차방정식

01 다음 중 이차방정식인 것은 ○표, 아닌 것은 ×표를 ( ) 안에 써넣으시오.

(1) $2x+1=0$ ( )

(2) $x^2=0$ ( )

(3) x^2-9 ( )

(4) $x^2+x+6=0$ ( )

(5) $2x^2+7=2x^2$ ( )

(6) $2x^2=3x-8$ ( )

(7) $x^2=(x-3)^2$ ( )

개념 Tip 이차항을 포함한 방정식이 이차방정식이 아닌 경우도 있다.
예 $2x^2-3x+5=1+2x^2$
→ $-3x+4=0$(이차방정식이 아니다.)

02 다음 식을 $ax^2+bx+c=0$의 꼴로 나타내시오. (단, $a>0$)

(1) $2x^2-5x+4=x^2-2x$

(2) $(x+1)(x+3)=0$

(3) $(2x+3)(x-7)=4$

(4) $3x(x-3)=x^2-6$

(5) $x^2=(x+2)(5-x)$

(6) $3(x-1)^2-1=1+2x^2$

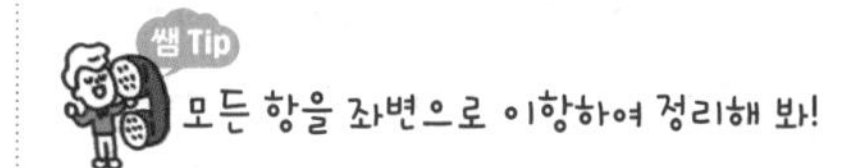

03 다음 등식이 이차방정식이 되기 위한 상수 a의 조건을 구하시오.

(1) $ax^2-2x+1=0$

(2) $ax^2=1$

(3) $(a+1)x^2-7x+12=0$

(4) $2ax^2+4x=x^2+5x-1$

(5) $ax^2-3x+5=-2x^2+3$

(6) $a(x-3)(x+1)=6x-x^2$

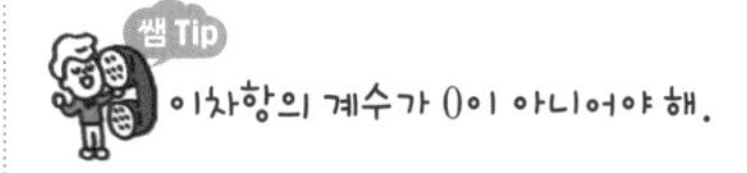

2. 이차방정식의 해 

(1) 이차방정식의 해(근): x에 대한 이차방정식을 참이 되게 하는 x의 값

$x=k$가 이차방정식 $ax^2+bx+c=0$의 해이다.	➡	$x=k$를 $ax^2+bx+c=0$에 대입하면 등식이 성립한다.

(2) 이차방정식을 푼다: 이차방정식의 해를 모두 구하는 것

① 한 근이 주어졌을 때 주어진 근을 이차방정식에 대입하여 미지수의 값을 구한다.

② 이차방정식의 한 근이 문자로 주어졌을 때, 주어진 근을 이차방정식에 대입한 후 식을 적당히 변형하여 식의 값을 구한다.

참고 x에 대한 이차방정식에서 미지수 x에 대한 특별한 조건이 없으면 x의 값의 범위는 실수 전체로 생각한다.

04 다음 [ ] 안의 수가 주어진 이차방정식의 해이면 ○표, 아니면 ×표를 ( ) 안에 써넣으시오.

(1) $x^2-1=0$ [1] ( )

(2) $2x^2+x=0$ [-1] ( )

(3) $3x^2-2x-1=0$ [1] ( )

(4) $x(x-3)=1$ [1] ( )

(5) $(x-6)(x+4)=0$ [6] ( )

(6) $(2x-1)(3x-4)=0$ $\left[\frac{1}{2}\right]$ ( )

쌤 Tip x 대신 [ ] 안의 수를 대입했을 때 등식이 성립하면 이차방정식의 해야.

05 $x=-1, 0, 1$일 때, 다음 이차방정식의 해를 모두 구하시오.

(1) $x^2-1=0$

(2) $x^2+2x=0$

(3) $x^2-2x-3=0$

(4) $(x-1)(x+2)=0$

(5) $x^2-5x+4=0$

(6) $2x^2+3x+1=0$

06 다음 [ ] 안의 수가 주어진 이차방정식의 한 근일 때, 상수 a의 값을 구하시오.

(1) $ax^2+6x-7=0$의 [1]

(2) $x^2+ax-2=0$ [2]

(3) $x^2+ax=0$ [-3]

(4) $x^2+ax-12=0$ [-4]

(5) $ax^2-5x=3$ [3]

(6) $2x^2+x+1=3-ax$ [-2]

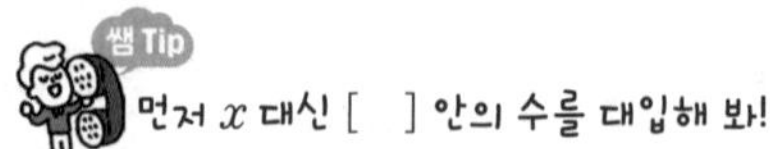

만점

정답과 해설 _ p.39

01 다음 중 x에 관한 이차방정식인 것은?

① $(x-3)^2=8+x^2$
② $3x^2-4x=2x^2+x+3$
③ $x(x-5)=x^3+x^2$
④ $x^2-8=x^2$
⑤ $x(x-6)=x^2-6x$

(x에 대한 이차식)$=0$의 꼴로 나타내어지는 방정식이 이차방정식이다.

02 다음 중 [ ] 안의 수가 주어진 이차방정식의 해인 것은?

① $x^2=0\ [1]$
② $x(x-3)=1\ [1]$
③ $2x^2-x-3=0\ [1]$
④ $x^2-3x=0\ [-1]$
⑤ $2x^2-3x=5\ \left[\frac{5}{2}\right]$

x 대신 [ ]의 안의 수를 대입해 본다.

03 다음 방정식 중 $x=3$이 해가 <u>아닌</u> 것은?

① $(x+1)(x-3)=0$
② $x^2-3x=0$
③ $x^2-5x+6=0$
④ $3x^2-7x-6=0$
⑤ $2x^2-2x-1=0$

$x=3$을 각각 대입했을 때 등식이 성립하지 않는 식을 찾는다.

04 x의 값이 -1, 0, 1, 2일 때, 이차방정식 $x^2-x-2=0$의 해를 모두 구하시오.

x 대신 -1, 0, 1, 2를 각각 대입해 본다.

05 이차방정식 $x^2+ax-2a+1=0$의 한 근이 -3일 때, 상수 a의 값을 구하시오.

x에 -3을 대입해 본다.

23강 인수분해를 이용한 이차방정식의 풀이

정답과 해설 _ p.39

1. $AB=0$의 성질 up+

두 수 또는 두 식 A, B에 대하여

$AB=0$이면 $A=0$ 또는 $B=0$

참고 $AB=0$, 즉 $A=0$ 또는 $B=0$이면 다음 세 가지 중 어느 하나가 성립한다.

① $A=0$이고 $B\neq0$
② $A\neq0$이고 $B=0$
③ $A=0$이고 $B=0$

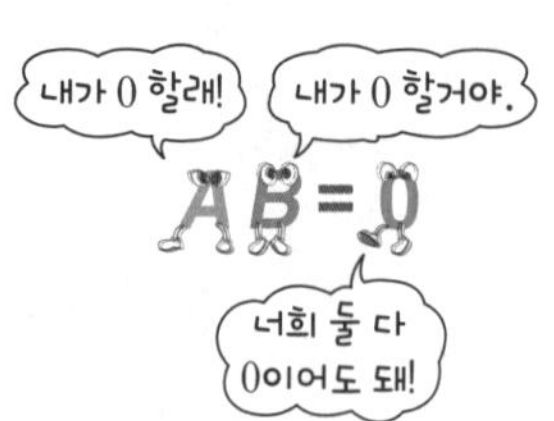

2. 인수분해를 이용한 이차방정식의 풀이 up+

일반적으로 x에 대한 이차방정식은 다음과 같은 순서로 푼다.

① 이차방정식을 $ax^2+bx+c=0$의 꼴로 정리한다.
② 좌변을 인수분해한다.
③ $AB=0$의 성질을 이용한다.
④ 해를 구한다.

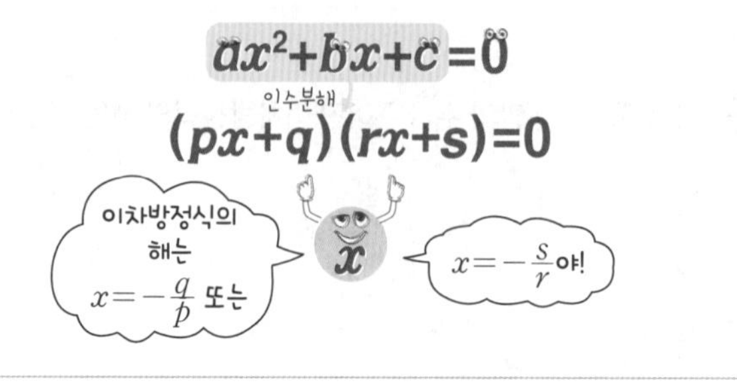

01 $AB=0$인 것을 보기에서 모두 고르시오.

|보기|

ㄱ. $A=0$, $B=0$　　ㄴ. $A=2$, $B=0$
ㄷ. $A=0$, $B=6$　　ㄹ. $A=-1$, $B=3$

➡ 

02 다음 등식을 성립하게 하는 x의 값을 구하시오.

(1) $(x-1)(x-2)=0$
　$x-1=0$ 또는 $x-2=0$
　$\therefore x=\square$ 또는 $x=\square$

(2) $(x+3)(x+8)=0$

(3) $3x(x-2)=0$

(4) $(x-5)^2=0$

(5) $\left(x-\frac{1}{2}\right)\left(x+\frac{1}{5}\right)=0$

(6) $-(x-2)(x-1)=0$

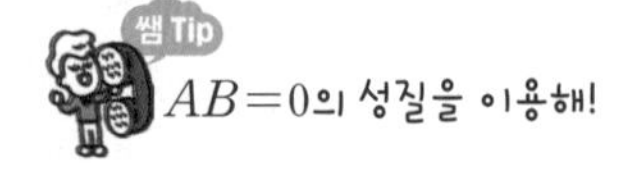

03 다음은 이차방정식의 해를 구하는 과정이다. □ 안에 알맞은 것을 써넣으시오.

(1) $2x^2+10x=0$의 좌변을 인수분해하면
　$2x(\square)=0$이므로
　$x=0$ 또는 $\square=0$
　$\therefore x=\square$ 또는 $x=\square$

(2) $x^2-25=0$의 좌변을 인수분해하면
　$(x+5)(\square)=0$이므로
　$\square=0$ 또는 $\square=0$
　$\therefore x=\square$ 또는 $x=\square$

(3) $x^2+x-12=0$의 좌변을 인수분해하면
　$(\square)(x+4)=0$이므로
　$\square=0$ 또는 $x+4=0$
　$\therefore x=\square$ 또는 $x=\square$

(4) $6x^2-7x-3=0$의 좌변을 인수분해하면
　$(2x-3)(\square)=0$이므로
　$\square=0$ 또는 $\square=0$
　$\therefore x=\square$ 또는 $x=\square$

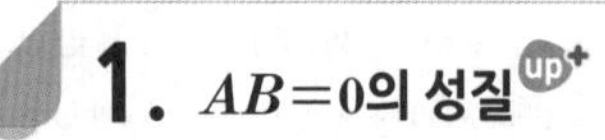

04 인수분해를 이용하여 다음 이차방정식을 푸시오.

(1) $x^2-2x=0$

(2) $x^2+5x=0$

(3) $3x^2-6x=0$

05 인수분해를 이용하여 다음 이차방정식을 푸시오.

(1) $x^2-4=0$

(2) $3x^2-27=0$

(3) $x^2=64$

06 인수분해를 이용하여 다음 이차방정식을 푸시오.

(1) $x^2+3x+2=0$

(2) $x^2-3x=10$

(3) $x^2=x+6$

(4) $x^2-11x+10=0$

07 인수분해를 이용하여 다음 이차방정식을 푸시오.

(1) $2x^2+3x+1=0$

(2) $3x^2+7x+2=0$

(3) $8x^2-10x-3=0$

08 다음 이차방정식을 푸시오.

(1) $x^2+x=3x^2-15$

(2) $(x-2)(x+3)=-x+9$

(3) $(x+1)(x+4)=2x^2+8$

(4) $(x+4)(x-4)=4x-4$

인수분해를 이용하여 이차방정식을 풀 때는 반드시 우변을 0으로 하여야 한다.

09 다음 두 이차방정식의 공통인 근을 구하시오.

(1) $x^2+x-2=0$, $x^2+3x-4=0$

(2) $x^2+10x+21=0$, $x(x-3)=18$

(3) $2x^2-5x+3=0$, $2x^2-3x=0$

10 다음 이차방정식의 한 근이 [ ] 안의 수일 때, 다른 한 근을 구하시오. (단, a는 상수)

(1) $x^2-x+a=0$ $[-3]$

(2) $x^2+ax+6=0$ $[3]$

먼저 x 대신 [ ] 안의 수를 대입해서 a의 값을 구해 봐!

3. 이차방정식의 중근 up+

(1) 중근: 이차방정식의 두 근이 중복되어 서로 같을 때, 이 근을 중근이라고 한다.

(2) 이차방정식이 중근을 가질 조건

① 이차방정식이 (완전제곱식)$=0$의 꼴로 인수분해되어야 한다.

② 이차방정식 $x^2+ax+b=0$(이차항의 계수가 1일 때)이 중근을 가지려면 좌변이 완전제곱식이 되어야 하므로 $b=\left(\frac{a}{2}\right)^2$이어야 한다.

11 다음 이차방정식을 푸시오.

(1) $(x+2)^2=0$

(2) $(x-8)^2=0$

(3) $3(2x+3)^2=0$

(4) $2(5x-3)^2=0$

12 다음은 이차방정식의 중근을 구하는 과정이다. □ 안에 알맞은 것을 쓰시오.

(1) $x^2-6x+9=0$의 좌변을 인수분해하면
$(\square)^2=0$ $\therefore x=\square$

(2) $16x^2-8x+1=0$의 좌변을 인수분해하면
$(\square)^2=0$ $\therefore x=\square$

(3) $x^2+x+\frac{1}{4}=0$의 좌변을 인수분해하면
$(\square)^2=0$ $\therefore x=\square$

13 다음 이차방정식을 푸시오.

(1) $x^2-4x+4=0$

(2) $x^2+49=14x$

(3) $4x^2-20x+25=0$

(4) $9x^2=24x-16$

14 다음 이차방정식이 중근을 가질 때, 상수 a의 값을 구하시오.

(1) $x^2-6x+a=0$

(2) $x^2-12x+3a=0$

(3) $x^2+8x+a-2=0$

(4) $x^2+16x+9a+1=0$

15 다음 이차방정식이 중근을 갖도록 하는 상수 k의 값을 구하시오.

(1) $x^2+kx+9=0$

(2) $9x^2+kx=-4$

(3) $x^2+kx+\frac{9}{16}=0$

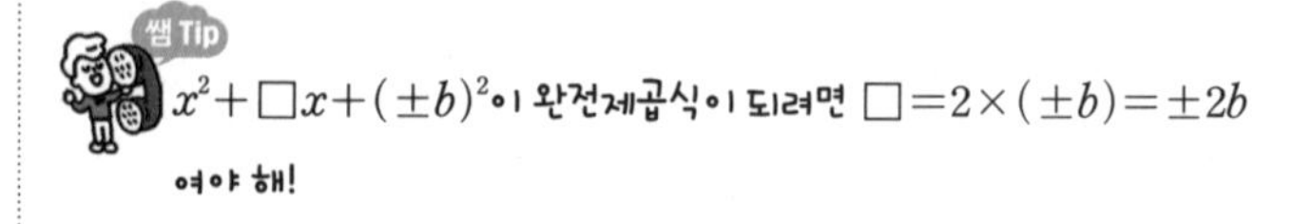

$x^2+\square x+(\pm b)^2$이 완전제곱식이 되려면 $\square=2\times(\pm b)=\pm 2b$여야 해!

만점

정답과 해설 _ p.42

01 다음 중 $AB=0$이 되지 않는 것은?

① $A=0$ 또는 $B=0$
② $A=0$ 그리고 $B=0$
③ $A\neq0$ 또는 $B=0$
④ $A=0$ 그리고 $B\neq0$
⑤ $A\neq0$ 그리고 $B\neq0$

02 인수분해를 이용하여 다음 이차방정식을 푸시오.

(1) $x^2-6x=0$

(2) $x^2-9x+8=0$

(3) $x^2+5x=5x+36$

(4) $-3x^2+8=2x$

(x에 대한 이차식)$=0$의 꼴로 고친 후 인수분해한다.

03 다음 중 중근을 갖는 이차방정식은?

① $x^2+3x=0$
② $x^2=4$
③ $3(x-2)^2=2$
④ $(x+1)^2-1=0$
⑤ $4(x^2-x)=-1$

(완전제곱식)$=0$의 꼴인 식은 중근을 가진다.

04 다음 두 이차방정식의 공통인 근을 구하면?

$$x^2+5x+4=0,\quad 2x^2+7x-4=0$$

① $x=-4$
② $x==-1$
③ $x=0$
④ $x=1$
⑤ $x=4$

각각을 인수분해하여 공통인 근을 구한다.

05 x에 관한 이차방정식 $x^2-8x+10+k=0$이 중근을 갖도록 하는 상수 k의 값을 구하시오.

x^2+ax+b가 완전제곱식이 되려면
$b=\left(\frac{a}{2}\right)^2$

  정답과 해설 _ p.42

1. 제곱근을 이용한 이차방정식의 풀이

(1) 이차방정식 $x^2=q(q\geq 0)$의 해

$x^2=q \Rightarrow x=\pm\sqrt{q}$

x는 q의 제곱근

① $q>0$일 때, $x=\pm\sqrt{q}$

② $q=0$일 때, $x=0$

③ $q<0$일 때, 해는 없다.

(2) 이차방정식 $(x+p)^2=q(q\geq 0)$의 해

$(x+p)^2=q \Rightarrow x=-p\pm\sqrt{q}$

$x+p$는 q의 제곱근

① $q>0$일 때, $x=-p\pm\sqrt{q}$

② $q=0$일 때, $x=-p$

③ $q<0$일 때, 해는 없다.

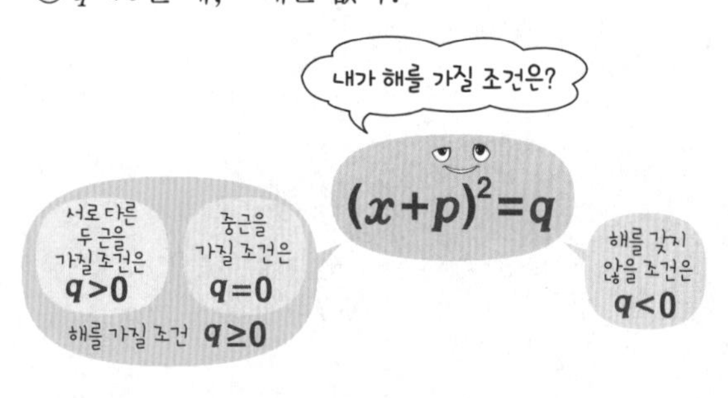

01 다음은 제곱근을 이용하여 이차방정식의 해를 구하는 과정이다. □ 안에 알맞은 것을 써넣으시오.

(1) $x^2=9$

$\therefore x=\pm\square$

(2) $3x^2=24$, $x^2=\square$

$\therefore x=\pm\square=\pm 2\sqrt{2}$

02 제곱근을 이용하여 다음 이차방정식을 푸시오.

(1) $x^2=4$

(2) $x^2=\dfrac{9}{16}$

(3) $3x^2=9$

(4) $4x^2-100=0$

03 제곱근을 이용하여 다음 이차방정식을 푸시오.

(1) $(x-1)^2=2$

(2) $(x+3)^2=5$

(3) $(x+4)^2-12=0$

(4) $4(x-5)^2=24$

(5) $(2x-1)^2-7=0$

(6) $3(x-2)^2-5=0$

쌤 Tip 근호 안에 제곱수가 있으면 밖으로 꺼내고 분모에 무리수가 있으면 분모를 유리화하여 나타내야 해!

04 다음을 구하시오.

(1) 이차방정식 $(x+1)^2=2a$의 해가 $x=-1\pm\sqrt{14}$일 때, a의 값 (단, a는 유리수)

(2) 이차방정식 $(x+a)^2-b=0$의 해가 $x=-3\pm\sqrt{2}$일 때, ab의 값 (단, a, b는 유리수)

(3) 이차방정식 $(x+a)^2=12$의 해가 $x=1\pm 2\sqrt{b}$일 때, $a+b$의 값 (단, a, b는 유리수)

쌤 Tip 이차방정식을 푼 다음 해와 계수를 비교해 봐!

05 다음 방정식이 해를 가질 조건을 구하시오.

(단, a, p, q는 상수)

(1) $x^2=q$

(2) $(x+p)^2=q$

(3) $a(x+p)^2=q$

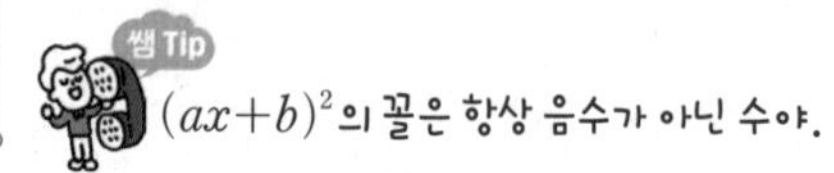
쌤 Tip $(ax+b)^2$의 꼴은 항상 음수가 아닌 수야.

2. 완전제곱식의 꼴로 나타내기

완전제곱식을 이용하여 이차방정식의 해를 구할 때는 다음 순서로 구한다.

① 이차항의 계수로 양변을 나누어 이차항의 계수를 1로 만든다.
② 상수항을 우변으로 이항한다.
③ 양변에 $\left\{\dfrac{(x\text{의 계수})}{2}\right\}^2$을 더한다.
④ $(x+p)^2=q(q\geq 0)$의 꼴로 고친다.
⑤ 제곱근을 이용하여 이차방정식을 푼다.

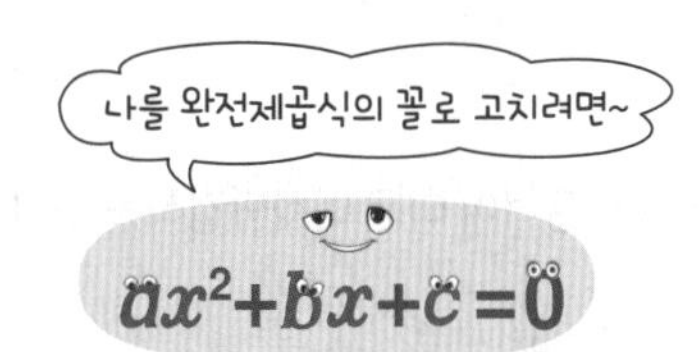

① 양변을 a로 나누고 $x^2+\dfrac{b}{a}x+\dfrac{c}{a}=0$

② 상수항을 이항하고 $x^2+\dfrac{b}{a}x+\dfrac{c}{a}=0$ $-\dfrac{c}{a}$

③ 양변에 $\left(\dfrac{b}{2a}\right)^2$을 더하고 $x^2+\dfrac{b}{a}x+\left(\dfrac{b}{2a}\right)^2=-\dfrac{c}{a}+\left(\dfrac{b}{2a}\right)^2$

④ 좌변을 완전제곱식으로 정리한다. $\left(x+\dfrac{b}{2a}\right)^2=\dfrac{b^2-4ac}{4a^2}$

06 다음은 이차방정식을 $(x+p)^2=q$의 꼴로 나타내는 과정이다. □ 안에 알맞은 것을 써넣으시오. (단, p, q는 상수)

(1) $x^2-4x-6=0$
-6을 우변으로 이항하면 $x^2-4x=6$
양변에 □를 더하면 x^2-4x+□$=6+$□
좌변을 완전제곱꼴로 고치면
$(x-$□$)^2=$□

(2) $3x^2+18x-6=0$
양변을 □으로 나누면 $x^2+6x-2=0$
-2를 우변으로 이항하면 $x^2+6x=2$
양변에 □를 더하면 x^2+6x+□$=2+$□
좌변을 완전제곱꼴로 고치면
$(x+$□$)^2=$□

07 다음 등식이 성립하도록 □ 안에 알맞은 수를 써넣으시오.

(1) x^2+2x+□$=(x+$□$)^2$

(2) x^2-10x+□$=(x-$□$)^2$

(3) $9x^2+6x+$□$=(3x+$□$)^2$

(4) $8x^2-8x+$□$=2(2x-$□$)^2$

08 다음 이차방정식을 $(x+p)^2=q$의 꼴로 나타내시오.

(1) $x^2+4x+1=0$

(2) $x^2+8x=-3$

(3) $x^2-10x+5=0$

(4) $x^2-12x-9=0$

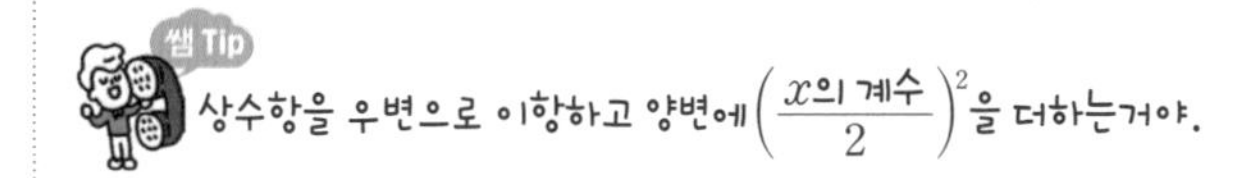

09 다음 이차방정식을 $(x+p)^2=q$의 꼴로 나타내시오.

(1) $3x^2-18x+21=0$

(2) $-x^2-2x+10=0$

(3) $2x^2=-4x+1$

(4) $6x^2+5=-12x$

3. 완전제곱식을 이용한 이차방정식의 풀이

이차방정식 $ax^2+bx+c=0$의 좌변을 인수분해하기 어려울 때는 다음 순서로 이차방정식을

$(x+p)^2=q(q\geq 0)$

의 꼴로 고친 다음, 제곱근을 이용하여 해를 구한다.

$ax^2+bx+c=0$
↓ 양변을 a로 나눔
$x^2+\frac{b}{a}x+\frac{c}{a}=0$
↓ 완전제곱식의 꼴로 변형
$(x+p)^2=q$
↓ 제곱근을 이용
$x+p=\pm\sqrt{q}$
↓ 해를 구한다.
$x=-p\pm\sqrt{q}$

10 다음은 완전제곱식을 이용하여 이차방정식의 해를 구하는 과정이다. □ 안에 알맞은 것을 써넣으시오.

(1)
$2x^2+3x-1=0$에서
양변을 2로 나누면 $x^2+\frac{3}{2}x-\frac{1}{2}=0$,
$x^2+\frac{3}{2}x=\frac{1}{2}$,
$x^2+\frac{3}{2}x+\square=\frac{1}{2}+\square$,
$\left(x+\frac{3}{4}\right)^2=\square$, $x+\frac{3}{4}=\pm\square$
$\therefore x=-\frac{3}{4}\pm\square$

(2)
$4x^2+8x-3=0$에서
양변을 4로 나누면 $x^2+2x-\frac{3}{4}=0$
$x^2+2x=\frac{3}{4}$, $x^2+2x+\square=\frac{3}{4}+\square$
$(x+\square)^2=\square$, $x+\square=\pm\square$
$\therefore x=\square$

11 완전제곱식을 이용하여 다음 이차방정식을 푸시오.

(1) $x^2+10x+10=0$

(2) $x^2-2x=5$

(3) $x^2-8x=8$

(4) $x^2-3x+1=0$

12 완전제곱식을 이용하여 다음 이차방정식을 푸시오.

(1) $5x^2-20x-10=0$

(2) $4x^2-16x+8=0$

(3) $(x-4)^2=6(7+x)$

(4) $2x(x+3)=(x-1)(x+1)$

쌤 Tip
최대한 인수분해를 해서 풀고, 인수분해가 되지 않으면 x의 계수의 $\frac{1}{2}$을 제곱한 값을 양변에 더하여, 좌변만 완전제곱식으로 나타내서 제곱근을 이용하여 풀면 돼!

13 이차방정식 $4x^2-8x=24$의 두 근을 a, b라 할 때, 다음을 구하시오.

(1) $a+b$의 값

(2) ab의 값

(3) a^2+b^2의 값

정답과 해설 _ p.43

01 제곱근을 이용하여 다음 이차방정식을 푸시오.

(1) $3x^2=54$

(2) $2(x-1)^2=40$

■ $x^2=q(q\geq 0)$의 해는 $x=\pm\sqrt{q}$
■ $(x+p)^2=q(q\geq 0)$의 해는 $x=-p\pm\sqrt{q}$

02 이차방정식 $(x-2)^2=7$의 해가 $x=a\pm\sqrt{b}$일 때, $a+b$의 값은?(단, a, b는 유리수)

① -9　② -5　③ 3　④ 5　⑤ 9

03 이차방정식 $x^2+6x-2=0$을 $(x+a)^2=b$의 꼴로 나타낼 때, $b-a$의 값은?

① 3　② 8　③ -8　④ 14　⑤ -14

상수항을 이항한 후 양변에 $\left(\frac{x\text{의 계수}}{2}\right)^2$을 더한다.

04 다음은 이차방정식 $x^2-4x-6=0$을 완전제곱식을 이용하여 푸는 과정을 나타낸 것이다. 다음 중 A, B, C, D, E에 해당되지 않는 수는?

$$x^2-4x-6=0$$
$$x^2-4x=6$$
$$x^2-4x+(A)=6+(B)$$
$$(x-C)^2=D$$
$$x=E$$

① $A=4$　② $B=4$　③ $C=-2$
④ $D=10$　⑤ $E=2\pm\sqrt{10}$

05 이차방정식 $(x-3)^2=2k-1$이 해를 갖지 않도록 하는 상수 k의 값의 범위를 구하시오.

$(ax+b)^2\geq 0$이다.

1. 이차방정식의 근의 공식

이차방정식 $ax^2+bx+c=0$의 해는

$$x=\frac{-b\pm\sqrt{b^2-4ac}}{2a} \quad (\text{단, } b^2-4ac\geq0)$$

참고 이차방정식 $ax^2+bx+c=0(a\neq0)$에서 x의 계수가 짝수, 즉 $b=2b'$일 때, 이차방정식 $ax^2+2b'x+c=0(a\neq0)$의 해는

$$x=\frac{-b'\pm\sqrt{b'^2-ac}}{a} \quad (\text{단, } b'^2-ac\geq0)$$

근의 공식을 쓸 때는 우변이 0이어야 해.

$ax^2+bx+c=0$

01 다음은 근의 공식을 이용하여 이차방정식의 해를 구하는 과정이다. □ 안에 알맞은 수를 써넣으시오.

(1) $x^2-3x+1=0$

> 근의 공식에 $a=1$, $b=\square$, $c=\square$을 대입하면
>
> $x=\dfrac{-(-3)\pm\sqrt{(-3)^2-4\times\square\times\square}}{2\times1}$
>
> $=\dfrac{3\pm\sqrt{\square}}{2}$

(2) $2x^2+x-2=0$

> 근의 공식에 $a=2$, $b=\square$, $c=\square$를 대입하면
>
> $x=\dfrac{-1\pm\sqrt{1^2-4\times\square\times(-2)}}{2\times\square}$
>
> $=\dfrac{-1\pm\sqrt{\square}}{\square}$

(3) $3x^2-2x-4=0$

> 근의 공식에 $a=\square$, $b=\square$, $c=-4$를 대입하면
>
> $x=\dfrac{-(-2)\pm\sqrt{(\square)^2-4\times3\times(\square)}}{2\times\square}$
>
> $=\dfrac{2\pm\sqrt{\square}}{\square}=\dfrac{1\pm\sqrt{\square}}{3}$

02 근의 공식을 이용하여 다음 이차방정식을 푸시오.

(1) $x^2-4x+2=0$

(2) $x^2+3x+1=0$

(3) $3x^2+8x-2=0$

(4) $5x^2-7x+1=0$

(5) $2x^2-4x-3=0$

(6) $4x^2-5x-1=0$

03 근의 공식을 이용하여 다음 이차방정식을 푸시오.

(1) $x^2-2x-2=0$

(2) $x^2+4x-4=0$

(3) $3x^2+4x-2=0$

(4) $2x^2-6x+3=0$

04 다음을 구하시오.

(1) 이차방정식 $x^2+5x-2=0$의 근이 $x=\dfrac{A\pm\sqrt{B}}{2}$일 때, $A+B$의 값 (단, A, B는 유리수)

(2) 이차방정식 $2x^2-2x-1=0$의 근이 $x=\dfrac{A\pm\sqrt{B}}{2}$일 때, $A+B$의 값 (단, A, B는 유리수)

2. 이차방정식의 근의 개수 up+

이차방정식 $ax^2+bx+c=0(a\neq0)$의 근의 개수는 근의 공식 $x=\frac{-b\pm\sqrt{b^2-4ac}}{2a}$에서 b^2-4ac의 부호에 의해 결정된다.

(1) $b^2-4ac>0$ ➡ 서로 다른 두 근을 가진다. (근이 2개)

(2) $b^2-4ac=0$ ➡ 한 근(중근)을 가진다. (근이 1개)

(3) $b^2-4ac<0$ ➡ 근이 없다. (근이 0개)

(4) 근을 가질 조건 $b^2-4ac\geq0$

05 다음은 이차방정식의 근의 개수를 구하는 과정이다. 빈칸에 알맞은 것을 쓰시오.

$ax^2+bx+c=0$	b^2-4ac의 값	근의 개수
(1) $x^2-x-6=0$	25	
(2) $2x^2+x+4=0$		
(3) $x^2-8x+16=0$		
(4) $3x^2+5x-2=0$		

06 다음 이차방정식의 근의 개수를 구하시오.

(1) $x^2-2x+2=0$

(2) $x^2+3x-7=0$

(3) $4x^2-20x+25=0$

(4) $(x+2)^2=8$

07 다음 이차방정식이 근을 가질 때, 상수 k의 값의 범위를 구하시오.

(1) $x^2+4x+k=0$

(2) $2x^2+3x-k=0$

(3) $3x^2-6x-k+1=0$

(4) $2x^2+4x+2k-1=0$

08 다음 이차방정식이 중근을 가질 때, 상수 k의 값을 구하시오.

(1) $x^2-6x+k-3=0$

(2) $x^2+3x+2k+1=0$

(3) $9x^2+6x+k-5=0$

09 다음 이차방정식이 근을 갖지 않을 때, 상수 k의 값의 범위를 구하시오.

(1) $x^2-5x-k=0$

(2) $2x^2-2x+k=0$

(3) $4x^2-8x+k-5=0$

3. 복잡한 이차방정식의 풀이

(1) 괄호가 있으면 괄호를 풀고, $ax^2+bx+c=0$의 꼴로 정리한다.

(2) 계수가 분수나 소수이면 양변에 적당한 수를 곱하여 모든 계수를 정수로 고친다.

① 계수가 분수이면 양변에 분모의 최소공배수를 곱한다.

② 계수가 소수이면 양변에 10의 거듭제곱을 곱한다.

(3) 공통부분이 있으면 (공통인 식)$=A$로 치환한 후 $aA^2+bA+c=0$의 꼴로 고친다.

➡ 인수분해 또는 근의 공식을 이용하여 A의 값을 구한다.

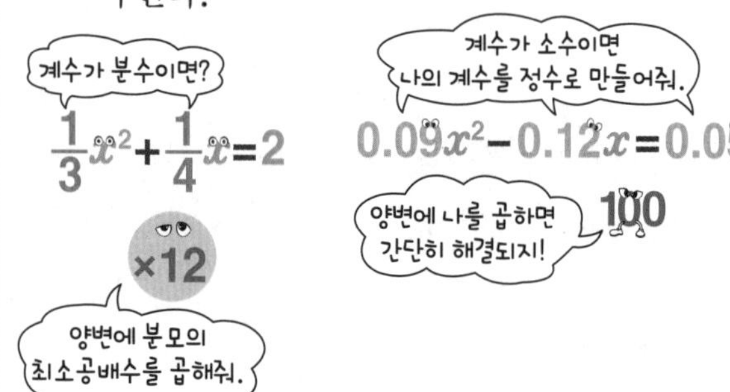

10 다음 이차방정식을 푸시오.

(1) $(x+2)(x-3)=1$

(2) $(x-2)(x-6)=12$

(3) $x(x+4)=2x^2-3$

(4) $(x-4)^2=20-2x$

(5) $2x^2+3x+1=(3x-1)^2$

(6) $(3x-2)(x-2)=2x(x-1)$

쌤 Tip 괄호를 풀어 $ax^2+bx+c=0$의 꼴로 정리한 후 인수분해 공식이나 근의 공식을 이용하면 돼!

11 다음 이차방정식을 푸시오.

(1) $\frac{1}{5}x^2-\frac{1}{3}x-\frac{1}{3}=0$

(2) $\frac{1}{6}x^2+\frac{2}{3}x-\frac{1}{2}=0$

(3) $\frac{1}{2}x^2+\frac{4}{3}x-\frac{1}{4}=0$

(4) $0.1x^2-0.2x-0.3=0$

(5) $0.04x^2-0.03x-0.05=0$

(6) $0.5x^2-2.1x+2=0$

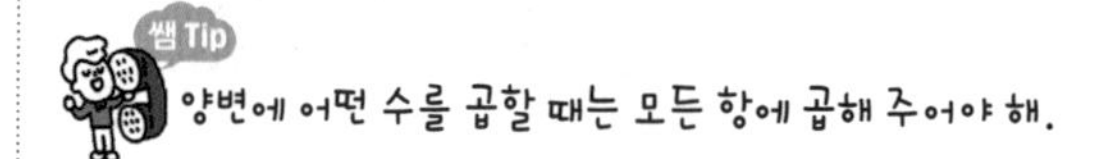
쌤 Tip 양변에 어떤 수를 곱할 때는 모든 항에 곱해 주어야 해.

12 다음 이차방정식의 공통부분을 A로 치환하여 푸시오.

(1) $(x+1)^2+2(x+1)-3=0$

(2) $(x-2)^2+3(x-2)-10=0$

(3) $(x+1)^2-4(x+1)+4=0$

(4) $3(x-2)^2-5(x-2)-2=0$

(5) $2(x+4)^2-7(x+4)+6=0$

주의 이차방정식을 풀 때 치환하여 푼 경우 A의 값이 주어진 이차방정식의 해라고 착각하지 않도록 한다.

만점

정답과 해설 _ p.46

01 다음 이차방정식을 푸시오.

(1) $x^2-6x+3=0$

(2) $(x-2)(x-3)=8-3x$

(3) $\frac{1}{5}x^2+\frac{1}{2}x-0.3=0$

(4) $(x-1)^2-5(x-1)-24=0$

괄호가 있으면 괄호를 푼다.
계수가 분수나 소수이면 적당한 수를 곱하여 계수를 정수로 만든다.
공통부분은 한 문자로 치환한다.

02 이차방정식 $3x^2-2x+a=0$의 근이 $x=\frac{b\pm\sqrt{7}}{3}$일 때, $a+b$의 값은? (단, a, b는 유리수)

① -2　② -1　③ 1
④ 2　⑤ 3

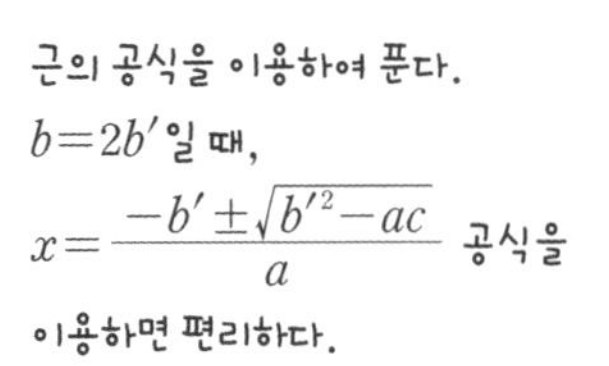

03 중근이 2이고 x^2의 계수가 2인 이차방정식을 $ax^2+bx+c=0$의 꼴로 나타내시오.

$a(x-b)^2=0$일 때, $x=b$가 중근이다.

04 이차방정식 $2x^2+4x+1-k=0$의 근이 다음과 같을 때, 상수 k의 값 또는 범위를 구하시오.

(1) 서로 다른 두 근

(2) 중근

(3) 근이 없다.

$b^2-4ac>0$일 때, 서로 다른 두 근
$b^2-4ac=0$일 때, 중근
$b^2-4ac<0$일 때, 근이 없다.

05 이차방정식 $x^2-2(m-1)x+4=0$이 중근을 가질 때, m의 값 중 양수인 것을 구하시오.

$ax^2+bx+c=0\,(a\neq0)$에서 중근을 가지려면 $b^2-4ac=0$이어야 한다.

26강 이차방정식의 활용

1. 이차방정식을 활용하여 문제를 해결하는 과정

이차방정식의 활용 문제는 다음과 같은 순서로 해결한다.

미지수 정하기 ➡ 방정식 세우기 ➡ 방정식 풀기 ➡ 답 구하기

① 구하려는 것을 미지수 x로 놓는다.
② 문제의 뜻에 맞게 이차방정식을 세운다.
③ 이차방정식을 푼다.
④ 구한 해 중에서 문제의 뜻에 맞는 것만을 답으로 택한다.

참고 이차방정식의 해가 모두 답이 되는 것은 아니므로 문제의 뜻에 맞는지 반드시 답을 확인해야 한다.

<수에 관한 문제>

① 연속하는 두 정수: x, $x+1$
② 연속하는 세 정수: $x-1$, x, $x+1$
③ 연속하는 두 짝수: x, $x+2$
④ 연속하는 두 홀수: x, $x+2$

01 어떤 수에 3을 더한 다음 제곱한 수는 어떤 수의 4배보다 8만큼 크다고 한다. □ 안에 알맞은 것을 써넣으시오.

(1) 어떤 수를 x라 할 때,
어떤 수에 3을 더한 다음 제곱한 수 ➡ $(x+\square)^2$
어떤 수의 4배보다 8만큼 큰 수 ➡ $x\times\square+\square$

(2) x에 관한 이차방정식 세우기
➡ 두 수는 같으므로 $(x+\square)^2=x\times\square+\square$

(3) 이차방정식 풀기 ➡ $x=\square$

(4) 답 구하기
따라서 어떤 수는 □이다.

02 어떤 두 자리 자연수의 일의 자리 숫자는 십의 자리 숫자의 4배이다. 각 자리 숫자의 제곱의 합이 68일 때, 이 자연수를 구하시오.

(1) 십의 자리 숫자를 x라 할 때,
일의 자리 숫자는 $x\times\square$

(2) 이차방정식 세우기
각 자리 숫자의 제곱의 합이 68
➡ $x^2+(\square)^2=68$

(3) 이차방정식 풀기 ➡ $x=\square$ 또는 $x=\square$

(4) 답 구하기 ➡ x는 자연수이므로 $x=\square$
따라서 구하는 자연수는 □이다.

03 n각형의 대각선의 수는 $\frac{n(n-3)}{2}$이다. 대각선의 수가 27개인 다각형은 몇 각형인지 구하시오.

(1) 이차방정식 세우기
➡ 대각선의 수가 27개이므로 $\frac{n(n-3)}{2}=\square$

(2) 이차방정식 풀기 ➡ $n=\square$ 또는 $n=\square$

(3) 답 구하기 ➡ n은 자연수이므로 $n=\square$
따라서 □이다.

04 어느 반 학생들에게 공책 108권을 똑같이 나누어 주려고 한다. 한 사람이 받게 되는 공책의 수가 전체 학생 수보다 3권이 적다고 할 때, 이 반 전체 학생 수를 구하시오.

(1) 이차방정식 세우기
➡ 전체 학생 수를 x명이라 하면
(전체 공책 수)
=(학생 수)×(한 사람이 받게 될 공책 수)
이므로 $108=x\times(\square)$

(2) 이차방정식 풀기 ➡ $x=\square$ 또는 $x=\square$

(3) 답 구하기 ➡ x는 자연수이므로 $x=\square$
따라서 이 반 전체 학생 수는 □명이다.

05 연속하는 두 자연수의 곱이 210일 때, 두 자연수 중 작은 수를 구하시오.

(1) 연속하는 두 자연수 $\begin{cases} \text{작은 수: } x \\ \text{큰 수: } x+\square \end{cases}$

(2) 이차방정식 세우기

두 자연수의 곱이 210 ➡ $x\times(\square)=210$

(3) 이차방정식 풀기 ➡ $x=\square$ 또는 $x=\square$

(4) 답 구하기 ➡ x는 자연수이므로 $x=\square$

06 연속하는 두 홀수의 곱이 195일 때, 이 홀수 중 큰 수를 구하시오.

(1) 연속하는 두 홀수 $\begin{cases} \text{작은 수: } x-\square \\ \text{큰 수: } x \end{cases}$

(2) 이차방정식 세우기

두 자연수의 곱이 195 ➡ $(\square)\times x=195$

(3) 이차방정식 풀기 ➡ $x=\square$ 또는 $x=\square$

(4) 답 구하기 ➡ x는 자연수이므로 $x=\square$

07 연속하는 세 자연수가 있다. 가장 큰 수의 제곱은 나머지 두 수의 제곱의 합보다 21만큼 작을 때, 가장 큰 수를 구하시오.

(1) 연속하는 세 자연수 ➡ $x-2$, $\square$, $\square$

(2) 이차방정식 세우기

➡ $x^2=\square+(x-1)^2-\square$

(3) 이차방정식 풀기 ➡ $x=\square$ 또는 $x=\square$

(4) 답 구하기 ➡ x는 자연수이므로 $x=\square$

따라서 가장 큰 수는 8이다.

쌤 Tip

연속하는 세 정수에서 가장 작은 수를 구하려면 x, $x+1$, $x+2$로, 중간 수를 구하려면 $x-1$, x, $x+1$로, 가장 큰 수를 구하려면 $x-2$, $x-1$, x로 놓으면 편리해.

2. 쏘아 올린 물체에 관한 문제

(1) 시간 t에 따른 물체의 높이가 주어졌을 때, 높이가 p일 때의 시간을 구하려면 이차방정식 $p=at^2+bt+c(t\geq0)$의 해를 구한다.

(2) 쏘아 올린 물체의 높이가 h m인 경우는 물체가 올라갈 때와 내려올 때 두 번 생긴다.

(단, 최고 높이는 한 번만 생긴다.)

(3) 물체가 지면에 떨어질 때의 높이는 0 m이다.

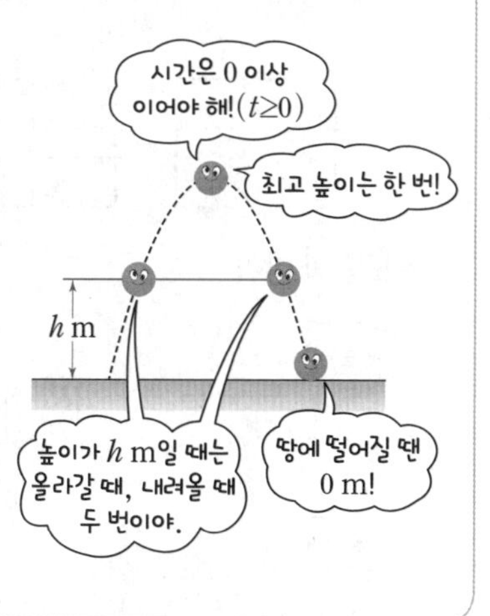

08 지면에서 초속 60 m로 쏘아 올린 물체의 t초 후의 높이가 $(60t-5t^2)$ m이었다. 이 물체의 높이가 지면에서 160 m가 되는 때는 물체를 쏘아 올린 지 몇 초 후인지 구하시오.

(1) 이차방정식 세우기

➡ 높이가 160 m가 되는 때이므로 $\square=60t-5t^2$

(2) 이차방정식 풀기 ➡ $t=\square$ 또는 $t=\square$

(3) 답 구하기

➡ 높이가 지면에서 160 m가 되는 때는 2번 있고 $\square$초 후와 $\square$초 후이다.

09 지면에서 초속 30 m로 쏘아 올린 물체의 t초 후의 높이가 $(30t-5t^2)$ m이었다. 이 물체의 높이가 지면에서 45 m가 되는 때는 물체를 쏘아 올린 지 몇 초 후인지 구하시오.

(1) 이차방정식 세우기

➡ 높이가 45 m가 되는 때이므로 $\square=30t-5t^2$

(2) 이차방정식 풀기 ➡ $t=\square$

(3) 답 구하기 ➡ 45 m가 되는 때는 $\square$초 후이다.

3. 도형에 관한 문제

(1) 길을 제외한 땅의 넓이에 대한 문제

다음의 세 직사각형에서 색칠한 부분의 넓이는 모두 같다.

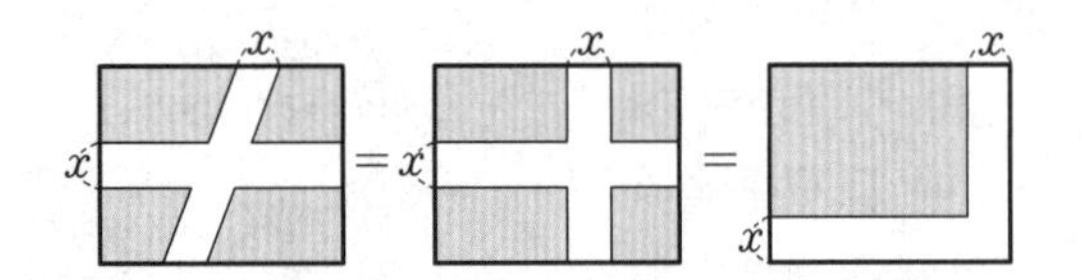

(2) 도형의 넓이

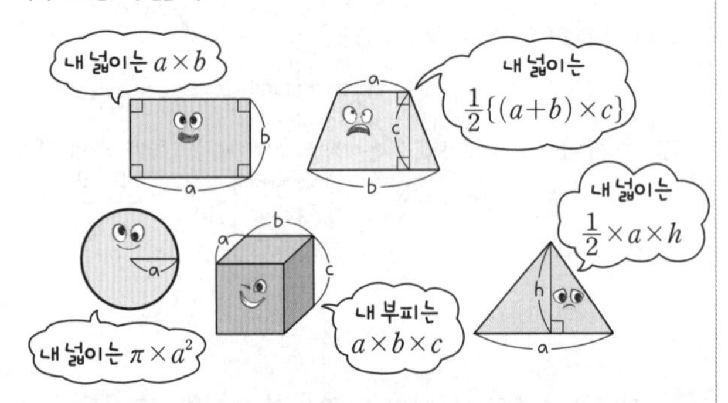

참고 모든 도형의 활용 문제는 구하는 것을 미지수로 놓고, 넓이를 구하는 식을 세워서 해결한다.

10 가로, 세로의 길이가 각각 30 m, 24 m인 직사각형 모양의 땅에 그림과 같이 폭이 일정한 십자형의 도로를 만들려고 한다. 도로를 제외한 땅의 넓이가 520 m^2일 때, 도로의 폭을 구하시오.

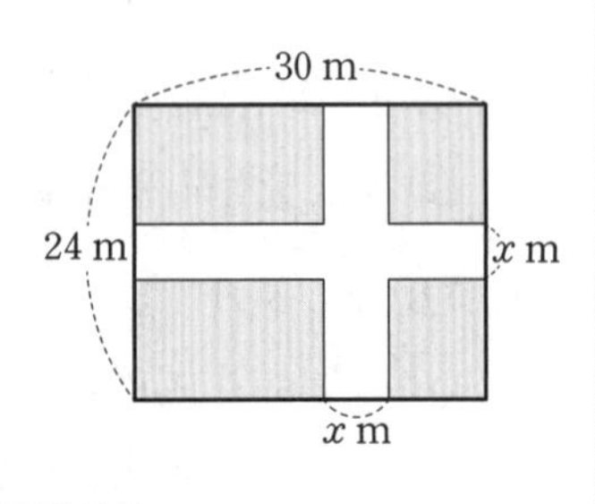

(1) 도로의 폭을 x m라 하면 땅의
{가로의 길이: $30-x$ (m)
세로의 길이: ☐ (m)

(2) 이차방정식 세우기
➡ (가로)×(세로)=(넓이)이므로
$(30-x)\times($☐$)=$☐

(3) 이차방정식 풀기 ➡ $x=$☐ 또는 $x=$☐

(4) 답 구하기
➡ 길의 폭은 땅의 폭보다는 작아야 하므로 $x=$☐
따라서 도로의 폭은 ☐ m이다.

11 어떤 정사각형에서 각 변의 길이를 2 cm씩 늘인 정사각형의 넓이는 각 변의 길이를 2 cm씩 줄인 정사각형의 넓이의 9배가 된다고 한다. 처음 정사각형의 한 변의 길이를 구하시오.

(1) 어떤 정사각형의 한 변의 길이를 x cm라 하면
2 cm씩 늘인 정사각형의 넓이는 $(x+$☐$)^2$ cm^2
2 cm씩 줄인 정사각형의 넓이는 $(x-$☐$)^2$ cm^2

(2) 이차방정식 세우기 ➡ $(x+$☐$)^2=9(x-$☐$)^2$

(3) 이차방정식 풀기 ➡ $x=$☐ 또는 $x=$☐

(4) 답 구하기 ➡ $x>2$이므로 $x=$☐
따라서 처음 정사각형의 한 변의 길이는 ☐ cm 이다.

12 가로의 길이가 2 m, 세로의 길이가 3 m인 직사각형 모양의 사무실이 있다. 그림과 같이 가로와 세로의 길이를 똑같이 늘려서 넓이가 56 m^2가 되도록 하려고 한다. 늘려야 하는 길이는 몇 m인지 구하시오.

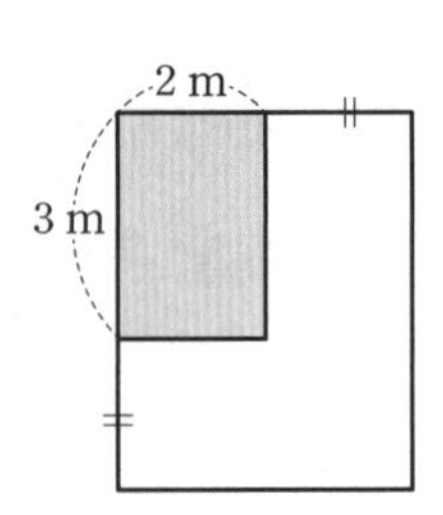

(1) 늘려야 하는 길이를 x m라 하면
늘어난 가로의 길이는 $x+2$ (m)
늘어난 세로의 길이는 ☐ (m)

(2) 이차방정식 세우기 ➡ $(x+2)\times($☐$)=56$

(3) 방정식 풀기 ➡ $x=$☐ 또는 $x=$☐

(4) 답 구하기
➡ $x>0$이므로 $x=$☐
따라서 늘려야 하는 길이는 ☐ m이다.

01 n이 자연수일 때, 1부터 n까지 합은 $\dfrac{n(n+1)}{2}$이다. 합이 210이 되려면 1부터 얼마까지 더해야 하는가?

① 20　　② 21　　③ 22
④ 23　　⑤ 24

$\dfrac{n(n+1)}{2}=210$으로 놓고 이차방정식을 푼다.

02 연속하는 세 자연수에서 가장 큰 수의 제곱은 작은 두 수의 곱의 2배보다 20이 작다고 한다. 세 수를 차례로 구하시오.

연속하는 세 자연수를 $x-1$, x, $x+1$로 놓는다.

03 지면에서 초속 20 m로 던져 올린 물체의 x초 후의 높이는 $20x-5x^2$이다. 이 물체의 높이가 처음으로 15 m가 되는 것은 던져 올린 지 몇 초 후인가?

① 1초　　② 2초　　③ 3초
④ 1초 또는 3초　　⑤ 4초

처음으로 25 m가 되는 때를 구한다.

04 그림과 같이 가로, 세로의 길이가 각각 40 m, 20 m인 직사각형 모양의 땅에 가로, 세로 방향으로 각각 폭이 x m로 일정한 길을 내었다. 길을 내고 남은 땅의 넓이가 576 m^{2}일 때, 길의 폭을 구하시오.

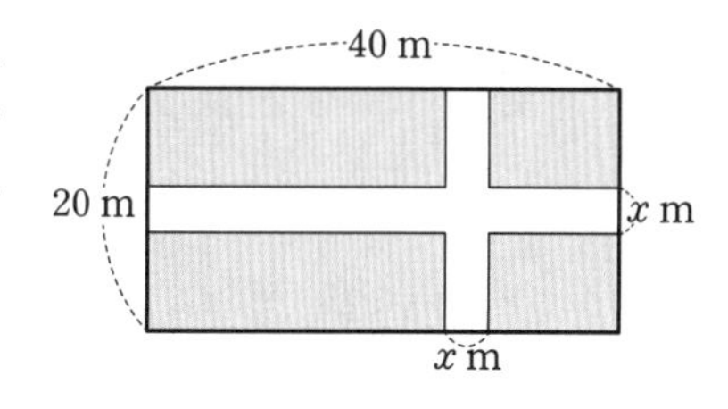

(직사각형의 넓이)
=(가로의 길이)×(세로의 길이)

05 크고 작은 두 개의 정사각형이 있다. 두 정사각형의 넓이의 합은 170 cm^{2}이고, 큰 정사각형의 한 변의 길이는 작은 정사각형의 한 변의 길이보다 4 cm 길다. 큰 정사각형의 한 변의 길이는?

① 7 cm　　② 9 cm　　③ 11 cm
④ 12 cm　　⑤ 15 cm

큰 정사각형의 한 변의 길이를 x cm라 하면 작은 정사각형의 한 변의 길이는 $(x-4)$ cm이다.

중단원 연산 마무리

01 다음 중 이차방정식인 것은 ○표, 아닌 것은 ×표를 (   ) 안에 써넣으시오.

(1) $2x^2-3x+1=5$ (   )

(2) $2x^2-2x+1=2x^2$ (   )

(3) $(4x+1)^2=8$ (   )

(4) $x^2-5x=x(3+x)$ (   )

02 다음 [   ] 안의 수가 주어진 이차방정식의 해이면 ○표, 해가 아니면 ×표를 (   ) 안에 써넣으시오.

(1) $3x^2-x-2=0$ [1] (   )

(2) $2x^2-3x-2=0$ [2] (   )

(3) $-3x^2-7x+10=0$ [2] (   )

(4) $x(x+3)=0$ [3] (   )

03 다음 [   ] 안의 수가 주어진 이차방정식의 한 근일 때, 상수 a의 값을 구하시오.

(1) $x^2+6x+a=0$ [1]

(2) $2x^2+3x+a=0$ [−1]

(3) $3x^2-5x+1=7-ax$ [−2]

04 다음 등식이 이차방정식이 되기 위한 상수 a의 조건을 구하시오.

(1) $(a-1)x^2-2x=0$

(2) $4x^2-3x+2=ax^2-3x+1$

05 다음 등식을 성립하게 하는 x의 값을 구하시오.

(1) $(x+1)(x-4)=0$

(2) $(x-1)(x-2)=0$

(3) $(x+1)(2x-3)=0$

(4) $(2x-1)(3x+5)=0$

06 인수분해를 이용하여 다음 이차방정식을 푸시오.

(1) $4x^2-6x=0$

(2) $9x^2-49=0$

(3) $3x^2-5x-12=0$

(4) $(x+2)(x+5)=3x^2+1$

정답과 해설 _ p.48

07 다음 이차방정식의 한 근이 [ ] 안의 수일 때, 다른 한 근을 구하시오.

(1) $2x^2-x+3a-1=0$ $[-2]$

(2) $x^2+x-8=2-ax$ $[-3]$

08 다음 보기에서 중근을 갖는 것을 모두 고르면?

보기

ㄱ. $2(x-3)^2=0$

ㄴ. $(x-2)^2=1$

ㄷ. $x^2-6x+9=0$

ㄹ. $x^2-x+\frac{1}{4}=0$

ㅁ. $x^2+2x+2=0$

09 제곱근을 이용하여 다음 이차방정식을 푸시오.

(1) $(x-3)^2=5$

(2) $2(x-1)^2=24$

(3) $3(x-5)^2-6=0$

10 이차방정식 $3(x-a)^2=15$의 해가 $x=2\pm\sqrt{b}$일 때, 유리수 a, b에 대하여 ab의 값을 구하시오.

11 완전제곱식을 이용하여 다음 이차방정식을 푸시오.

(1) $x^2-x-4=0$

(2) $3x^2-8=12x$

(3) $x^2-10x+20=0$

(4) $25x^2-20x-2=0$

12 근의 공식을 이용하여 다음 이차방정식을 푸시오.

(1) $x^2-7x-1=0$

(2) $2x^2-3x-1=0$

(3) $6x^2-4x-3=0$

(4) $3x^2+6x+2=0$

13 다음 이차방정식의 근의 개수를 구하시오.

(1) $3x^2-6x-5=0$

(2) $\frac{1}{4}x^2-\frac{1}{2}x=-\frac{1}{4}$

(3) $2x^2-x+6=0$

14 다음 이차방정식이 근을 가질 때, 상수 k의 값의 범위를 구하시오.

(1) $x^2-8x+k-1=0$

(2) $9x^2+kx=-1$ (단, $k>0$)

정답과 해설 _ p.48

15 다음 이차방정식을 푸시오.

(1) $\frac{1}{2}x^2+\frac{1}{3}x-\frac{1}{4}=0$

(2) $0.2x^2-0.3x-0.4=0$

(3) $(x+2)^2-9(x+2)+20=0$

16 어떤 양수를 제곱해야 할 것을 잘못하여 이 수의 3배를 하였더니 처음 수의 제곱보다 28만큼 작아졌다고 한다. 처음 양수를 구하시오.

17 그림과 같이 직사각형 모양의 땅이 있다. 이 땅에 폭이 x m인 도로를 만들었더니 도로를 제외한 부분의 넓이가 $204\ \mathrm{m}^2$가 되었을 때, 이 도로의 폭을 구하시오.

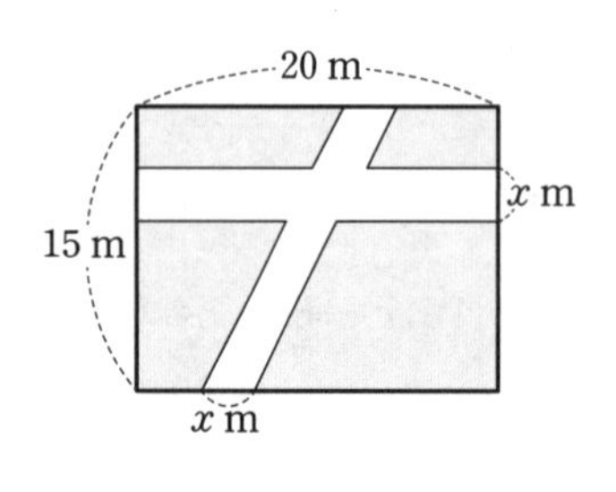

18 지면으로부터의 높이가 100 m인 건물의 옥상에서 초속 40 m로 쏘아 올린 공의 t초 후의 높이는 $(100+40t-5t^2)$ m라고 한다. 공이 지면에 떨어지는 때는 쏘아 올린 지 몇 초 후인지 구하시오.

도전 100점

19 두 이차방정식 $x^2-x-6=0$, $x^2+7x+10=0$의 공통인 근이 $x^2+kx+2=0$의 한 근일 때, 상수 k의 값은?

① 1 ② 2 ③ 3
④ 4 ⑤ 5

20 이차방정식 $x^2-4x+3=0$의 한 근을 a라 하고, $x^2-7x-5=0$의 한 근을 b라 할 때, $(a^2-4a+4)(b^2-7b+6)$의 값은?

① 8 ② 9 ③ 10
④ 11 ⑤ 12

21 이차방정식 $x^2+4x+k=0$, $x^2-2(k-2)x+p=0$이 모두 중근을 가질 때, 상수 p의 값을 구하시오.

22 수민이와 지훈이가 x^2의 계수가 1인 이차방정식을 푸는데 수민이는 일차항의 계수를 잘못 보고 풀어서 해가 $x=-3$ 또는 $x=8$이 나왔고, 지훈이는 상수항을 잘못 보고 풀어서 해가 $x=-4$ 또는 $x=2$가 나왔다. 이 이차방정식의 옳은 해는?

① $x=-3$ 또는 $x=-4$ ② $x=4$ 또는 $x=-6$
③ $x=-4$ 또는 $x=-6$ ④ $x=2$ 또는 $x=6$
⑤ $x=-3$ 또는 $x=2$

나만의 비법 노트

Ⅲ. 이차함수

연산 문제와 시험 대비 문제를 많이 풀어 보고 개념과 원리를 확실하게 이해하자.
또한 이해도를 바탕으로 자신의 수준에 맞는 계획을 세워 반복 학습을 하자.

중단원명	강의명	학습 날짜	이해도
1. 이차함수와 그 그래프	28강 이차함수	월 일	😀 🙂 😐
	29강 이차함수 $y=ax^2$의 그래프	월 일	😀 🙂 😐
	30강 이차함수 $y=ax^2+q$의 그래프	월 일	😀 🙂 😐
	31강 이차함수 $y=a(x-p)^2$의 그래프	월 일	😀 🙂 😐
	32강 이차함수 $y=a(x-p)^2+q$의 그래프	월 일	😀 🙂 😐
	33강 이차함수 $y=ax^2+bx+c$의 그래프	월 일	😀 🙂 😐
	34강 이차함수의 식 구하기	월 일	😀 🙂 😐
	35강 중단원 연산 마무리	월 일	😀 🙂 😐

힘수 점검

정답과 해설 _ p.51

인수분해를 할 수 있나요?

1 다음을 인수분해하시오. 중등3

(1) $x^2+8x+16$

(2) $3x^2-48$

(3) x^2-5x-6

(4) $6x^2-11x-10$

함숫값을 구할 수 있나요?

2 다음 함수 $y=f(x)$에 대하여 $f(2)$의 값을 구하시오. 중등2

(1) $f(x)=4x$

(2) $f(x)=3x-1$

(3) $f(x)=-\frac{1}{2}x+5$

(4) $f(x)=-\frac{2}{x}+1$

일차함수를 알 수 있나요?

3 다음 중 일차함수인 것을 모두 고르시오. 중등2

ㄱ. $x-2y=5x-1$
ㄴ. $2x-y+1=0$
ㄷ. $x+1=2(y+1)$
ㄹ. $2x+y=2x+y$
ㅁ. $2(x-y)+3=3x-(x-y)$

일차함수의 평행이동을 알고 있나요?

4 다음 일차함수의 그래프를 y축의 방향으로 [ ] 안의 수만큼 평행이동한 그래프를 나타내는 일차함수의 식을 구하시오. 중등2

(1) $y=2x$ $[-5]$

(2) $y=x-4$ $[2]$

(3) $y=-2x+6$ $[-4]$

(4) $y=\frac{1}{2}x+5$ $[-3]$

일차함수의 식을 구할 수 있나요?

5 다음 일차함수의 식을 구하시오. 중등2

(1) 기울기가 1이고 점 $(3, 1)$을 지나는 직선

(2) x절편이 2이고 점 $(-1, 3)$을 지나는 직선

(3) x절편이 2이고, y절편이 6인 직선

일차함수의 그래프를 그릴 수 있나요?

6 다음 일차함수의 그래프를 그리시오. 중등2

(1) $y=x-3$

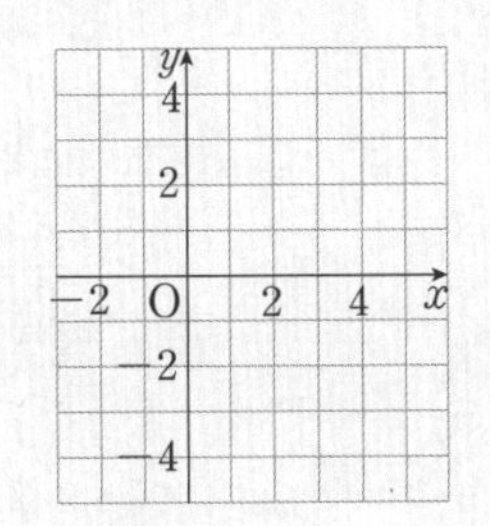

(2) $y=-2x+2$

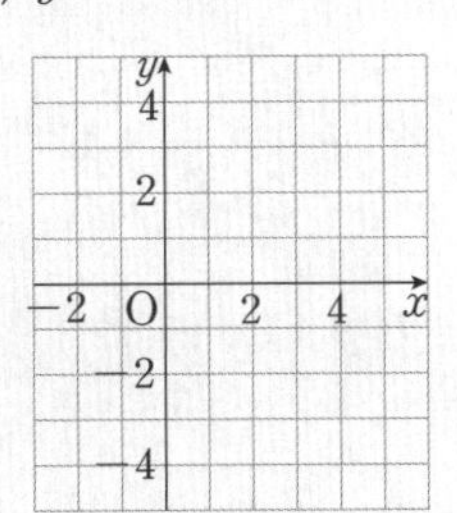

28강 이차함수

정답과 해설 _ p.51

1. 이차함수의 뜻 up+

(1) 함수 $y=f(x)$에서 y가 x에 대한 이차식

$y=ax^2+bx+c$ (단, a, b, c는 상수, $a\neq0$)

로 나타내어질 때, 이 함수를 x에 대한 이차함수라고 한다.

(2) 이차함수가 되도록 하는 조건

$y=ax^2+bx+c$가 x에 대한 이차함수이면

➡ $a\neq0$

참고 0이 아닌 상수 a에 대하여

ax^2+bx+c ➡ 이차식

$ax^2+bx+c=0$ ➡ 이차방정식

$y=ax^2+bx+c$ ➡ 이차함수

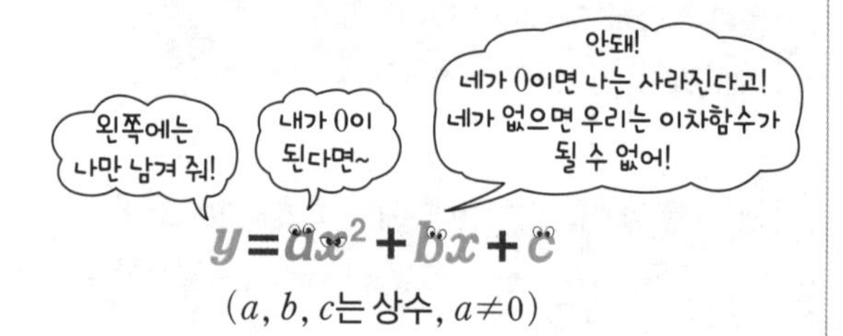

$y=ax^2+bx+c$

(a, b, c는 상수, $a\neq0$)

01 다음 중 이차함수인 것은 ○표, 이차함수가 아닌 것은 ×표를 하시오.

(1) $y=-x^2+2x+1$ (　　)

(2) $y=3x+2$ (　　)

(3) $y=2x^2-1-x^2$ (　　)

(4) $y=6$ (　　)

(5) $y=-\frac{2}{3}x^2+3$ (　　)

(6) $y=-\frac{1}{x^2}+1$ (　　)

(7) $y=(x+4)^2$ (　　)

(8) $y=\frac{x^2}{3}-x$ (　　)

02 다음 함수의 우변을 전개하여 정리하고, 이차함수인지 말하시오.

(1) $y=x(x+1)$

➡ ______________ ➡ (　　　　)

(2) $y=-x(x+1)+2$

➡ ______________ ➡ (　　　　)

(3) $y=3(x^2-2x)-3x^2$

➡ ______________ ➡ (　　　　)

(4) $y=2x^2-2(1+x^2)$

➡ ______________ ➡ (　　　　)

03 다음에서 y를 x에 대한 식으로 나타내고, 이차함수인지 말하시오.

(1) 한 변의 길이가 x cm인 정삼각형의 둘레의 길이 y cm

➡ 식: ______________ ➡ (　　　　)

(2) 한 변의 길이가 $(x+1)$ cm인 정사각형의 넓이 y cm^2

➡ 식: ______________ ➡ (　　　　)

(3) 반지름의 길이가 x cm인 원의 둘레의 길이 y cm

➡ 식: ______________ ➡ (　　　　)

(4) 한 모서리의 길이가 x cm인 정육면체의 부피 y cm^3

➡ 식: ______________ ➡ (　　　　)

(5) 반지름의 길이가 x cm인 구의 겉넓이 y cm^2

➡ 식: ______________ ➡ (　　　　)

2. 이차함수의 함숫값

이차함수의 함숫값

이차함수 $f(x)=ax^2+bx+c$에서 x의 값에 따라 결정되는 y의 값

➡ $f(p)=ap^2+bp+c \leftarrow x=p$일 때의 함숫값

04 이차함수 $f(x)$에서 $f(x)=x^2+2x-5$에 대하여 다음을 구하시오.

(1) $x=1$일 때의 함숫값

$f(1)=$ ______

(2) $x=0$일 때의 함숫값

$f(0)=$ ______

(3) $x=-1$일 때의 함숫값

$f(-1)=$ ______

(4) $x=2$일 때의 함숫값

$f(2)=$ ______

(5) $x=\frac{1}{2}$일 때의 함숫값

$f\left(\frac{1}{2}\right)=$ ______

(6) $x=-2$일 때의 함숫값

$f(-2)=$ ______

쌤 Tip 주어진 식에 x 대신 x의 값을 대입해봐!

05 $f(x)=2x^2-3x+1$에 대하여 다음을 구하시오.

(1) $f(0)$ ➡ ______

(2) $f(1)$ ➡ ______

(3) $f\left(\frac{1}{3}\right)$ ➡ ______

(4) $f(-1)+f(2)$ ➡ ______

(5) $f\left(\frac{1}{2}\right)+f(-2)$ ➡ ______

(6) $2f(3)$ ➡ ______

(7) $2f(0)+9f\left(\frac{1}{3}\right)$ ➡ ______

06 다음 이차함수 $f(x)$에 대하여 주어진 함숫값을 만족시키는 상수 a의 값을 구하시오.

(1) $f(x)=x^2+x+a$, $f(1)=-1$

$a=$ ______

(2) $f(x)=-x^2+2x+a$, $f(-1)=1$

$a=$ ______

(3) $f(x)=-x^2+ax+2$, $f(2)=-4$

$a=$ ______

(4) $f(x)=ax^2-3x+5$, $f(-2)=3$ (단, $a\neq0$)

$a=$ ______

정답과 해설 _ p.52

01 다음 중 y가 x에 대한 이차함수인 것을 모두 고르면? (정답 2개)

① $y=-x+2$ ② $y=\frac{2}{3}x^2$
③ $y=-x^3-x(x-3)$ ④ $y=2(x+1)^2-2x$
⑤ $x^2-3x+2=0$

이차함수는
$y=ax^2+bx+c=0$
(단, a, b, c는 상수, $a\neq0$)
의 꼴로 나타내어진다.

02 다음 중 y를 x에 대한 이차함수로 나타낼 수 있는 것은?

① 한 변의 길이가 x cm인 정사각형의 둘레의 길이 y cm
② 한 모서리의 길이가 x cm인 정육면체의 부피 y cm^3
③ 가로의 길이가 $(x+1)$ cm, 세로의 길이가 $(x+2)$ cm인 직사각형의 넓이 y cm^2
④ 시속 5 km의 속력으로 x시간 달려 간 거리 y km
⑤ 반지름의 길이가 x cm인 원의 둘레의 길이 y cm

(정사각형의 둘레의 길이)
$=$(한 변의 길이)$\times 4$
(정육면체의 부피)
$=$(한 모서리의 길이)^3
(직사각형의 넓이)
$=$(가로)$\times$(세로)
(거리)$=$(속력)$\times$(시간)
(원의 둘레의 길이)
$=2\pi\times$(반지름의 길이)

03 $y=(2a+1)x^2-x-2x^2$이 x에 대한 이차함수일 때, 다음 중 실수 a의 값이 될 수 없는 것은?

① -2 ② $-\frac{1}{2}$ ③ $\frac{1}{2}$
④ 1 ⑤ 2

이차함수가 되려면 x^2의 계수가 0이 아니어야 한다.

04 이차함수 $f(x)=2x^2-ax+3$에서 $f(-1)=4$일 때, 상수 a의 값을 구하시오.

x 대신 -1을 대입해 본다.

05 이차함수 $f(x)=3x^2-5x+2$에 대하여 $f(-1)+f(1)$의 값을 구하시오.

29강 이차함수 $y=ax^2$의 그래프

정답과 해설 _ p.52

1. 이차함수 $y=x^2$의 그래프 up+

(1) 꼭짓점의 좌표: $(0, 0)$

(2) 아래로 볼록한 포물선이다.

(3) y축에 대하여 대칭이다.

➡ 축의 방정식: $x=0$

(4) $x<0$일 때, x의 값이 증가하면 y의 값은 감소한다.

$x>0$일 때, x의 값이 증가하면 y의 값도 증가한다.

(5) $y=-x^2$의 그래프와 x축에 대하여 대칭이다.

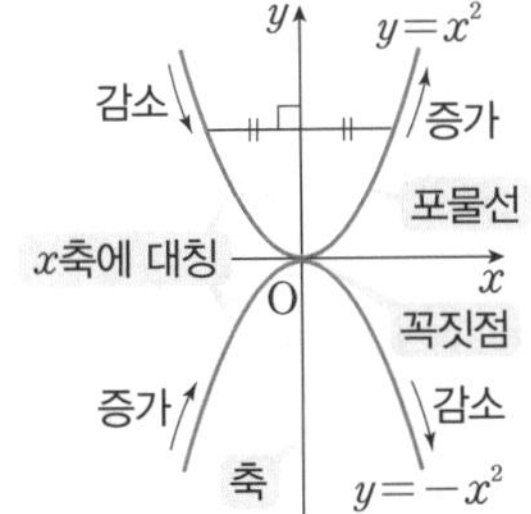

01 이차함수 $y=x^2$, $y=-x^2$의 그래프를 그리려고 한다. 물음에 답하시오.

(1) 다음 표를 완성하시오.

① $y=x^2$

x	…	-3	-2	-1	0	1	2	3	…
x^2	…	9			0				…

② $y=-x^2$

x	…	-3	-2	-1	0	1	2	3	…
x^2	…	-9	-4						…

(2) (1)의 표를 이용하여 x의 값이 실수 전체일 때, 두 이차함수의 그래프를 오른쪽 좌표평면 위에 그리시오.

쌤 Tip 위의 표를 이용하여 점을 찍은 후 매끄러운 곡선으로 연결해봐!

02 다음은 이차함수 $y=x^2$의 그래프에 대한 설명이다. □ 안에 알맞은 것을 써넣으시오.

(1) 꼭짓점의 좌표는 (□)이고, □로 볼록한 포물선이다.

(2) 축의 방정식은 □이다.

(3) $x>0$일 때, x의 값이 증가하면 y의 값도 □한다.

원점을 제외한 부분은 모두 x축보다 위쪽에 있다.

03 다음은 이차함수 $y=-x^2$의 그래프에 대한 설명이다. □ 안에 알맞은 것을 써넣으시오.

(1) 꼭짓점의 좌표는 (□)이고, □로 볼록한 포물선이다.

(2) 축의 방정식은 □이다.

(3) $x>0$일 때, x의 값이 증가하면 y의 값은 □한다.

(4) 원점을 제외한 부분은 모두 x축보다 □에 있다.

04 다음 설명 중 옳은 것은 ○표, 옳지 않는 것은 ×표를 하시오.

(1) $y=x^2$의 그래프는 y축에 대하여 대칭이다. (　　)

(2) $y=x^2$, $y=-x^2$의 그래프 모두 원점 $(0, 0)$을 지난다. (　　)

(3) $y=x^2$의 그래프는 제3, 4사분면을 지난다. (　　)

(4) $y=x^2$의 그래프와 $y=-x^2$의 그래프는 서로 y축에 대하여 대칭이다. (　　)

2. 이차함수 $y=ax^2$의 그래프

(1) 꼭짓점의 좌표: $(0,\ 0)$

(2) y축에 대하여 대칭이다.

➡ 축의 방정식 : $x=0$

(3) a의 부호: 그래프의 모양을 결정

- $a>0$이면 아래로 볼록
- $a<0$이면 위로 볼록

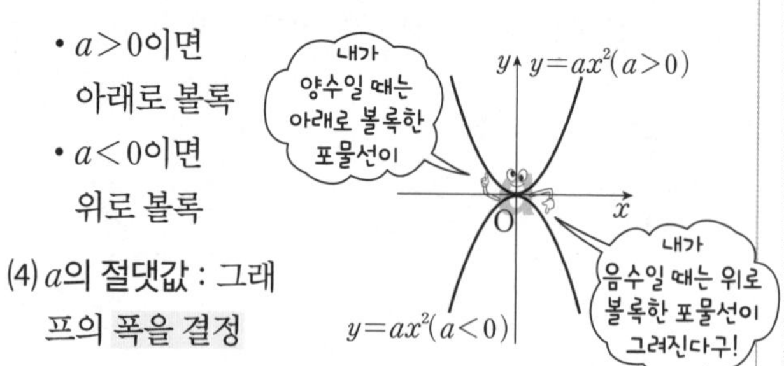

(4) a의 절댓값 : 그래프의 폭을 결정

➡ a의 절댓값이 클수록 그래프의 폭이 좁아진다.

(5) $y=-ax^2$의 그래프와 x축에 대하여 대칭이다.

(6) 이차함수 $y=ax^2$의 그래프 그리기

$a>0$일 때, 이차함수 $y=ax^2$의 그래프는 $y=x^2$의 그래프의 각 점에 대하여 y좌표가 a배가 되는 점을 잡아서 그린다.

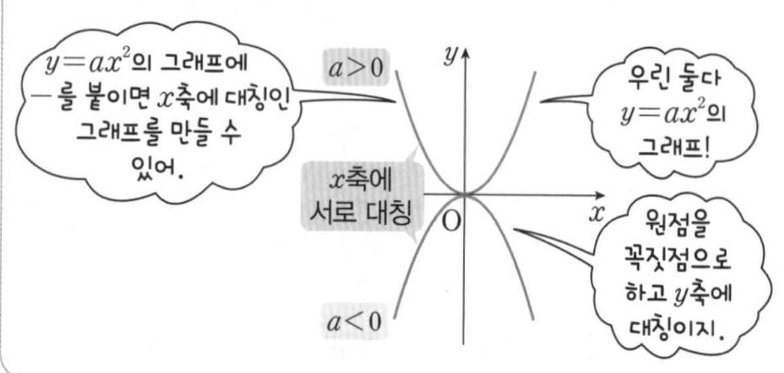

05 이차함수 $y=x^2$의 그래프를 이용하여 다음 이차함수의 그래프를 좌표평면 위에 그리시오.

(1) $y=2x^2$

(2) $y=\frac{1}{2}x^2$

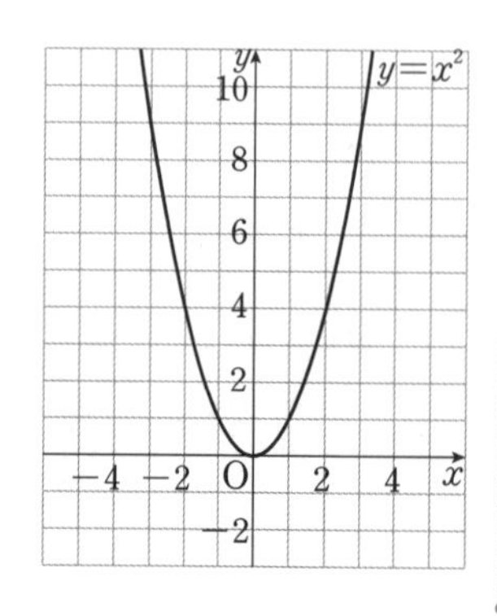

06 이차함수 $y=-x^2$의 그래프를 이용하여 다음 이차함수의 그래프를 그리시오.

(1) $y=-3x^2$

(2) $y=-\frac{1}{3}x^2$

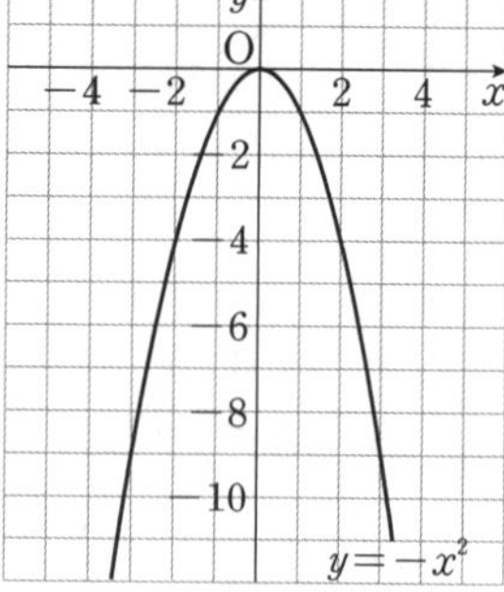

07 이차함수 $y=4x^2$의 그래프에 대하여 다음 □ 안에 알맞은 것을 써넣으시오.

(1) 꼭짓점의 좌표는 (□)이다.

(2) □로 볼록한 포물선이다.

(3) 축의 방정식은 □이다.

08 이차함수 $y=-\frac{1}{4}x^2$의 그래프에 대하여 다음 □ 안에 알맞은 것을 써넣으시오.

(1) 꼭짓점의 좌표는 (□)이다.

(2) □로 볼록한 포물선이다.

(3) 축의 방정식은 □이다.

09 이차함수 $y=ax^2$의 그래프가 다음 그림과 같을 때, 상수 a의 값이 큰 것부터 차례로 나열하시오.

(1)

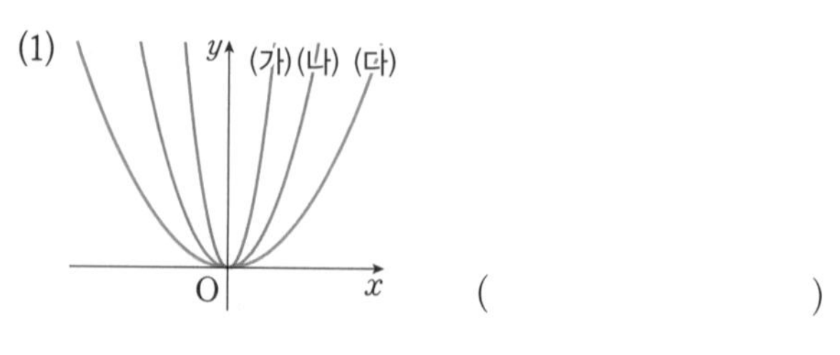

(　　　　　　　　)

(2)

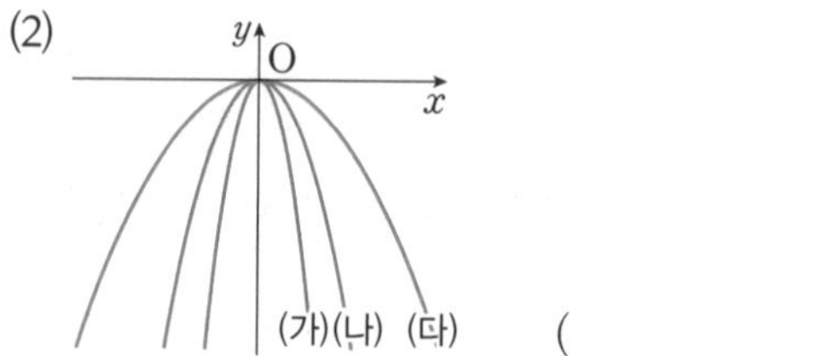

(　　　　　　　　)

10 보기의 이차함수의 그래프에 대하여 다음을 구하시오.

보기
ㄱ. $y=-x^2$　　ㄴ. $y=2x^2$
ㄷ. $y=-\frac{1}{2}x^2$　　ㄹ. $y=3x^2$
ㅁ. $y=-2x^2$　　ㅂ. $y=\frac{2}{3}x^2$

(1) 위로 볼록한 그래프

(2) 아래로 볼록한 그래프

(3) 폭이 가장 넓은 그래프

(4) 폭이 가장 좁은 그래프

(5) x축에 대하여 서로 대칭인 그래프

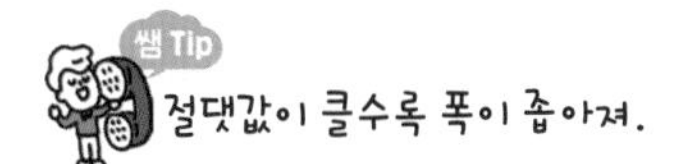

3. 이차함수 $y=ax^2$의 그래프의 성질 up+

(1) 이차함수 $y=ax^2$의 그래프에서의 증가·감소

$a>0$
$x<0$일 때, x의 값이 증가하면 y의 값은 감소한다.
$x>0$일 때, x의 값이 증가하면 y의 값도 증가한다.
$a<0$
$x<0$일 때, x의 값이 증가하면 y의 값도 증가한다.
$x>0$일 때, x의 값이 증가하면 y의 값은 감소한다.

(2) 이차함수 $y=ax^2$의 그래프의 식 구하기

원점을 지나는 이차함수는 $y=ax^2$꼴이고, 그 그래프를 지나는 점을 대입하면 a를 구할 수 있다.

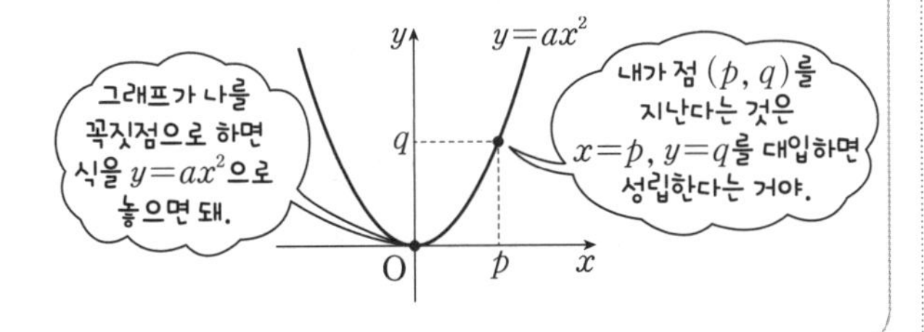

11 이차함수 $y=3x^2$의 그래프에 대하여 다음 □ 안에 알맞은 것을 써넣으시오.

(1) x의 값이 증가할 때, y의 값도 증가하는 구간은 □이다.

(2) x의 값이 증가할 때, y의 값은 감소하는 구간은 □이다.

(3) 두 점 $(1, □)$, $(-2, □)$를 지난다.

(4) x축에 대하여 대칭인 그래프의 식은 $y=$□이다.

12 이차함수 $y=-\frac{1}{3}x^2$의 그래프에 대하여 다음 □ 안에 알맞은 것을 써넣으시오.

(1) x의 값이 증가할 때, y의 값은 감소하는 구간은 □이다.

(2) x의 값이 증가할 때, y의 값도 증가하는 구간은 □이다.

(3) 두 점 $(3, □)$, $\left(-1, □\right)$을 지난다.

(4) x축에 대하여 대칭인 그래프의 식은 $y=$□이다.

13 이차함수 $y=ax^2$의 그래프가 다음 점을 지날 때, 상수 a의 값을 구하시오.

(1) $(1, 2)$ ➡ ________

(2) $(-2, 3)$ ➡ ________

(3) $\left(1, -\frac{1}{2}\right)$ ➡ ________

만점

정답과 해설 _ p.53

01 다음 중에서 이차함수 $y=x^2$의 그래프에 대한 설명으로 옳은 것을 모두 고르면?

① 위로 볼록한 포물선이다.
② 원점을 꼭짓점으로 한다.
③ 대칭축은 y축이다.
④ y의 값의 범위는 $y>0$이다.
⑤ $x<0$일 때, x의 값이 증가하면 y의 값도 증가한다.

y의 값은 원점을 지나고 x축보다 위쪽에 있다.

02 다음 이차함수의 그래프에 대하여 알맞은 것을 보기에서 모두 고르시오.

보기		
ㄱ. $y=-\frac{2}{5}x^2$	ㄴ. $y=2x^2$	ㄷ. $y=\frac{2}{5}x^2$
ㄹ. $y=-\frac{3}{4}x^2$	ㅁ. $y=-\frac{1}{2}x^2$	ㅂ. $y=\frac{4}{3}x^2$

(1) 위로 볼록한 그래프

(2) 폭이 가장 좁은 그래프

(3) x축에 대하여 서로 대칭인 그래프

$y=ax^2$의 그래프
- $a>0$이면 아래로 볼록, $a<0$이면 위로 볼록
- a의 절댓값이 클수록 폭이 좁아진다.

03 이차함수 $y=ax^2(a\neq0)$의 그래프에 대한 설명 중 옳지 않은 것은?

① 원점 $(0, 0)$을 꼭짓점으로 한다.
② $a>0$일 때, 아래로 볼록한 포물선이다.
③ 축의 방정식은 $x=0$이다.
④ a의 절댓값이 클수록 폭이 좁아진다.
⑤ $y=-ax^2$의 그래프와 y축에 대하여 대칭이다.

04 다음 조건을 모두 만족시키는 이차함수는?

가. 꼭짓점을 원점으로 한다.
나. $x>0$에서 x의 값이 증가할 때, y의 값은 감소한다.
다. $y=\frac{1}{2}x^2$의 그래프보다 폭이 넓다.

① $y=2x^2$　② $y=\frac{1}{5}x^2$　③ $y=x^2$
④ $y=-\frac{3}{4}x^2$　⑤ $y=-\frac{1}{4}x^2$

이차함수 $y=ax^2(a\neq0)$의 그래프는 원점을 꼭짓점으로하고 y축에 대하여 대칭인 그래프이다.

이차함수 $y=ax^2+q$의 그래프

정답과 해설 _ p.53

1. 이차함수 $y=ax^2+q$의 그래프 up+

(1) $y=ax^2$의 그래프를 y축의 방향으로 q만큼 평행이동한 것이다.

$$y=ax^2 \xrightarrow[q\text{만큼 평행이동}]{y\text{축의 방향으로}} y=ax^2+q$$

(2) 꼭짓점의 좌표: $(0, q)$

축의 방정식: $x=0$(y축)

(3) q의 부호

① $q>0$이면 y축의 양의 방향(위쪽)으로 평행이동

② $q<0$이면 y축의 음의 방향(아래쪽)으로 평행이동

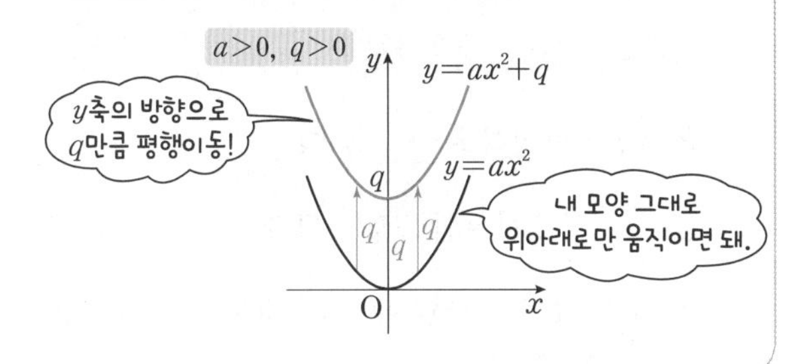

01 다음 이차함수의 그래프는 이차함수 $y=x^2$의 그래프를 y축의 방향으로 얼마만큼 평행이동한 것인지 구하시오.

(1) $y=x^2+3$ ➡ ______

(2) $y=x^2-2$ ➡ ______

(3) $y=x^2-\frac{2}{3}$ ➡ ______

02 다음 이차함수의 그래프는 이차함수 $y=-\frac{1}{2}x^2$의 그래프를 y축의 방향으로 얼마만큼 평행이동한 것인지 구하시오.

(1) $y=-\frac{1}{2}x^2+4$ ➡ ______

(2) $y=-\frac{1}{2}x^2-\frac{1}{2}$ ➡ ______

(3) $y=-\frac{1}{2}x^2+\frac{5}{2}$ ➡ ______

03 다음 이차함수의 그래프를 y축의 방향으로 [ ] 안의 수만큼 평행이동한 그래프의 식을 구하시오.

(1) $y=x^2$ [3] ➡ ______

(2) $y=\frac{1}{2}x^2$ [-1] ➡ ______

(3) $y=-x^2$ [2] ➡ ______

04 다음 이차함수의 그래프를 그리시오.

(1) $y=x^2-3$

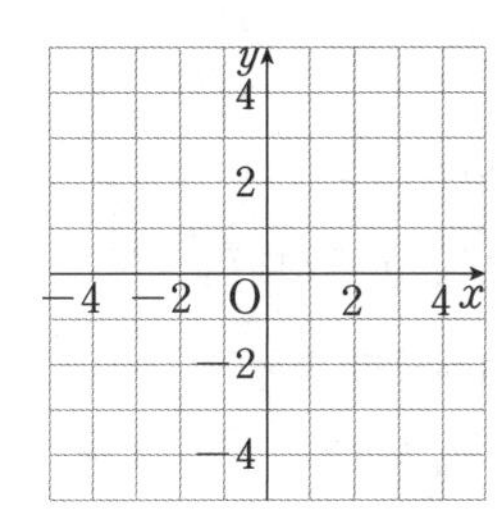

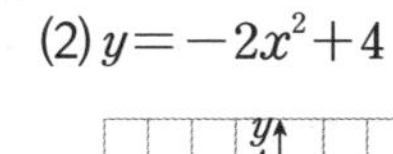

(2) $y=-2x^2+4$

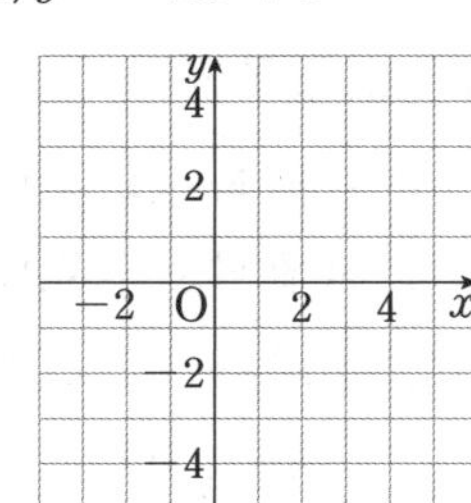

05 다음 이차함수의 그래프의 꼭짓점의 좌표와 축의 방정식을 각각 구하시오.

(1) $y=x^2+4$

꼭짓점의 좌표 ➡ ______

축의 방정식 ➡ ______

(2) $y=-x^2-2$

꼭짓점의 좌표 ➡ ______

축의 방정식 ➡ ______

(3) $y=4x^2+\frac{3}{4}$

꼭짓점의 좌표 ➡ ______

축의 방정식 ➡ ______

2. 이차함수 $y=ax^2+q$의 그래프의 성질 up+

(1) 꼭짓점의 좌표와 축의 방정식

$y=ax^2$ $\xrightarrow[q\text{만큼 평행이동}]{y\text{축의 방향으로}}$ $y=ax^2+q$

이차함수	$y=ax^2$	$y=ax^2+q$
꼭짓점의 좌표	$(0,\ 0)$	$(0,\ q)$
축의 방정식	$x=0$	$x=0$
그래프 $a>0,\ q>0$ 일 때,	y, $y=ax^2$, O, x	y, $y=ax^2+q$, q, O, x

(2) y의 값의 범위

$a>0$일 때, y의 값의 범위는 $y\geq q$,
$a<0$일 때, y의 값의 범위는 $y\leq q$이다.

참고 이차함수 $y=ax^2$의 그래프를 평행이동하여도 x^2의 계수는 변하지 않으므로 그래프의 모양과 폭은 변하지 않는다.

06 이차함수 $y=2x^2-1$의 그래프를 그리고, □ 안에 알맞은 것을 써넣으시오.

(1) 그래프를 그리시오.

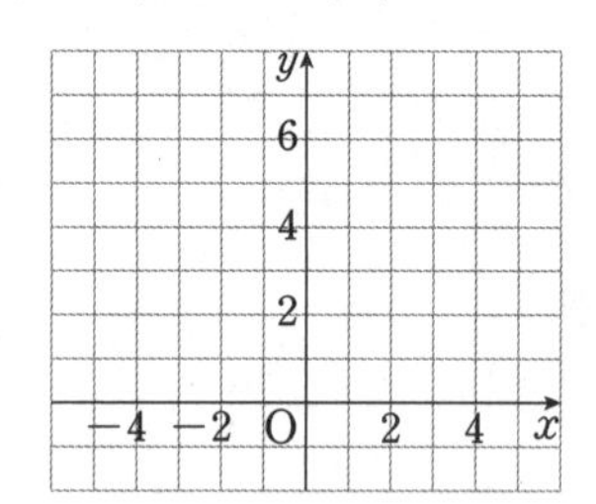

(2) $y=2x^2$의 그래프를 y축의 방향으로 □만큼 평행이동한 것이다.

(3) 꼭짓점의 좌표는 $(0,$ □$)$이다.

(4) 축의 방정식은 □이다.

(5) □로 볼록한 그래프이다.

(6) x의 값이 증가할 때, y의 값도 증가하는 x의 값의 범위는 □이다.

07 이차함수 $y=-\frac{1}{2}x^2+3$의 그래프를 그리고, □ 안에 알맞은 것을 써넣으시오.

(1) 그래프를 그리시오.

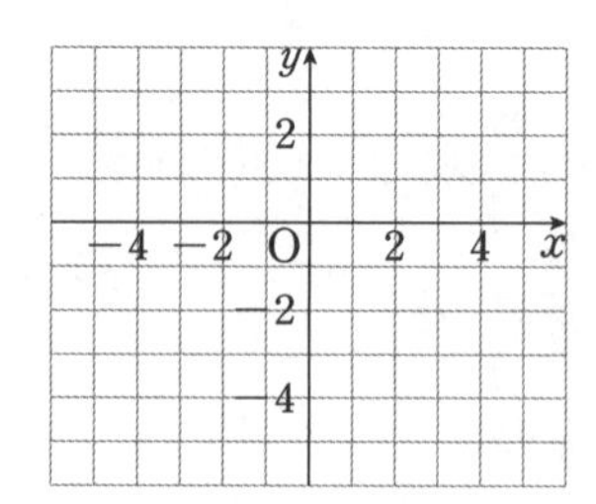

(2) $y=-\frac{1}{2}x^2$의 그래프를 y축의 방향으로 □만큼 평행이동한 것이다.

(3) 꼭짓점의 좌표는 $(0,$ □$)$이다.

(4) 축의 방정식은 □이다.

(5) □로 볼록한 그래프이다.

(6) x의 값이 증가할 때, y의 값도 증가하는 x의 값의 범위는 □이다.

08 이차함수 $y=-3x^2$의 그래프를 y축의 방향으로 5만큼 평행이동한 그래프에 대하여 다음을 구하시오.

(1) 이차함수의 식 ➡ ______

(2) 꼭짓점의 좌표 ➡ ______

(3) 축의 방정식 ➡ ______

09 다음 이차함수의 그래프가 주어진 점을 지날 때, 상수 k의 값을 구하시오.

(1) $y=x^2+6,\ (-1,\ k)$

➡ ______

(2) $y=-\frac{1}{2}x^2+3,\ (-4,\ k)$

➡ ______

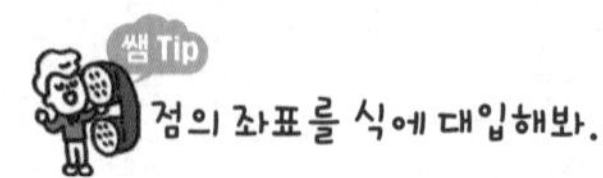

01 다음 중 이차함수 $y=-\frac{1}{4}x^2-3$의 그래프에 대한 설명으로 옳지 않은 것은?

① 아래로 볼록한 그래프이다.
② 꼭짓점의 좌표는 $(0,\ -3)$이다.
③ y축에 대하여 대칭이다.
④ x의 값이 증가할 때, y의 값이 감소하는 x의 값의 범위는 $x>0$이다.
⑤ $y=-\frac{1}{4}x^2$의 그래프를 y축의 방향으로 -3만큼 평행이동한 것이다.

이차함수 $y=ax^2+q$의 그래프는 $y=ax^2$의 그래프를 y축의 방향으로 q만큼 평행이동한 것이다.

02 이차함수 $y=3x^2-5$의 그래프의 꼭짓점의 좌표와 축의 방정식을 차례로 구하시오.

이차함수 $y=ax^2+q$의 그래프의 꼭짓점의 좌표는 $(0, q)$이다.

03 이차함수 $y=\frac{1}{3}x^2$의 그래프를 y축의 방향으로 -4만큼 평행이동한 그래프가 점 $(3, a)$를 지날 때, a의 값은?

① -2 ② -1 ③ 1 ④ 2 ⑤ 3

이차함수 $y=ax^2$의 그래프를 y축의 방향으로 q만큼 평행이동한 이차함수의 식은 $y=ax^2+q$이다.

04 이차함수 $y=\frac{1}{5}x^2$의 그래프를 y축의 방향으로 -5만큼 평행이동한 그래프의 꼭짓점의 좌표를 (p, q), 축의 방정식을 $x=m$이라 할 때, $p-q-m$의 값을 구하시오.

05 이차함수 $y=-\frac{1}{2}x^2$의 그래프를 y축의 방향으로 평행이동하면 점 $(0, 5)$를 지난다고 한다. 이 포물선과 x축에 대하여 대칭인 이차함수의 식은?

① $y=\frac{1}{2}x^2-5$ ② $y=-\frac{1}{2}x^2-5$ ③ $y=\frac{1}{2}x^2-3$
④ $y=\frac{1}{2}x^2+3$ ⑤ $y=\frac{1}{2}x^2+7$

이차함수 $y=ax^2+q$의 그래프를 x축에 대하여 대칭이동한 식은 y 대신 $-y$를 대입하여 구할 수 있다.

31강 이차함수 $y=a(x-p)^2$의 그래프

1. 이차함수 $y=a(x-p)^2$의 그래프

(1) $y=ax^2$의 그래프를 x축의 방향으로 p만큼 평행이동한 것이다.

$$y=ax^2 \xrightarrow[p\text{만큼 평행이동}]{x\text{축의 방향으로}} y=a(x-p)^2$$

(2) 꼭짓점의 좌표: $(p, 0)$

축의 방정식: $x=p$

(3) p의 부호

① $p>0$이면 x축의 양의 방향(오른쪽)으로 평행이동

② $p<0$이면 x축의 음의 방향(왼쪽)으로 평행이동

$a>0$, $p>0$

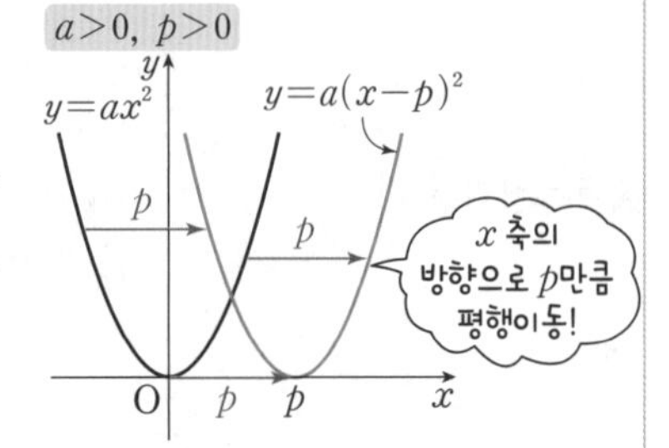

$y=x^2$의 그래프를 y축의 방향으로 2만큼 평행이동은 y 대신 $y-2$를 써서 $y-2=x^2$인데, 이항하여 $y=x^2+2$가 되는 거야.

$y-2=x^2$ ➡ $y=x^2+2$

$y=x^2$ ➡ $y=(x-2)^2$

그래서 $y=x^2$의 그래프를 x축의 방향으로 2만큼 평행이동은 x 대신 $x-2$를 써서 $y=(x-2)^2$이 되는 거야.

01 다음 이차함수의 그래프는 이차함수 $y=2x^2$의 그래프를 x축의 방향으로 얼마만큼 평행이동한 것인지 구하시오.

(1) $y=2(x-7)^2$ ➡ ______

(2) $y=2(x+5)^2$ ➡ ______

02 다음 이차함수의 그래프는 이차함수 $y=-3x^2$의 그래프를 x축의 방향으로 얼마만큼 평행이동한 것인지 구하시오.

(1) $y=-3(x-3)^2$ ➡ ______

(2) $y=-3(x+6)^2$ ➡ ______

03 다음 이차함수의 그래프를 x축의 방향으로 [ ] 안의 수만큼 평행이동한 그래프의 식을 구하시오.

(1) $y=x^2$ [3] ➡ ______

(2) $y=-2x^2$ [−5] ➡ ______

(3) $y=\frac{1}{2}x^2$ [4] ➡ ______

04 이차함수 $y=x^2$, $y=-x^2$의 그래프를 이용하여 다음 이차함수의 그래프를 그리시오.

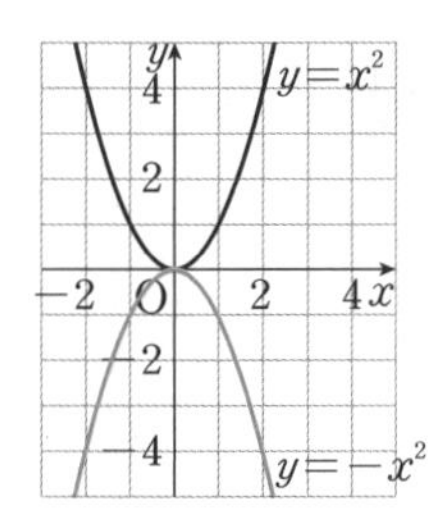

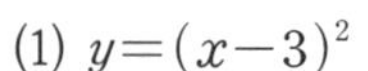
(1) $y=(x-3)^2$

(2) $y=-(x-3)^2$

05 다음 이차함수의 그래프의 꼭짓점의 좌표와 축의 방정식을 구하시오.

(1) $y=-2(x-1)^2$

꼭짓점의 좌표 ➡ ______

축의 방정식 ➡ ______

(2) $y=3(x+4)^2$

꼭짓점의 좌표 ➡ ______

축의 방정식 ➡ ______

(3) $y=\frac{1}{4}(x-5)^2$

꼭짓점의 좌표 ➡ ______

축의 방정식 ➡ ______

2. 이차함수 $y=a(x-p)^2$의 그래프의 성질

$y=ax^2 \xrightarrow[p\text{만큼 평행이동}]{x\text{축의 방향으로}} y=a(x-p)^2$

이차함수	$y=ax^2$	$y=a(x-p)^2$
꼭짓점의 좌표	$(0, 0)$	$(p, 0)$
축의 방정식	$x=0$	$x=p$
그래프 $a>0$, $p>0$ 일 때,	$y=ax^2$	$y=ax^2$, $y=a(x-p)^2$

참고 이차함수 $y=ax^2$의 그래프를 x축의 방향으로 p만큼 평행이동하면 축의 방정식이 $x=p$로 변하므로 그래프가 증가 또는 감소하는 x의 값의 범위도 변한다.
① $x<p$일 때, x의 값이 증가하면 y의 값은 감소한다.
② $x>p$일 때, x의 값이 증가하면 y의 값도 증가한다.

06 이차함수 $y=2(x+3)^2$의 그래프를 그리고, □ 안에 알맞은 것을 써넣으시오.

(1) 그래프를 그리시오.

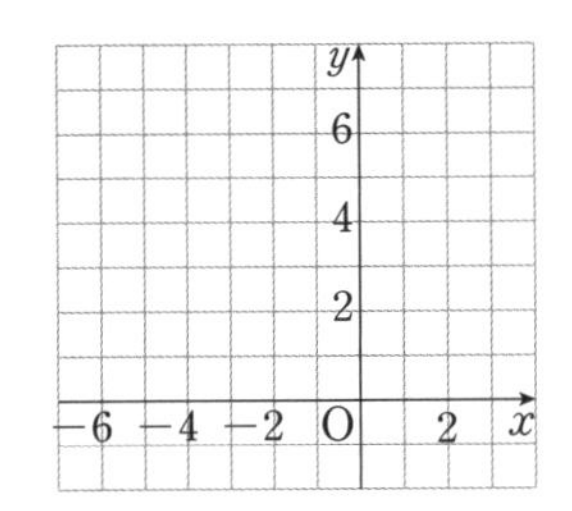

(2) $y=2x^2$의 그래프를 x축의 방향으로 □만큼 평행이동한 것이다.

(3) 꼭짓점의 좌표는 (□, 0)이다.

(4) 축의 방정식은 □이다.

(5) □로 볼록한 그래프이다.

(6) x의 값이 증가할 때, y의 값도 증가하는 x의 값의 범위는 □이다.

07 이차함수 $y=-\frac{1}{3}(x-3)^2$의 그래프를 그리고, □ 안에 알맞은 것을 써넣으시오.

(1) 그래프를 그리시오.

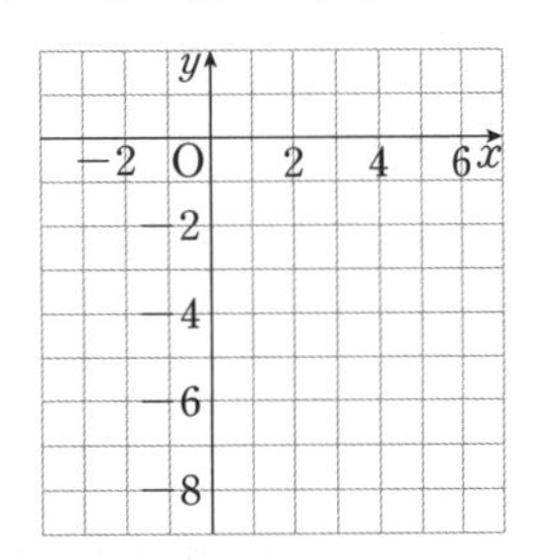

(2) $y=-\frac{1}{3}x^2$의 그래프를 x축의 방향으로 □만큼 평행이동한 것이다.

(3) 꼭짓점의 좌표는 (□, 0)이다.

(4) 축의 방정식은 □이다.

(5) □로 볼록한 그래프이다.

(6) x의 값이 증가할 때, y의 값도 증가하는 x의 값의 범위는 □이다.

08 이차함수 $y=-3x^2$의 그래프를 x축의 방향으로 $\frac{3}{2}$만큼 평행이동한 그래프에 대하여 다음을 구하시오.

(1) 이차함수의 식 ➡ ______

(2) 꼭짓점의 좌표 ➡ ______

(3) 축의 방정식 ➡ ______

(4) x의 값이 증가할 때, y의 값이 감소하는 x의 값의 범위 ➡ ______

정답과 해설 _ p.54

01 이차함수 $y=3(x-2)^2$의 그래프에 대한 다음 설명 중 옳은 것은?

① 축의 방정식은 $x=0$이다.
② 꼭짓점의 좌표는 $(0, 2)$이다.
③ 점 $(1, 3)$을 지난다.
④ 위로 볼록한 포물선이다.
⑤ 이차함수 $y=-3(x+2)^2$의 그래프와 x축에 대하여 대칭이다.

> 이차함수 $y=a(x-p)^2$의 그래프
> $a>0$이면 아래로 볼록
> $a<0$이면 위로 볼록
> 꼭짓점의 좌표: $(p, 0)$

02 이차함수 $y=-\frac{1}{2}(x-2)^2$의 그래프로 옳은 것은?

①
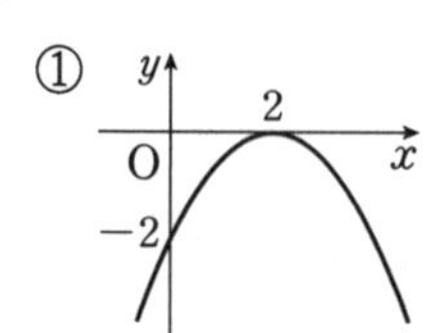

②
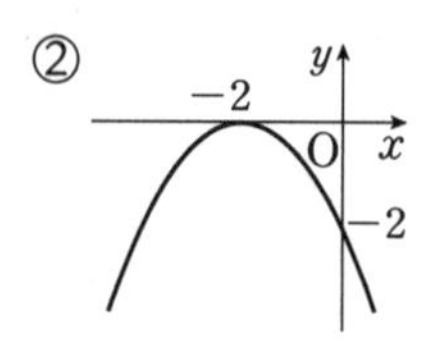

③
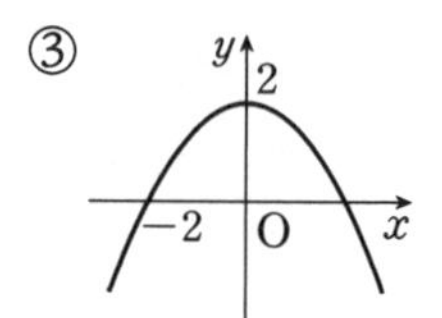

④
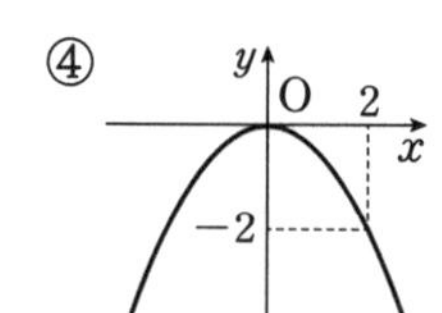

⑤
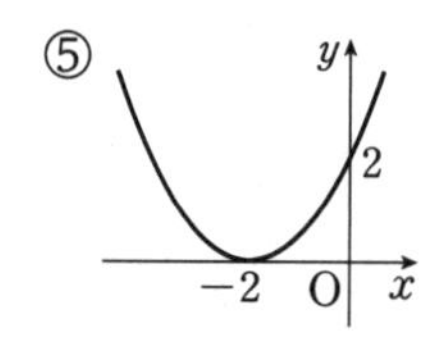

> $y=a(x-p)^2$의 꼭짓점의 좌표는 $(p, 0)$이다.

03 이차함수 $y=-x^2$의 그래프를 x축의 방향으로 3만큼 평행이동시키면 점 $(1, m)$을 지난다고 한다. 이때 m의 값을 구하시오.

> $y=-x^2$의 그래프를 x축의 방향으로 p만큼 평행이동한 그래프의 식을 $y=-(x-p)^2$으로 놓는다.

04 이차함수 $y=2(x-3)^2$의 그래프에서 x의 값이 증가할 때, y의 값이 감소하는 x의 값의 범위는?

① $x>0$　　② $x>3$　　③ $x<0$
④ $x<3$　　⑤ $x<2$

> 증가, 감소의 기준은 축의 방정식을 기준으로 생각한다.

05 이차함수 $y=-4(x-1)^2$의 그래프를 x축의 방향으로 m만큼 평행이동하면 $y=-4(x+2)^2$의 그래프가 된다. 이때 m의 값을 구하시오.

> x축의 방향으로 m만큼 평행이동하면 x 대신 $x-m$을 대입한다.

32강 이차함수 $y=a(x-p)^2+q$의 그래프

정답과 해설 _ p.55

1. 이차함수 $y=a(x-p)^2+q$의 그래프 up+

$y=ax^2$의 그래프를 x축의 방향으로 p만큼, y축의 방향으로 q만큼 평행이동한 것이다.

$$y=ax^2 \xrightarrow[y\text{축의 방향으로 } q\text{만큼 평행이동}]{x\text{축의 방향으로 } p\text{만큼}} y=a(x-p)^2+q$$

(1) 꼭짓점의 좌표: (p, q)

(2) 축의 방정식: $x=p$

01 다음 이차함수의 그래프는 이차함수 $y=ax^2$의 그래프를 x축의 방향으로 p만큼, y축의 방향으로 q만큼 평행이동한 것이다. 표의 빈칸을 알맞게 채우시오.

이차함수의 식	p	q
(1) $y=2(x-1)^2+3$		
(2) $y=-(x+4)^2-5$		
(3) $y=-\frac{1}{4}(x-1)^2-6$		

02 다음의 이차함수 $y=ax^2$의 그래프를 x축의 방향으로 p만큼, y축의 방향으로 q만큼 평행이동한 그래프를 나타내는 이차함수의 식을 구하시오.

$y=ax^2$	p	q	이차함수의 식
(1) $y=x^2$	1	3	
(2) $y=-3x^2$	-4	5	
(3) $y=-\frac{2}{3}x^2$	-2	-8	

03 다음 이차함수의 그래프를 x축, y축의 방향으로 각각 [ ] 안의 수만큼 평행이동한 그래프의 식을 구하시오.

(1) $y=x^2$ [1, -1] ➡ ____________

(2) $y=2x^2$ [-3, 1] ➡ ____________

(3) $y=-\frac{2}{3}x^2$ [-2, -5] ➡ ____________

04 다음 이차함수의 그래프의 꼭짓점의 좌표와 축의 방정식을 각각 구하시오.

(1) $y=-(x+2)^2-3$

꼭짓점의 좌표 ➡ ____________,

축의 방정식 ➡ ____________

(2) $y=3(x-5)^2-1$

꼭짓점의 좌표 ➡ ____________,

축의 방정식 ➡ ____________

(3) $y=5(x+3)^2+3$

꼭짓점의 좌표 ➡ ____________,

축의 방정식 ➡ ____________

(4) $y=\frac{1}{2}(x+1)^2-\frac{3}{2}$

꼭짓점의 좌표 ➡ ____________,

축의 방정식 ➡ ____________

05 다음 이차함수의 그래프가 주어진 점을 지날 때, 상수 k의 값을 구하시오.

(1) $y=-2(x-2)^2+2$, $(1, k)$ ➡ ____________

(2) $y=3(x+1)^2-5$, $(-2, k)$ ➡ ____________

2. 이차함수 $y=a(x-p)^2+q$의 그래프의 성질

$$y=ax^2 \xrightarrow[y\text{축의 방향으로 } q\text{만큼 평행이동}]{x\text{축의 방향으로 } p\text{만큼}} y=a(x-p)^2+q$$

이차함수	$y=ax^2$	$y=a(x-p)^2+q$
꼭짓점의 좌표	$(0, 0)$	(p, q)
축의 방정식	$x=0$	$x=p$
그래프 $a>0$, $p>0$, $q>0$일 때	y, $y=ax^2$, O, x	$y=ax^2$, y, $y=a(x-p)^2+q$, q, q, O, p, p, x

참고 $y=ax^2$의 그래프를 x축의 방향으로 p만큼, y축의 방향으로 q만큼 평행이동하면 꼭짓점의 좌표와 축의 방정식이 모두 변한다.

06 이차함수 $y=\frac{1}{2}(x-3)^2+1$의 그래프를 그리고, □ 안에 알맞은 것을 써넣으시오.

(1) 그래프를 그리시오.

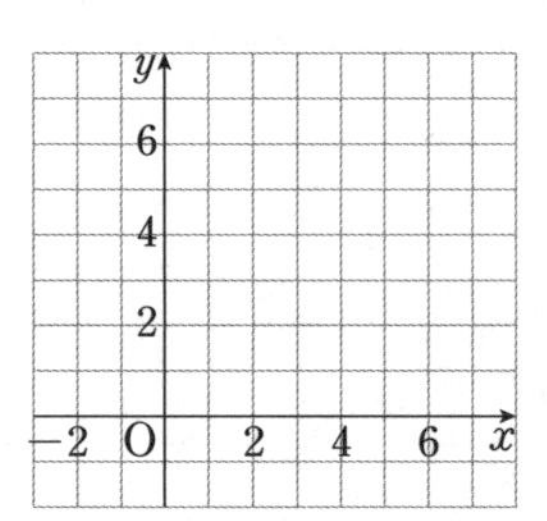

(2) $y=\frac{1}{2}x^2$의 그래프를 x축의 방향으로 □만큼, y축의 방향으로 □만큼 평행이동한 것이다.

(3) 꼭짓점의 좌표는 (□)이다.

(4) 축의 방정식은 □이다.

(5) □로 볼록한 그래프이다.

(6) x의 값이 증가할 때, y의 값도 증가하는 x의 값의 범위는 □이다.

07 이차함수 $y=-2(x+1)^2+2$의 그래프를 그리고, □ 안에 알맞은 것을 써넣으시오.

(1) 그래프를 그리시오.

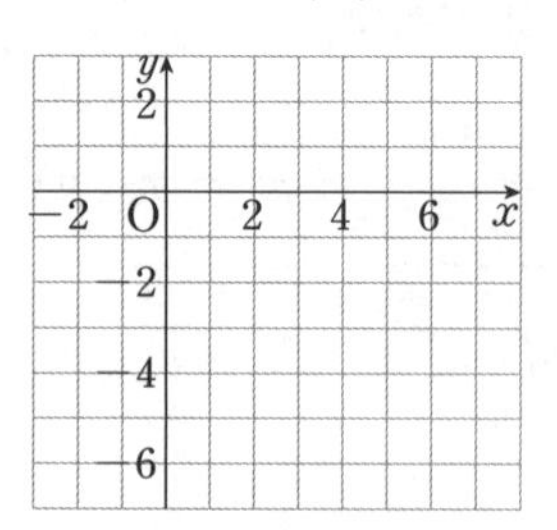

(2) $y=-2x^2$의 그래프를 x축의 방향으로 □만큼, y축의 방향으로 □만큼 평행이동한 것이다.

(3) 꼭짓점의 좌표는 (□)이다.

(4) 축의 방정식은 □이다.

(5) □로 볼록한 그래프이다.

(6) x의 값이 증가할 때, y의 값도 증가하는 x의 값의 범위는 □이다.

08 이차함수 $y=\frac{2}{3}x^2$의 그래프를 x축의 방향으로 -3만큼, y축의 방향으로 2만큼 평행이동한 그래프에 대하여 다음을 구하시오.

(1) 이차함수의 식 ➡ ______

(2) 꼭짓점의 좌표 ➡ ______

(3) 축의 방정식 ➡ ______

(4) x의 값이 증가할 때, y의 값은 감소하는 x의 값의 범위 ➡ ______

3. 이차함수 $y=ax^2$의 그래프의 평행이동

x축의 방향으로 p만큼 평행이동하면 x 대신 $x-p$를 대입하고, y축의 방향으로 q만큼 평행이동하면 y 대신 $y-q$를 대입한다.

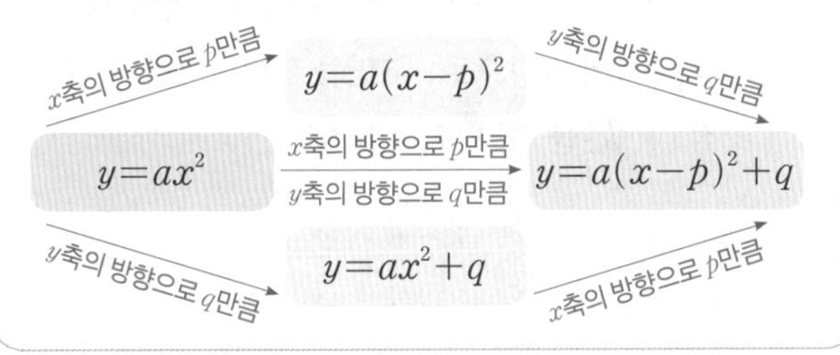

4. 이차함수 $y=a(x-p)^2+q$의 그래프의 평행이동

$y=a(x-p)^2+q$의 그래프를 x축의 방향으로 m만큼, y축의 방향으로 n만큼 평행이동하면

① 꼭짓점의 이동: $(p,\ q)$ ➡ $(p+m,\ q+n)$

② 그래프의 식: $y=a(x-p-m)^2+q+n$

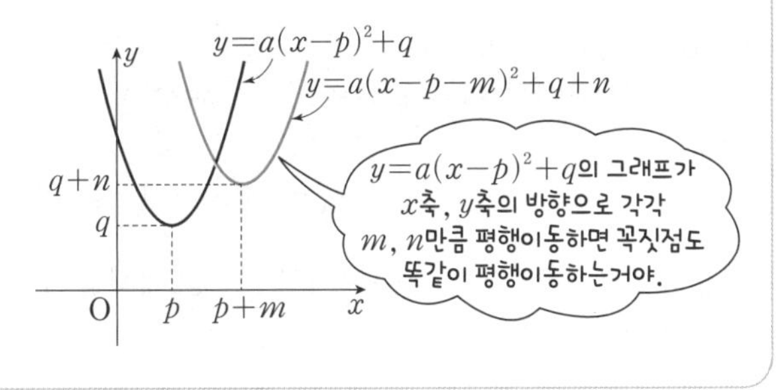

09 주어진 이차함수의 그래프를 다음과 같이 평행이동한 이차함수의 식을 구하고, 빈칸에 알맞은 것을 써넣으시오.

(1) $y=2x^2$

평행이동	평행이동한 식	평행이동한 꼭짓점의 좌표
① y축의 방향으로 3만큼 평행이동	$y=2x^2+3$	
② x축의 방향으로 -2만큼 평행이동		
③ x축의 방향으로 -4만큼, y축의 방향으로 2만큼 평행이동		

(2) $y=-5x^2$

평행이동	평행이동한 식	평행이동한 꼭짓점의 좌표
① y축의 방향으로 -1만큼 평행이동		
② x축의 방향으로 2만큼 평행이동	$y=-5(x-2)^2$	
③ x축의 방향으로 5만큼, y축의 방향으로 2만큼 평행이동		

10 다음과 같이 평행이동한 이차함수 그래프의 꼭짓점의 좌표와 이차함수의 식을 구하시오.

(1) $y=-(x-2)^2$의 그래프를 x축의 방향으로 3만큼 평행이동

➡ 꼭짓점의 좌표 : $(2,\ 0) \rightarrow (\square,\ 0)$

➡ 구하는 이차함수의 식: ______

(2) $y=-(x-2)^2$의 그래프를 y축의 방향으로 -3만큼 평행이동

➡ 꼭짓점의 좌표 : $(2,\ 0) \rightarrow (\square,\ \square)$

➡ 구하는 이차함수의 식: ______

(3) $y=2(x-3)^2+4$의 그래프를 x축의 방향으로 2만큼, y축의 방향으로 3만큼 평행이동

➡ 꼭짓점의 좌표 : $(3,\ 4) \rightarrow (\square,\ \square)$

➡ 구하는 이차함수의 식: ______

(4) $y=\frac{1}{2}(x-1)^2+3$의 그래프를 x축의 방향으로 -1만큼, y축의 방향으로 -2만큼 평행이동

➡ 꼭짓점의 좌표 : $(1,\ 3) \rightarrow (\square,\ \square)$

➡ 구하는 이차함수의 식: ______

5. 이차함수 $y=a(x-p)^2+q$의 식 구하기

(1) 이차함수 $y=a(x-p)^2+q$의 그래프를 x축의 방향으로 m만큼, y축의 방향으로 n만큼 평행이동한 이차함수의 식은

$$y=a(x-p)^2+q \xrightarrow[y \text{ 대신 } y-n]{x \text{ 대신 } x-m} y=a(x-m-p)^2+q+n$$

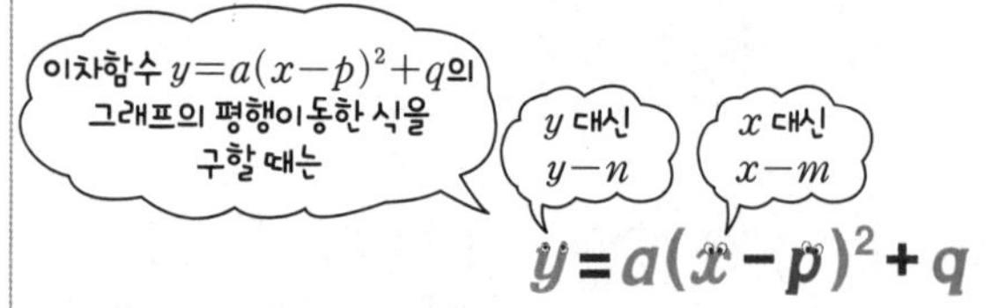

(2) 이차함수 $y=a(x-p)^2+q$의 그래프에서 a, p, q의 부호

① a의 부호: 그래프 모양에 따라 결정
아래로 볼록하면 ➡ $a>0$
위로 볼록하면 ➡ $a<0$

② p, q의 부호: 꼭짓점의 위치에 따라 결정
① 제1사분면: $p>0$, $q>0$
② 제2사분면: $p<0$, $q>0$
③ 제3사분면: $p<0$, $q<0$
④ 제4사분면: $p>0$, $q<0$

$p<0$, $q>0$	$p>0$, $q>0$
$p<0$, $q<0$	$p>0$, $q<0$

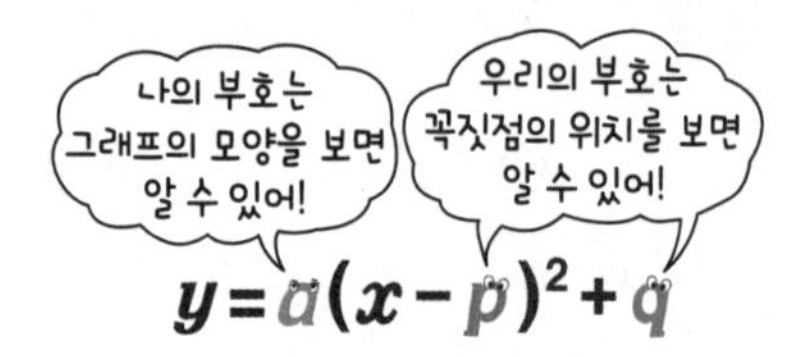

11 다음 이차함수의 그래프를 x축, y축의 방향으로 각각 [ ] 안의 수만큼 평행이동한 그래프의 식을 각각 구하시오.

(1) $y=-x^2+2$ $[2, 3]$

(2) $y=2(x-1)^2$ $[-2, 4]$

(3) $y=-\frac{1}{2}\left(x+\frac{3}{2}\right)^2-1$ $\left[-\frac{5}{2}, -1\right]$

(4) $y=5(x-3)^2+7$ $[8, -9]$

12 다음 k의 값을 구하시오.

(1) 이차함수 $y=3(x-2)^2-3$의 그래프가 점 $(1, k)$를 지날 때, k의 값

(2) 이차함수 $y=-x^2$의 그래프를 x축의 방향으로 3만큼, y축의 방향으로 -1만큼 평행이동한 그래프가 점 $(4, k)$를 지날 때, k의 값

13 이차함수 $y=a(x-p)^2+q$의 그래프가 다음 그림과 같을 때, □ 안에 $>$, $=$, $<$ 중 알맞은 것을 써넣으시오.

(1)
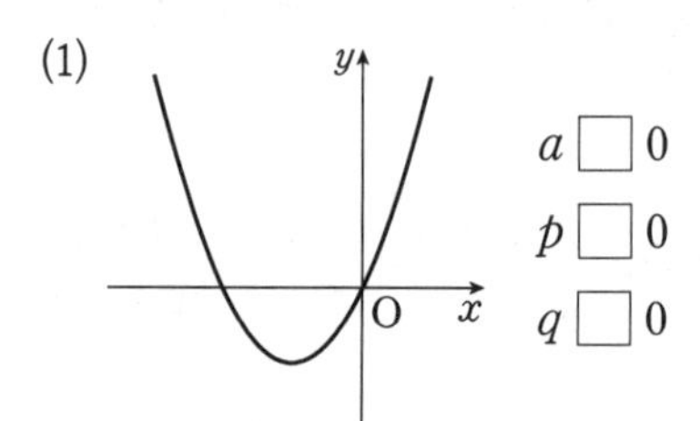

a □ 0
p □ 0
q □ 0

(2)
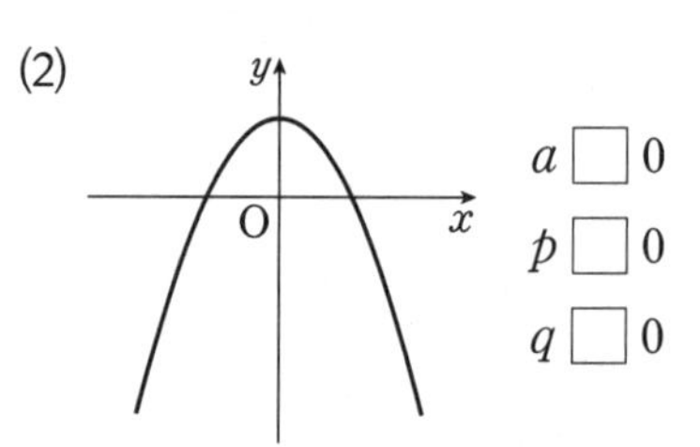

a □ 0
p □ 0
q □ 0

(3)
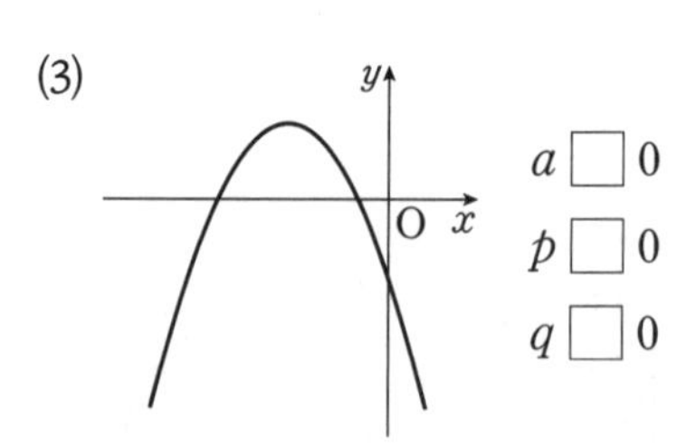

a □ 0
p □ 0
q □ 0

(4)
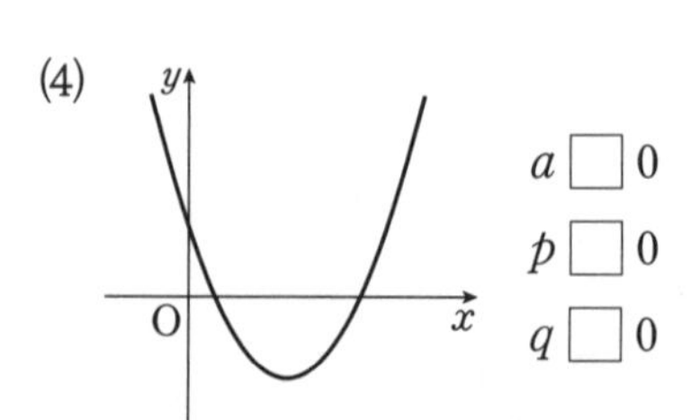

a □ 0
p □ 0
q □ 0

쌤 Tip
아래로 볼록이면 $a>0$, 위로 볼록이면 $a<0$이고, 꼭짓점이 몇사분면에 있는지 찾아봐!

정답과 해설 _ p.56

01 다음 중 이차함수 $y=2(x-1)^2+1$의 그래프에 대한 설명으로 옳지 않은 것은?

① 축의 방정식은 $x=1$이다.
② 꼭짓점의 좌표는 $(1, 1)$이다.
③ $y=2(x-1)^2$의 그래프를 y축의 방향으로 1만큼 평행이동한 그래프와 같다.
④ $y=-2(x-1)^2-1$의 그래프와 x축에 대하여 대칭이다.
⑤ $y=2x^2$의 그래프를 x축의 방향으로 -1만큼, y축의 방향으로 1만큼 평행이동한 그래프이다.

이차함수 $y=a(x-p)^2+q$의 그래프는 $y=ax^2$의 그래프를 x축의 방향으로 p만큼, y축의 방향으로 q만큼 평행이동한 것이다.

02 다음 이차함수의 그래프에 대하여 □ 안에 알맞은 것을 쓰시오.

이차함수	꼭짓점의 좌표	축의 방정식	그래프의 모양
(1) $y=-2x^2+1$	(0, □)	$x=$□	□로 볼록
(2) $y=-2(x-5)^2$	(□, 0)	$x=$□	□로 볼록
(3) $y=-2(x-5)^2+1$	(□, □)	$x=$□	□로 볼록

이차함수 $y=ax^2$의 그래프를 평행이동하면 그래프 모양은 그대로이고 꼭짓점의 좌표와 축의 방정식만 바뀐다.

03 이차함수 $y=-3(x-2)^2+1$의 그래프를 x축의 방향으로 1만큼, y축의 방향으로 3만큼 평행이동한 그래프를 나타내는 이차함수의 식은?

① $y=-3(x-2)^2+4$
② $y=-3(x-3)^2-2$
③ $y=-3(x-1)^2+4$
④ $y=-3(x-2)^2-2$
⑤ $y=-3(x-3)^2+4$

x 대신 $x-1$, y 대신 $y-3$을 대입한다.

04 다음 중 $y=2(x-1)^2-3$의 그래프가 지나는 사분면을 모두 찾으면?

① 제 1, 2사분면
② 제 1, 2, 3사분면
③ 제 1, 2, 4사분면
④ 제 2, 3, 4사분면
⑤ 제 1, 2, 3, 4사분면

그래프를 그려 본다.

05 오른쪽 그림은 $y=\frac{1}{3}x^2$의 그래프를 평행이동한 것이다. 이 포물선이 나타내는 이차함수의 식을 $y=a(x-p)^2+q$의 꼴로 나타내시오.

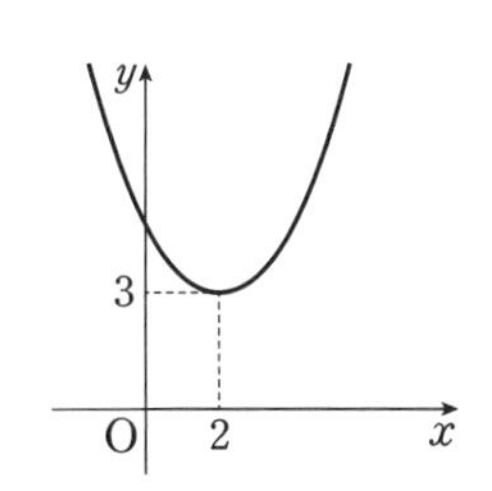

주어진 그래프의 꼭짓점의 좌표는 $(2, 3)$이고, 평행이동한 그래프의 모양은 그대로임을 이용한다.

정답과 해설 _ p.56

1. 이차함수 $y=ax^2+bx+c$의 그래프 up+

(1) 이차함수 $y=ax^2+bx+c$의 그래프

$y=ax^2+bx+c$ ← y절편을 알 수 있다.

➡ $y=a\left(x+\dfrac{b}{2a}\right)^2-\dfrac{b^2-4ac}{4a}$ ← 꼭짓점의 좌표와 축의 방정식을 알 수 있다.

① 꼭짓점의 좌표: $\left(-\dfrac{b}{2a}, -\dfrac{b^2-4ac}{4a}\right)$

② 축의 방정식: $x=-\dfrac{b}{2a}$

③ y축과의 교점의 좌표: $(0, c)$

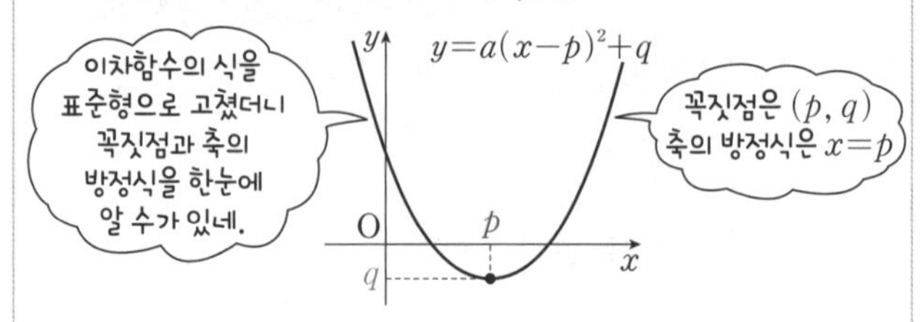

(2) 이차함수 $y=ax^2+bx+c$의 그래프 그리기

① $y=a(x-p)^2+q$의 꼴로 고치기

② a의 부호

$a>0$ ➡ 아래로 볼록,

$a<0$ ➡ 위로 볼록

③ y축과의 교점

➡ 점 $(0, c)$

$y=ax^2+bx+c$

⬇

$y=a(x-p)^2+q$

01 다음은 이차함수 $y=ax^2+bx+c$를 $y=a(x-p)^2+q$의 꼴로 고치는 과정이다. □ 안에 알맞은 수를 써넣으시오.

(1) $y=x^2+4x+5$

$=(x^2+4x+\square-\square)+5$

$=(x+\square)^2+1$

(2) $y=2x^2+12x+9$

$=2(x^2+6x)+9$

$=2(x^2+6x+\square-\square)+9$

$=2(x+\square)^2-\square$

(3) $y=-4x^2+16x-7$

$=-4(x^2-4x)-7$

$=-4(x^2-4x+\square-\square)-7$

$=-4(x-\square)^2+\square$

02 다음 이차함수의 식을 $y=a(x-p)^2+q$의 꼴로 나타내시오.

(1) $y=2x^2+4x+5$

(2) $y=-4x^2+12x+2$

(3) $y=-\dfrac{1}{2}x^2+x-\dfrac{5}{2}$

(4) $y=-x^2+12x-25$

03 다음 이차함수를 $y=a(x-p)^2+q$꼴로 고치고, □ 안에 알맞은 것을 써넣으시오.

(1) $y=-x^2+4x+1$ ➡ $y=-(x-\square)^2+\square$

① 꼭짓점의 좌표 $(\square, \square)$

② 축의 방정식 $x=\square$

③ y축과의 교점의 좌표 $(0, \square)$

④ 이차함수의 그래프를 그리시오.

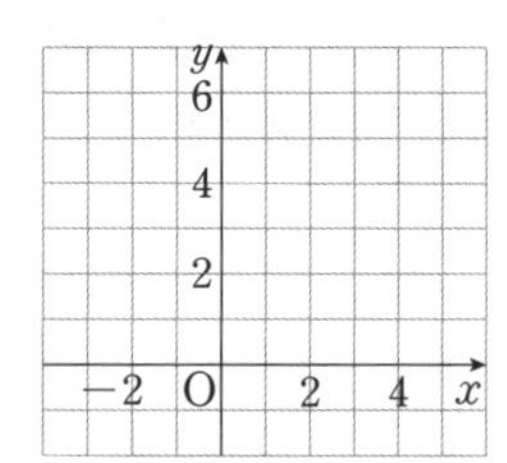

(2) $y=2x^2+8x+7$ ➡ $y=2(x+\square)^2-\square$

① 꼭짓점의 좌표 $(\square, \square)$

② 축의 방정식 $x=\square$

③ y축과의 교점의 좌표 $(0, \square)$

④ 이차함수의 그래프를 그리시오.

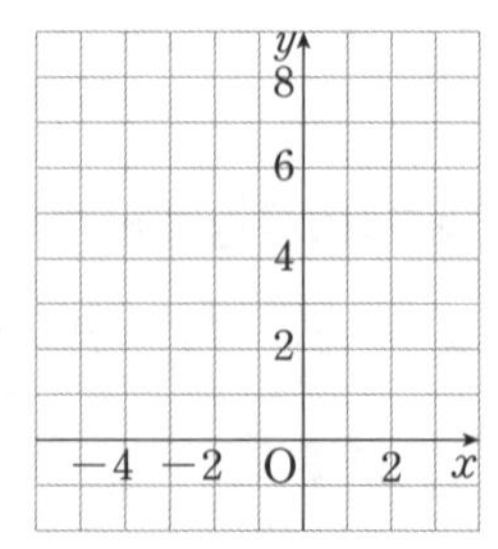

쌤 Tip
주어진 이차함수를 (완전제곱식)+(상수)의 꼴로 변형하기 위해 적당한 수를 더했다가 빼는 거야.

2. 이차함수의 그래프와 x축, y축과의 교점 up+

(1) 이차함수 $y=ax^2+bx+c$의 그래프

① x축과의 교점 ➡ $y=0$일 때의 x의 값

② y축과의 교점 ➡ $x=0$일 때의 y의 값

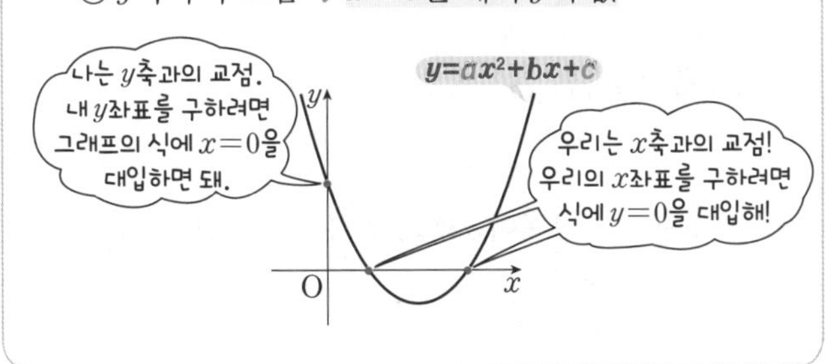

04 다음 이차함수의 그래프와 x축, y축과의 교점의 좌표를 각각 구하시오.

(1) $y=-x^2-3x+10$

(2) $y=\frac{1}{2}x^2+4x$

(3) $y=4x^2+4x-3$

(4) $y=-3x^2-12x-8$

05 이차함수 $y=2x^2-4x+5$의 그래프에 대한 다음 설명 중 옳은 것에는 ○표, 옳지 않은 것에는 ×표를 하시오.

(1) 위로 볼록한 포물선이다. ( )

(2) 축의 방정식은 $x=1$이다. ( )

(3) 꼭짓점의 좌표는 $(1, -3)$이다. ( )

(4) 제1, 2, 3, 4분면을 지난다. ( )

(5) y축과의 교점의 y좌표는 $(0, 5)$이다. ( )

(6) $y=2x^2$의 그래프를 x축의 방향으로 1만큼, y축의 방향으로 3만큼 평행이동한 그래프이다. ( )

3. 이차함수 $y=ax^2+bx+c$의 그래프의 평행이동

이차함수 $y=ax^2+bx+c$의 그래프를 x축으로 m만큼, y축으로 n만큼 평행이동한 그래프의 식은

$y=a(x-p)^2+q$의 꼴로 변형

$\xrightarrow[y \text{ 대신 } y-n]{x \text{ 대신 } x-m}$ $y=a(\underline{x-m}-p)^2+\underline{q+n}$

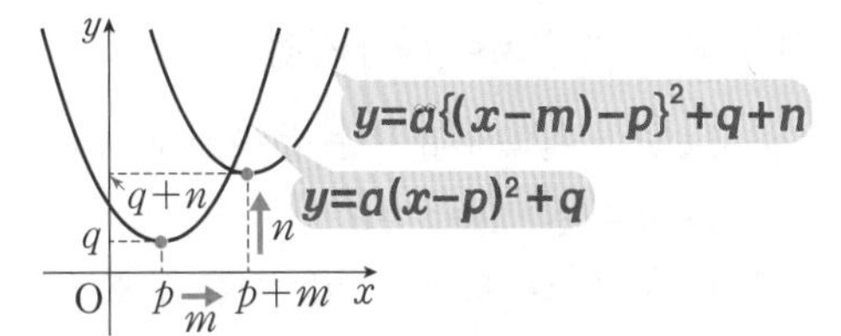

06 이차함수 $y=3x^2+6x+2$의 그래프를 x축의 방향으로 3만큼, y축의 방향으로 3만큼 평행이동한 이차함수의 식을 구하려고 한다. □ 안에 알맞은 것을 써넣으시오.

> $y=3x^2+6x+2=3(x+\square)^2-1$에서
>
> x 대신 $x-\square$, y 대신 $y-\square$을 대입하면
>
> $y-\square=3(x-\square+\square)^2-1$
>
> 따라서 구하는 이차함수의 식은
>
> $y=3(x-\square)^2+\square$
>
> 이것을 정리하면 $y=\square$

07 이차함수 $y=-2x^2-4x+1$의 그래프를 x축의 방향으로 2만큼, y축의 방향으로 1만큼 평행이동한 이차함수의 식을 $y=ax^2+bx+c$의 꼴로 나타내시오.

4. 이차함수 $y=ax^2+bx+c$의 그래프에서 a, b, c의 부호

이차함수 $y=ax^2+bx+c$의 그래프에서

(1) a의 부호: 그래프의 모양에 따라 결정

① 아래로 볼록 ➡ $a>0$

② 위로 볼록 ➡ $a<0$

(2) b의 부호: 축의 위치에 따라 결정

① 축이 y축의 왼쪽 ➡ a, b는 같은 부호($ab>0$)

② 축이 y축과 일치 ➡ $b=0$

③ 축이 y축의 오른쪽 ➡ a, b는 다른 부호($ab<0$)

$y=ax^2+bx+c(a>0)$의 그래프의 축의 위치

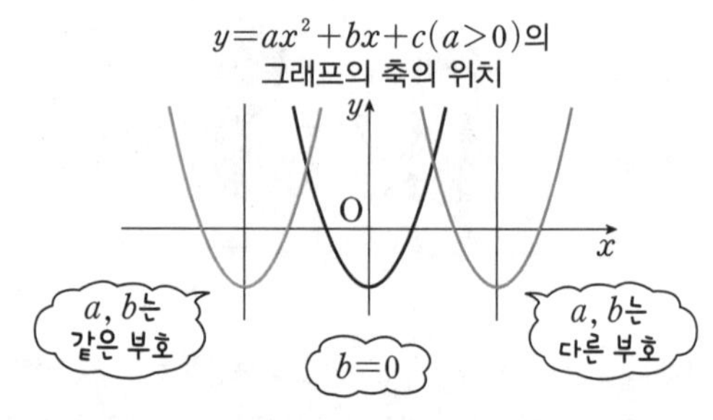

(3) c의 부호: y축과의 교점의 위치에 따라 결정

① y축과의 교점이 x축보다 위쪽 ➡ $c>0$

② y축과의 교점이 원점과 일치 ➡ $c=0$

③ y축과의 교점이 x축보다 아래쪽 ➡ $c<0$

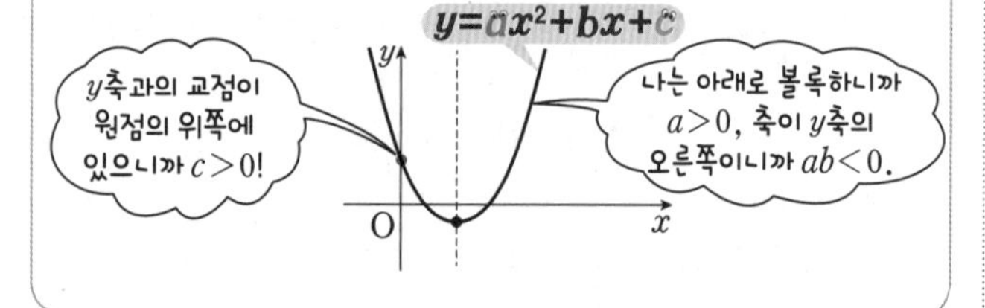

08 이차함수 $y=ax^2+bx+c$의 그래프가 오른쪽과 같을 때, □ 안에 알맞은 부등호를 써넣으시오.

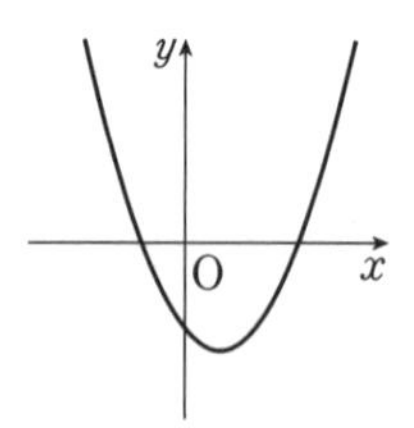

(1) 그래프가 아래로 볼록하므로
a □ 0

(2) 축이 y축의 오른쪽에 있으므로 ab □ 0
$\therefore b$ □ 0

(3) y축과의 교점이 x축의 아래쪽에 있으므로 c □ 0

09 이차함수 $y=ax^2+bx+c$의 그래프가 오른쪽과 같을 때, □ 안에 알맞은 부등호를 써넣으시오.

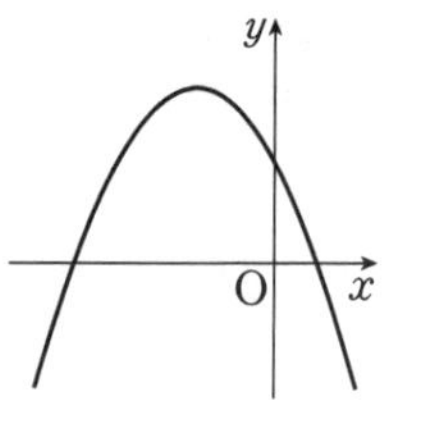

(1) 그래프가 위로 볼록하므로
a □ 0

(2) 축이 y축의 왼쪽에 있으므로 ab □ 0
$\therefore b$ □ 0

(3) y축과의 교점이 x축의 위쪽에 있으므로 c □ 0

10 이차함수 $y=ax^2+bx+c$의 그래프가 다음 그림과 같을 때, □ 안에 >, =, < 중 알맞은 것을 써넣으시오.

(1)

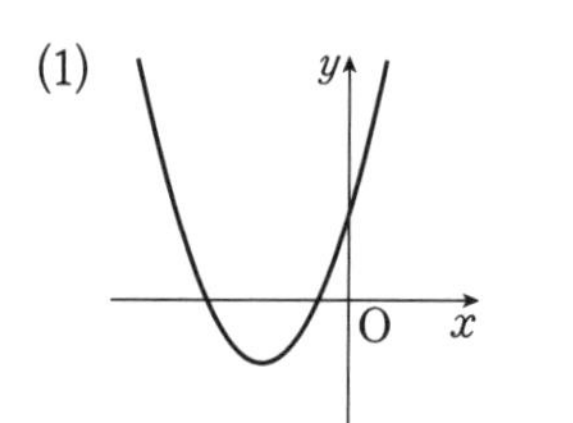

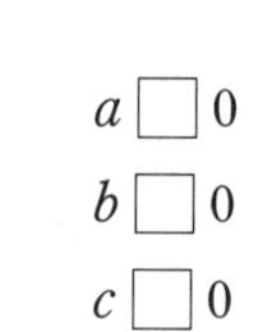

a □ 0
b □ 0
c □ 0

(2)

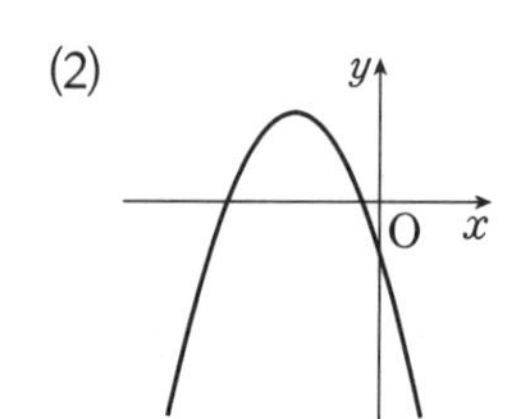

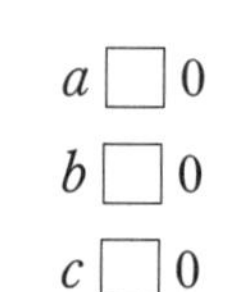

a □ 0
b □ 0
c □ 0

(3)

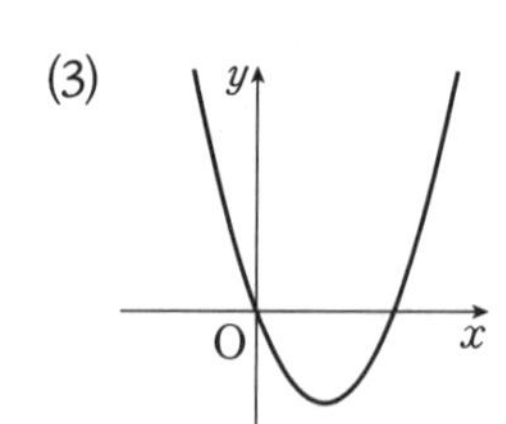

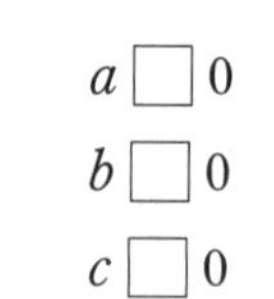

a □ 0
b □ 0
c □ 0

(4)

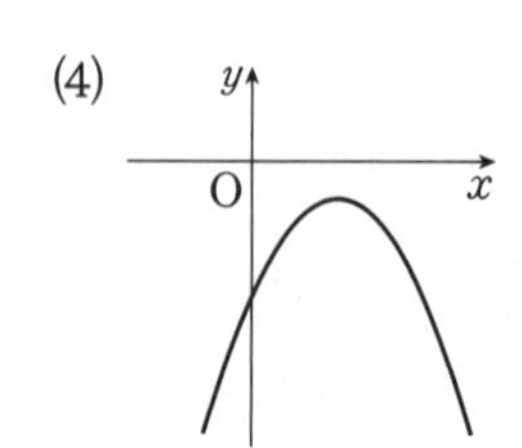

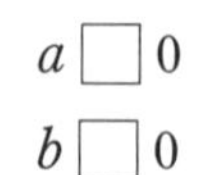
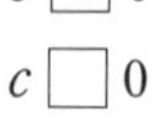

a □ 0
b □ 0
c □ 0

정답과 해설 _ p.58

01 다음 이차함수를 $y=a(x-p)^2+q$의 꼴로 나타내시오.

(1) $y=2x^2-16x+3$

(2) $y=-3x^2+12x-8$

주어진 이차함수를 (완전제곱식)$+$(상수)의 꼴로 변형하기 위해 적당한 수를 더했다가 뺀다.

02 다음 이차함수의 그래프의 꼭짓점의 좌표와 축의 방정식을 차례로 구하시오.

(1) $y=-2x^2-4x+4$

(2) $y=x^2-x-6$

$y=a(x-p)^2+q$의 꼴로 고친다.

03 이차함수 $y=-\frac{2}{3}x^2-3x+6$의 x축과의 교점의 좌표를 구하시오.

$y=0$을 대입한 후 이차방정식을 푼다.

04 이차함수 $y=ax^2+bx+c$의 그래프가 오른쪽 그림과 같을 때, a, b, c의 부호를 말하시오.

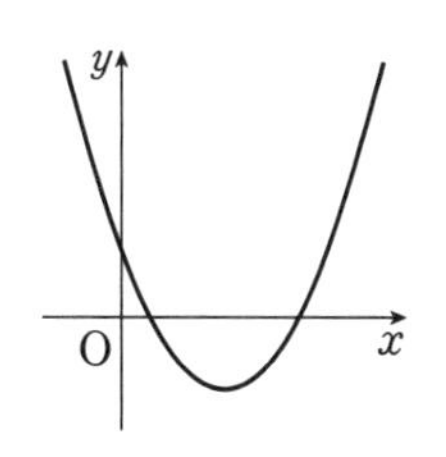

아래로 볼록이면 $a>0$
위로 볼록이면 $a<0$
축이 y축의 오른쪽에 있으면 $ab<0$
축이 y축의 왼쪽에 있으면 $ab>0$

05 이차함수 $y=-x^2-2x-2$의 그래프를 x축의 방향으로 3만큼, y축의 방향으로 -2만큼 평행이동한 그래프의 식을 $y=ax^2+bx+c$의 꼴로 나타내시오.

$y=a(x-p)^2+q$의 꼴로 고친 후 x 대신 $x-3$, y 대신 $y+2$를 대입한다.

34강 ••• 이차함수의 식 구하기

정답과 해설 _ p.58

1. 꼭짓점과 한 점을 알 때, 이차함수의 식 구하기 up+

(1) 꼭짓점의 좌표 $(p,\ q)$와 그래프가 지나는 다른 한 점을 알 때,

① 이차함수의 식을 $y=a(x-p)^2+q$로 놓는다.
② 주어진 한 점의 좌표를 대입하여 a의 값을 구한다.

참고 꼭짓점의 좌표에 따른 이차함수의 식을 다음과 같이 놓으면 편리하다.

꼭짓점의 좌표	이차함수의 식
$(0,\ 0)$	$y=ax^2$
$(0,\ q)$	$y=ax^2+q$
$(p,\ 0)$	$y=a(x-p)^2$
$(p,\ q)$	$y=a(x-p)^2+q$

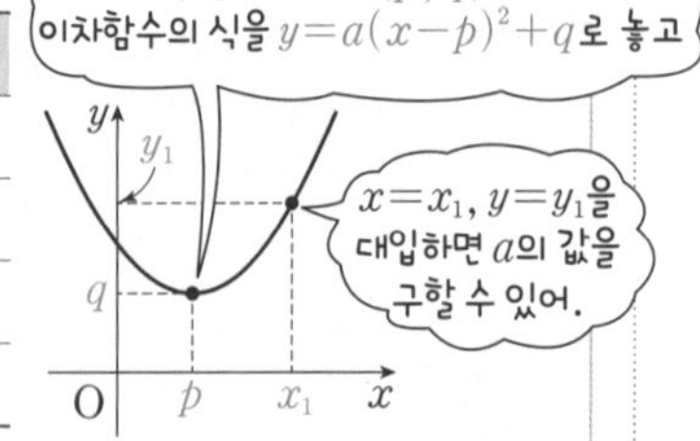

(2) 점 $(m,\ n)$이 이차함수 $y=f(x)$의 그래프 위의 점
➡ $x=m,\ y=n$을 $y=f(x)$에 대입하면 등식이 성립한다.

01 다음 포물선을 그래프로 하는 이차함수의 식을 $y=a(x-p)^2+q$의 꼴로 나타내시오.

(1) 꼭짓점의 좌표가 $(1,\ 2)$이고, 점 $(0,\ 4)$를 지나는 포물선

(2) 꼭짓점의 좌표가 $(2,\ 3)$이고, 점 $(0,\ -1)$을 지나는 포물선

(3) 꼭짓점의 좌표가 $(-1,\ -4)$이고, 점 $(-2,\ 5)$를 지나는 포물선

(4) 꼭짓점의 좌표가 $(1,\ -3)$이고 점 $(3,\ -1)$을 지나는 포물선

02 다음 그림과 같은 포물선을 그래프로 하는 이차함수의 식을 구하려고 한다. □ 안에 알맞은 것을 쓰고, 이차함수의 식을 $y=a(x-p)^2+q$의 꼴로 나타내시오. (단, $a,\ p,\ q$는 상수)

(1)

꼭짓점의 좌표가 $(2,\ \square)$
➡ $y=a(x-2)^2+\square$
원점 $(0,\ 0)$을 지나므로
$0=4a+\square$ $\quad\therefore a=\square$
➡ $y=\square$

(2)

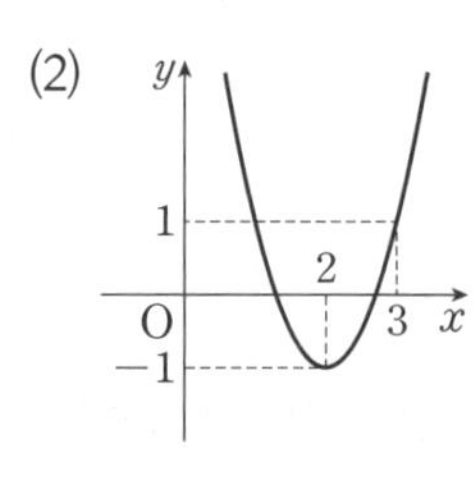

꼭짓점의 좌표가 $(\square,\ -1)$
➡ $y=a(x-\square)^2-1$
점 $(3,\ 1)$을 지나므로
$\square=a(\square-2)^2-1$
$\therefore a=\square$
➡ $y=\square$

(3)

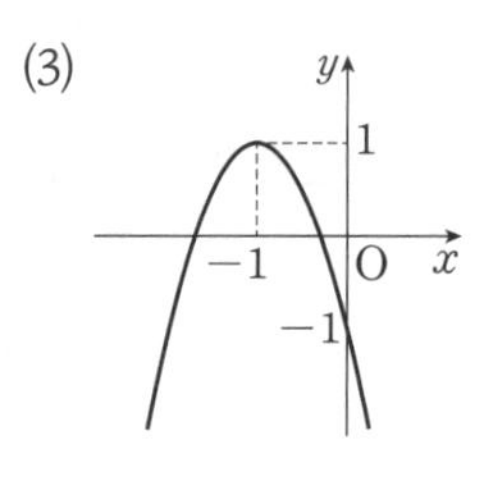

꼭짓점의 좌표가 $(-1,\ \square)$
➡ $y=a(x+1)^2+\square$
점 $(0,\ \square)$을 지나므로
$-1=a(0+1)^2+\square$
$\therefore a=\square$
➡ $y=\square$

(4)

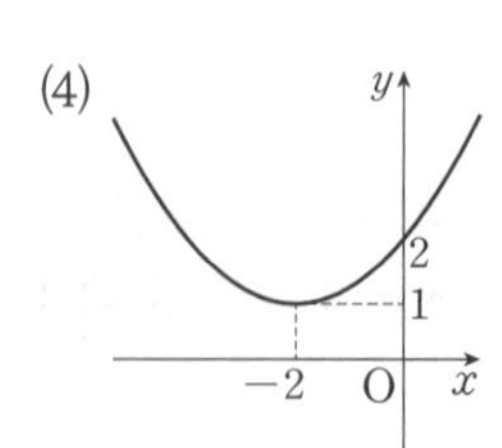

꼭짓점의 좌표가 $(\square,\ 1)$
➡ $y=a(x+2)^2+1$
점 $(0,\ \square)$를 지나므로
$\square=a(0+2)^2+1$
$\therefore a=\square$
➡ $y=\square$

2. 축과 두 점을 알 때, 이차함수의 식 구하기

축의 방정식 $x=p$와 그래프가 지나는 두 점을 알 때,

① 이차함수의 식을 $y=a(x-p)^2+q$로 놓는다.
② 주어진 두 점의 좌표를 각각 대입하여 a, q의 값을 구한다.

참고 축의 방정식에 따른 이차함수의 식을 다음과 같이 놓으면 편리하다.

축의 방정식	이차함수의 식
$x=0$	$y=ax^2+q$
$x=p$	$y=a(x-p)^2+q$

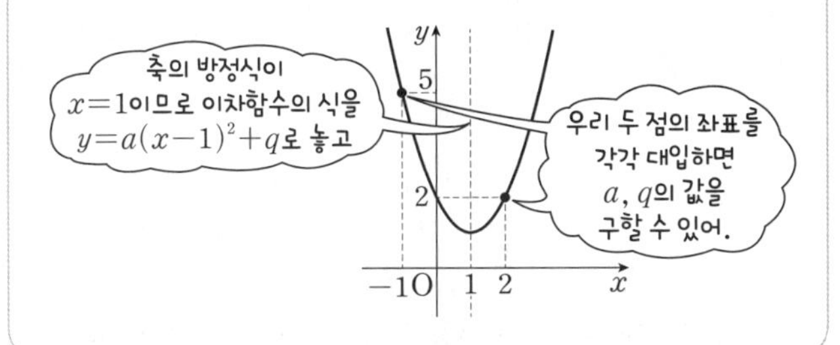

03 다음 포물선을 그래프로 하는 이차함수의 식을 $y=a(x-p)^2+q$의 꼴로 나타내시오.

(1) 축의 방정식이 $x=1$이고, 두 점 $(0, 3)$, $(3, 0)$을 지나는 포물선

(2) 축의 방정식이 $x=-2$이고, 두 점 $(-1, 1)$, $(2, 16)$을 지나는 포물선

(3) 축의 방정식이 $x=3$이고 두 점 $(2, 0)$, $(0, -8)$을 지나는 포물선

(4) 축의 방정식이 $x=\frac{1}{2}$이고 두 점 $(1, 2)$, $(2, 10)$을 지나는 포물선

04 다음 그림과 같은 포물선을 그래프로 하는 이차함수의 식을 구하려고 한다. □ 안에 알맞은 것을 쓰고, 이차함수의 식을 $y=a(x-p)^2+q$의 꼴로 나타내시오. (단, a, p, q는 상수)

(1)
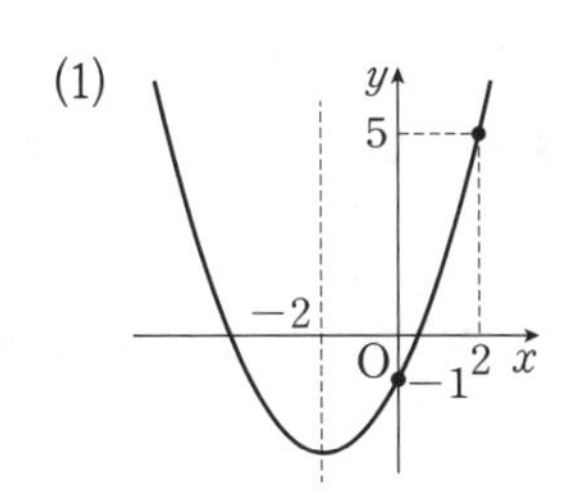

축의 방정식이 $x=$□이고 두 점 $(0,$ □$)$, $(2, 5)$를 지나는 포물선
➡ ____________

(2)
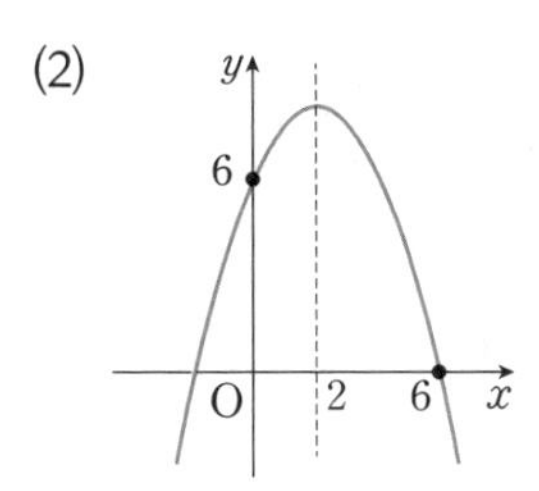

축의 방정식이 $x=$□이고 두 점 $(0,$ □$)$, $(6,$ □$)$을 지나는 포물선
➡ ____________

(3)
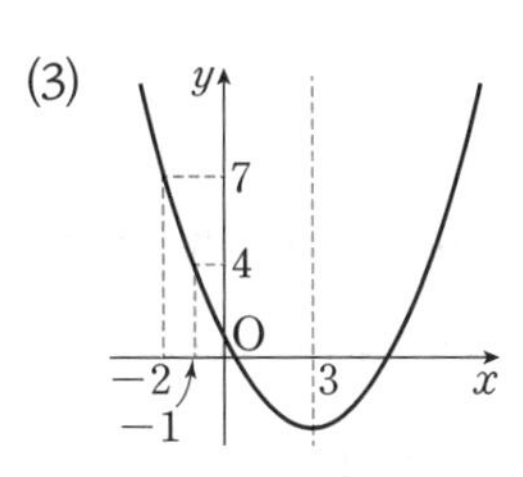

축의 방정식이 $x=$□이고 두 점 $($□$, 4)$, $(-2,$ □$)$을 지나는 포물선
➡ ____________

(4)
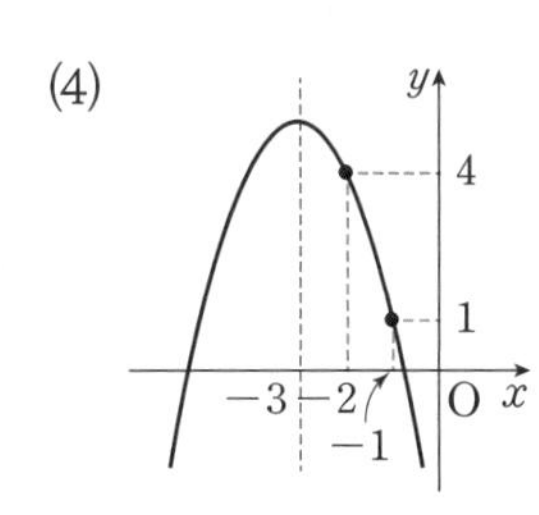

축의 방정식이 $x=$□이고 두 점 $(-1, 1)$, $($□$,$ □$)$를 지나는 포물선
➡ ____________

3. 세 점을 알 때 이차함수의 식 구하기

(1) 그래프가 지나는 서로 다른 세 점을 알 때,

① 이차함수의 식을 $y=ax^2+bx+c$로 놓는다.

② 세 점의 좌표를 각각 대입하여 a, b, c의 값을 구한다.

(2) x축과의 두 교점 $(\alpha, 0)$, $(\beta, 0)$과 그래프가 지나는 다른 한 점의 좌표를 알 때,

① 이차함수의 식을 $y=a(x-\alpha)(x-\beta)$로 놓는다.

② 주어진 다른 한 점의 좌표를 식에 대입하여 a의 값을 구한다.

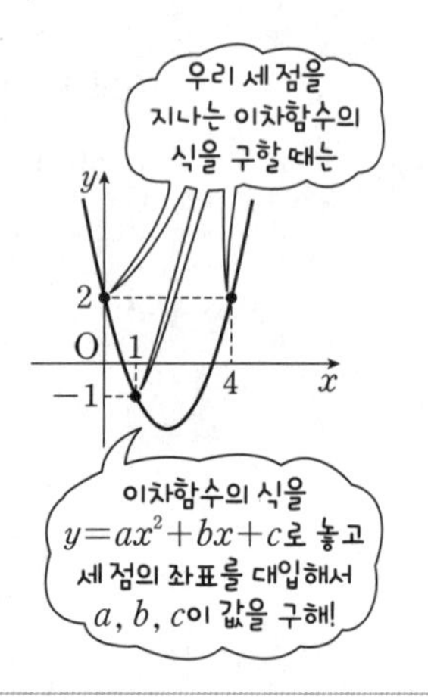

05 다음 세 점을 지나는 포물선을 그래프로 하는 이차함수의 식을 $y=ax^2+bx+c$의 꼴로 나타내시오. (단, a, b, c는 상수)

(1) 세 점 $(0, 1)$, $(1, 2)$, $(-1, 4)$를 지나는 포물선

(2) 세 점 $(0, -4)$, $(1, -3)$, $(2, 4)$를 지나는 포물선

(3) 세 점 $(0, 1)$, $(1, -1)$, $(-1, 5)$를 지나는 포물선

(4) 세 점 $(-1, -2)$, $(0, 2)$, $(2, 4)$를 지나는 포물선

06 다음 세 점을 지나는 포물선을 그래프로 하는 이차함수의 식을 $y=ax^2+bx+c$의 꼴로 나타내시오. (단, a, b, c는 상수)

(1) x축과 두 점 $(-2, 0)$, $(4, 0)$에서 만나고, 점 $(0, -8)$을 지나는 포물선

(2) 세 점 $(-3, 0)$, $(1, 0)$, $(2, -5)$를 지나는 포물선

(3) 세 점 $(1, 0)$, $(3, 0)$, $(-1, 4)$를 지나는 포물선

07 다음 그림과 같은 포물선을 그래프로 하는 이차함수의 식을 $y=ax^2+bx+c$의 꼴로 나타내시오.

(1)

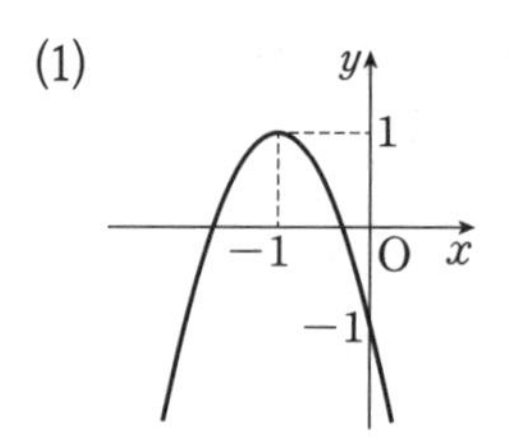

(2)

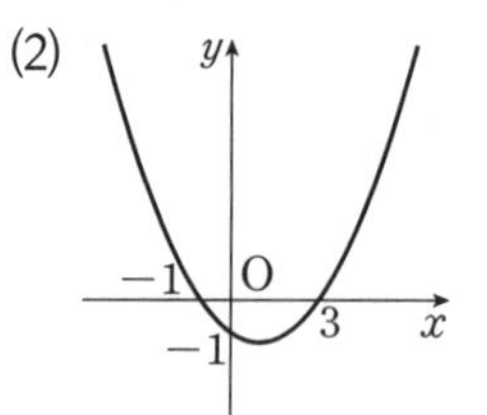

(3)

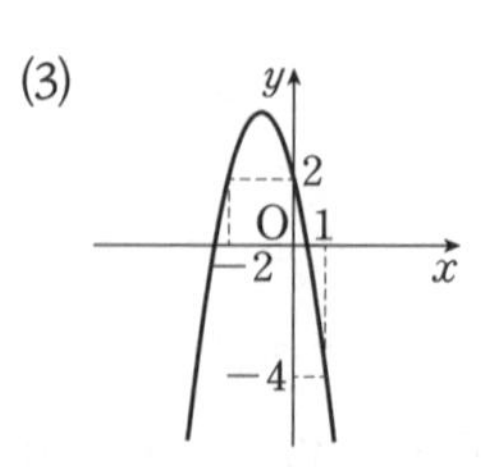

만점

01 꼭짓점의 좌표가 $(2,\ -2)$이고, 원점을 지나는 이차함수의 그래프의 식을 $y=ax^2+bx+c$의 꼴로 나타내시오.

> 꼭짓점의 좌표가 (p, q)일 때, 구하는 이차함수의 식을 $y=a(x-p)^2+q$ 로 놓는다.

02 오른쪽 그림과 같은 이차함수의 그래프의 식을 $y=ax^2+bx+c$라 할 때, $a+b+c$의 값을 구하시오.

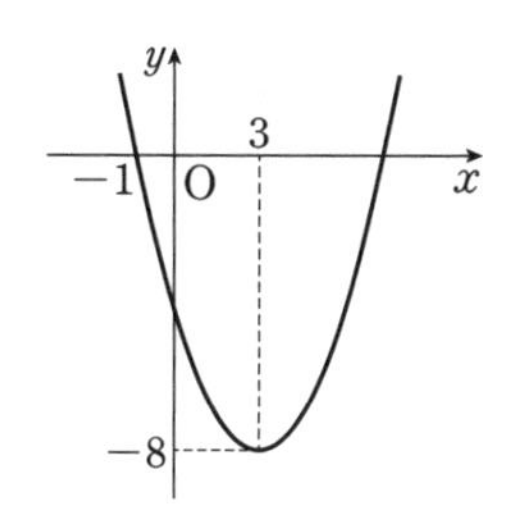

> 그래프는 꼭짓점의 좌표가 $(3,\ -8)$이고 점 $(-1,\ 0)$을 지난다.

03 두 점 $(2, 7)$과 $(5, 1)$을 지나고 축의 방정식이 $x=4$인 포물선의 식이 $y=ax^2+bx+c$라고 할 때, $a+b+c$의 값은?

① 12 ② 13 ③ 15
④ 17 ⑤ 19

> 축의 방정식이 $x=p$일 때, 이차함수의 식을 $y=a(x-p)^2+q$로 놓는다.

04 세 점 $(-1, 0)$, $(3, 0)$, $(0, -3)$을 지나는 포물선을 그래프로 갖는 이차함수의 식을 $y=ax^2+bx+c$의 꼴로 나타내시오.

> 세 점을 각각 대입한 후 연립방정식을 푼다.

05 이차함수 $y=-x^2+6x+k$의 꼭짓점의 좌표가 $(p, 1)$이라고 할 때, k, p의 값을 구하시오.

> x^2의 계수가 -1이므로 꼭짓점의 좌표를 이용하여 식을 세운다.

중단원 연산 마무리

01 다음 중 이차함수인 것은 ○표, 이차함수가 아닌 것은 ×표를 하시오.

(1) $y=\frac{1}{2}x+5$ ( )

(2) $y=x(x+2)-1$ ( )

(3) $y=x^3+2x-1$ ( )

(4) $y=\frac{x^2}{2}-1$ ( )

02 다음에서 y를 x에 대한 식으로 나타내고, 이차함수인지 말하시오.

(1) 밑변의 길이가 5 cm이고 높이가 x cm인 삼각형의 넓이 y cm^2

➡ ________ ➡ ( )

(2) 길이가 10 cm인 철사로 직사각형을 만들 때, 가로의 길이가 x cm인 직사각형의 넓이 y cm^2

➡ ________ ➡ ( )

(3) 시속 5 km의 속력으로 x시간 동안 달린 거리 y km

➡ ________ ➡ ( )

(4) 반지름의 길이가 x cm인 원의 넓이 y cm^2

➡ ________ ➡ ( )

03 이차함수 $f(x)=3x^2-4x$에 대하여 다음을 구하시오.

(1) $f(-1)$

(2) $f\left(\frac{1}{3}\right)$

04 이차함수 $y=x^2$의 그래프에 대한 다음 설명 중 옳은 것은 ○표, 옳지 않은 것은 ×표를 하시오.

(1) 원점을 꼭짓점으로 한다. ( )

(2) 대칭축은 x축이다. ( )

(3) $x>0$일 때, x의 값이 증가하면 y의 값도 증가한다. ( )

(4) $y=-x^2$의 그래프와 x축에 대하여 대칭이다. ( )

05 다음 보기 중 이차함수 $y=ax^2$의 그래프에 대한 설명으로 옳은 것을 모두 고르시오.

보기

ㄱ. 원점을 꼭짓점으로 하는 포물선이다.
ㄴ. 점 $(-1, a)$를 지난다.
ㄷ. x축을 대칭축으로 한다.
ㄹ. a의 절댓값이 클수록 폭이 넓어진다.
ㅁ. $y=-ax^2$의 그래프와 x축에 대하여 대칭이다.
ㅂ. $a>0$이면 위로 볼록하고, $a<0$이면 아래로 볼록하다.

06 아래 이차함수의 그래프에 대하여 다음을 구하시오.

ㄱ. $y=2x^2$　ㄴ. $y=-\frac{1}{2}x^2$　ㄷ. $y=-\frac{2}{3}x^2$
ㄹ. $y=x^2$　ㅁ. $y=-2x^2$　ㅂ. $y=\frac{3}{2}x^2$

(1) 위로 볼록한 그래프

(2) 아래로 볼록한 그래프

(3) 폭이 가장 넓은 그래프

(4) x축에 대하여 서로 대칭인 그래프

07 다음 이차함수의 그래프의 꼭짓점의 좌표와 축의 방정식을 각각 구하시오.

(1) $y=\frac{1}{5}x^2+5$

꼭짓점의 좌표 ➡ ____________

축의 방정식 ➡ ____________

(2) $y=-\frac{3}{4}x^2-7$

꼭짓점의 좌표 ➡ ____________

축의 방정식 ➡ ____________

08 다음 중 이차함수 $y=ax^2+q$의 그래프에 대한 설명으로 옳은 것은 ○표, 옳지 않은 것은 ×표를 하시오.

(1) $a<0$이면 위로 볼록이다. (　　)

(2) 꼭짓점의 좌표는 $(0, q)$이다. (　　)

(3) x축에 대하여 대칭이다. (　　)

(4) $a<0$일 때, x의 값이 증가할 때 y의 값이 감소하는 x의 값의 범위는 $x<0$이다. (　　)

(5) $y=ax^2$의 그래프를 y축의 방향으로 q만큼 평행이동한 것이다. (　　)

09 이차함수 $y=-2x^2+5$의 그래프 위에 있는 점인 것은 ○표, 아닌 것은 ×표를 하시오.

(1) $(1, 3)$ (　　)

(2) $(-2, 1)$ (　　)

(3) $(-3, 13)$ (　　)

10 다음 이차함수의 그래프의 꼭짓점의 좌표와 축의 방정식을 각각 구하시오.

(1) $y=(x-5)^2$

꼭짓점의 좌표 ➡ ____________

축의 방정식 ➡ ____________

(2) $y=-3(x-1)^2$

꼭짓점의 좌표 ➡ ____________

축의 방정식 ➡ ____________

11 이차함수 $y=-(x-2)^2$의 그래프에 대한 설명으로 옳은 것은 ○표, 옳지 않은 것은 ×표를 하시오.

(1) 꼭짓점의 좌표는 $(2, 0)$이고, 직선 $x=2$를 축으로 하는 포물선이다. (　　)

(2) 이차함수 $y=-x^2$의 그래프를 x축의 방향으로 -2만큼 평행이동한 것이다. (　　)

(3) 이차함수 $y=(x-2)^2$의 그래프와 x축에 대하여 대칭이다. (　　)

(4) x의 값이 증가할 때 y의 값도 증가하는 x의 값의 범위는 $x>2$이다. (　　)

12 다음 이차함수의 그래프를 x축, y축의 방향으로 각각 [　] 안의 수만큼 평행이동한 그래프의 식을 $y=a(x-p)^2+q$의 꼴로 나타내시오.

(1) $y=3x^2$ $[-2, 1]$

➡ ____________

(2) $y=-\frac{3}{2}x^2$ $[5, -6]$

➡ ____________

13 다음 이차함수의 그래프의 꼭짓점의 좌표와 축의 방정식을 각각 구하시오.

(1) $y=(x+5)^2+2$

꼭짓점의 좌표 ➡ ________

축의 방정식 ➡ ________

(2) $y=-\frac{5}{3}(x-2)^2-4$

꼭짓점의 좌표 ➡ ________

축의 방정식 ➡ ________

14 이차함수 $y=-2(x+1)^2-3$의 그래프에 대한 설명으로 옳은 것은 ○표, 옳지 않은 것은 ×표를 하시오.

(1) 꼭짓점의 좌표는 $(1, -3)$이다. (　　)

(2) 축의 방정식은 $x=-1$이다. (　　)

(3) x의 값이 증가할 때, y의 값이 증가하는 x의 값의 범위는 $x<0$이다. (　　)

(4) $y=2(x+1)^2+3$의 그래프와 x축에 대하여 대칭이다. (　　)

(5) y축과 만나는 점의 좌표는 $(0, -3)$이다. (　　)

15 이차함수 $y=-\frac{1}{2}(x+1)^2+2$의 그래프를 x축의 방향으로 2만큼, y축의 방향으로 4만큼 평행이동한 그래프의 꼭짓점의 좌표와 이차함수의 식을 구하시오.

꼭짓점의 좌표 ➡ ________

이차함수의 식 ➡ ________

16 다음 값을 구하시오.

(1) 이차함수 $y=-3x^2+q$의 그래프가 점 $(1, 3)$을 지날 때, q의 값

(2) 이차함수 $y=-\frac{1}{2}x^2$의 그래프를 x축의 방향으로 p만큼 평행이동하면 점 $(2, -1)$을 지날 때, 상수 p의 값

(3) 이차함수 $y=-\frac{1}{2}x^2$의 그래프를 x축의 방향으로 1만큼, y축의 방향으로 b만큼 평행이동한 그래프의 식이 $y=-\frac{1}{2}x^2+x-\frac{9}{2}$일 때, b의 값

17 다음 이차함수의 그래프의 꼭짓점의 좌표와 축의 방정식을 각각 구하시오.

(1) $y=x^2-2x+3$

꼭짓점의 좌표 ➡ ________

축의 방정식 ➡ ________

(2) $y=\frac{1}{2}x^2-x+2$

꼭짓점의 좌표 ➡ ________

축의 방정식 ➡ ________

정답과 해설 _ p.62

18 이차함수 $y=-3x^2-6x-7$의 그래프에 대한 다음 설명으로 옳은 것은 ○표, 옳지 않은 것은 ×표를 하시오.

(1) 축의 방정식은 $x=-1$이다. (　　)

(2) 꼭짓점의 좌표는 $(1,\ -4)$이다. (　　)

(3) 제 2, 3, 4분면을 지난다. (　　)

(4) y축과의 교점의 좌표는 $(0,\ -7)$이다. (　　)

(5) $y=-3x^2$의 그래프를 x축의 방향으로 -1만큼, y축의 방향으로 -4만큼 평행이동한 그래프이다. (　　)

19 이차함수 $y=ax^2+bx+c$의 그래프가 오른쪽 그림과 같을 때, a, b, c의 부호를 구하시오.

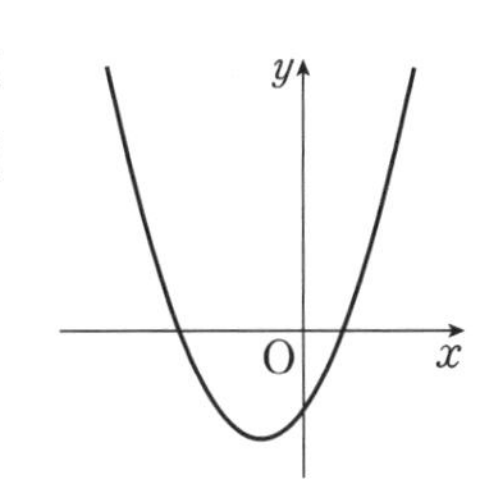

20 다음 포물선을 그래프로 하는 이차함수의 식을 $y=ax^2+bx+c$의 꼴로 나타내시오.

(1) 점 $(0,\ 1)$을 지나고 꼭짓점의 좌표가 $(2,\ 5)$인 포물선

(2) $x=4$를 축으로 하고, 두 점 $(5,\ 8)$과 $(2,\ 2)$를 지나는 포물선

(3) 세 점 $(1,\ 2)$, $(-1,\ 0)$, $(2,\ -6)$을 지나는 포물선

도전 100점

21 오른쪽 그림은 이차함수 $y=ax^2+4$의 그래프이다. △ABC의 넓이가 16일 때, a의 값을 구하시오.

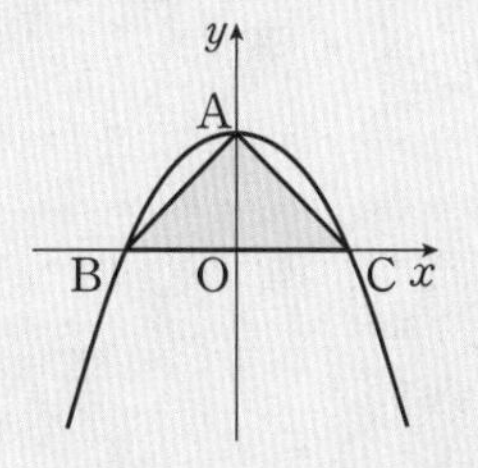

22 이차함수 $y=ax^2+bx+c$의 그래프가 오른쪽 그림과 같을 때, 이차함수 $y=bx^2+cx+a$의 그래프의 개형으로 알맞은 것은? (단, a, b, c는 상수)

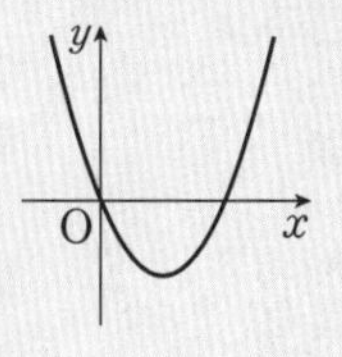

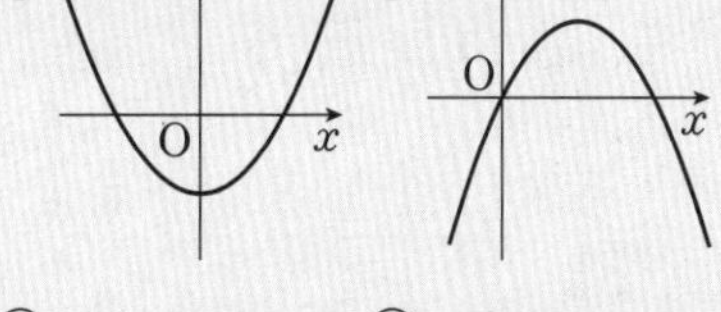

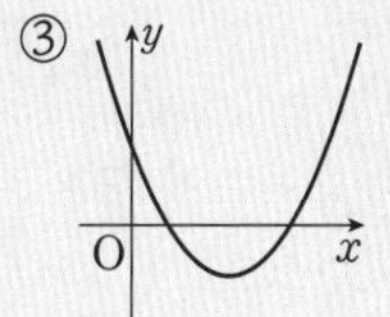

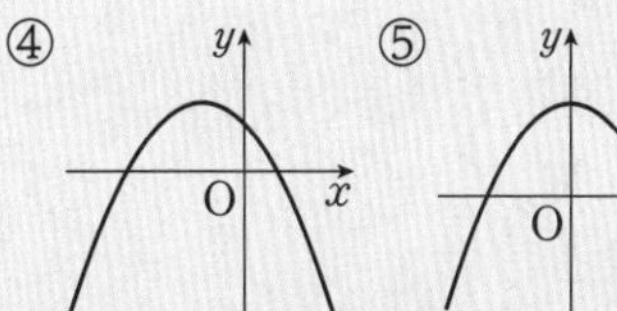

23 이차함수 $y=ax^2$의 그래프를 x축의 방향으로 2만큼, y축의 방향으로 -3만큼 평행이동하였더니 이차함수 $y=-2x^2+bx+c$의 그래프가 되었다. 이때 세 상수 a, b, c의 합 $a+b+c$의 값을 구하시오.

24 이차함수 $y=\frac{1}{3}(x-3)^2-4$의 그래프를 꼭짓점이 원점인 포물선이 되도록 하려면 x축의 방향으로 a만큼, y축의 방향으로 b만큼 평행이동해야 한다. 이때 ab의 값을 구하시오.

나만의 비법 노트

힘수 연산으로 **수학** 기초 체력 **UP!**

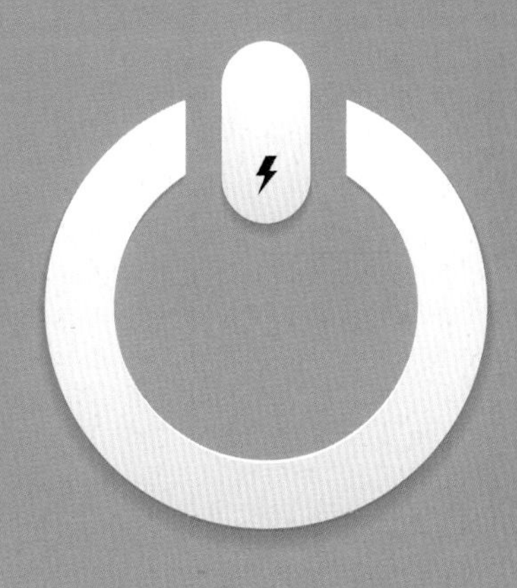

힘이 붙는 수학 연산

정답과 해설

중등 3-1

금성출판사

푸르넷 에듀 소개

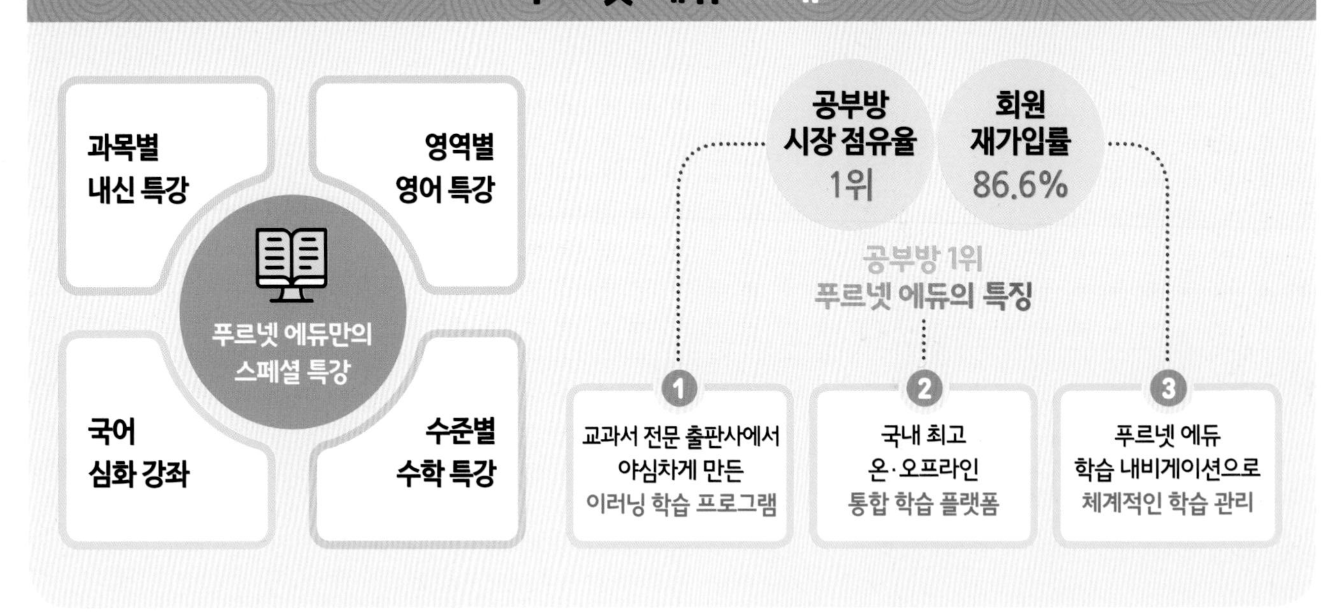

푸르넷 에듀 상품

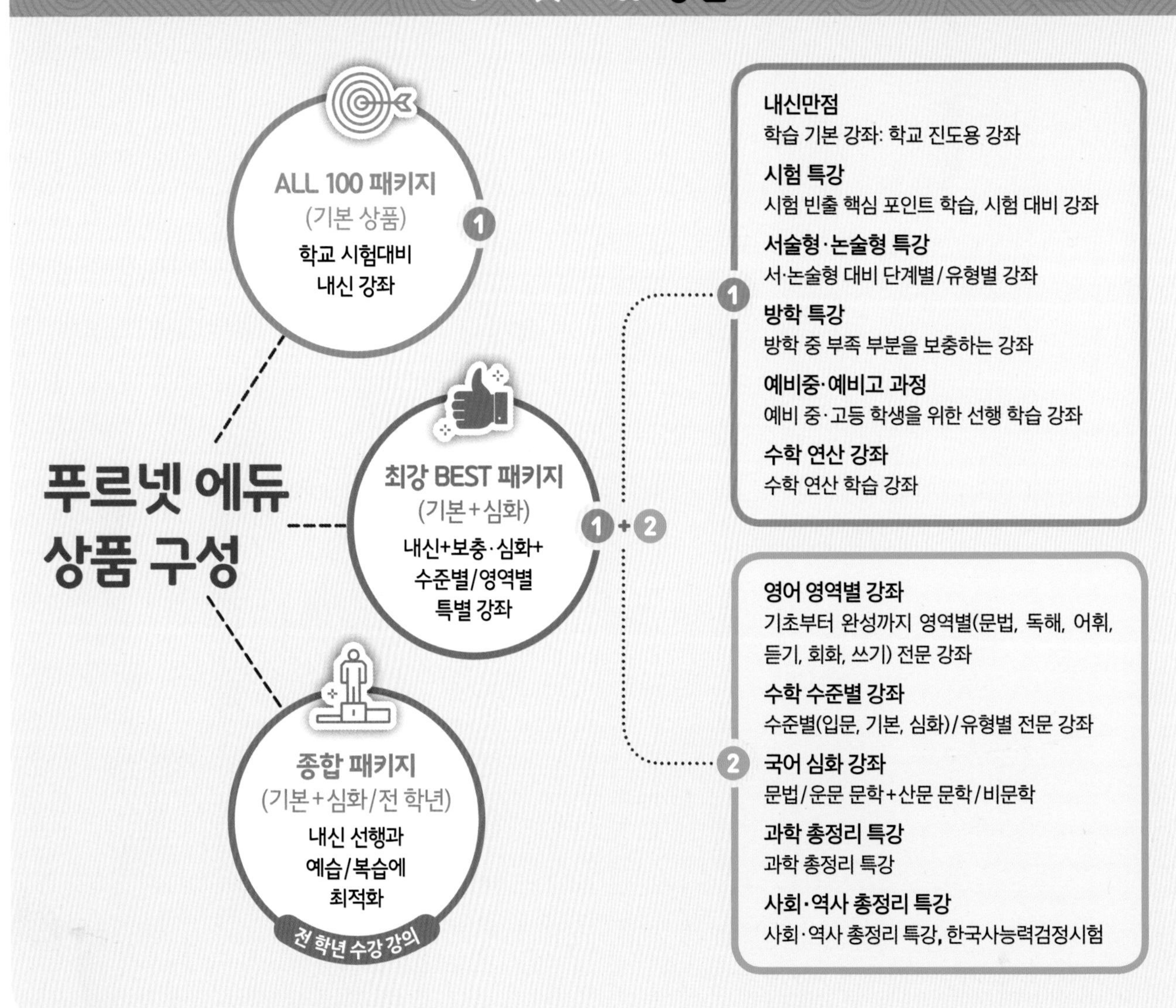

중등 3-1

정답과 해설

I 실수와 그 계산

힘수 점검 7쪽

1. (1) 4, -4 (2) 0 (3) 1, -1 (4) a, $-a$

2. (1) $2^2\times3$ (2) $2^2\times3^2$ (3) $2^4\times3$ (4) $2^2\times5^2$

3. (1) ○ (2) ○ (3) ×
(4) 유리수는 양의 유리수, 0, 음의 유리수로 이루어져 있다.

4. (1) $>$ (2) $>$ (3) $<$ (4) $<$

5. (1) 13 (2) -9 (3) -18 (4) 15

6. (1) 18 (2) -8 (3) -18 (4) 22

1강 제곱근과 그 표현 8~9쪽

01 (1) 3, -3 (2) 4, -4 (3) 10, -10 (4) $\frac{1}{2}$, $-\frac{1}{2}$
02 (1) 2, -2 (2) 8, -8 (3) $\frac{1}{4}$, $-\frac{1}{4}$ (4) 6, -6 (5) 8, -8
03 (1) 1 (2) 49 (3) 100 (4) $\frac{1}{25}$
04 (1) 2개 (2) 2개 (3) 2개 (4) 1개 (5) 없다.
05 (1) × (2) ○ (3) × (4) ○
06 (1) $\sqrt{3}$ (2) $\sqrt{11}$ (3) $\sqrt{\frac{3}{5}}$ (4) $-\sqrt{3}$ (5) $-\sqrt{26}$ (6) $-\sqrt{\frac{1}{4}}$
07 (1) $\sqrt{6}$, $-\sqrt{6}$ (2) $\sqrt{17}$, $-\sqrt{17}$ (3) $\sqrt{\frac{3}{7}}$, $-\sqrt{\frac{3}{7}}$ (4) $\sqrt{3}$ (5) $\sqrt{45}$
08 (1) $\sqrt{3}$ (2) $\sqrt{7}$ (3) $\sqrt{12}$ (4) $\sqrt{\frac{3}{2}}$ (5) $\sqrt{3.14}$
09 (1) $\pm\sqrt{2}$, $\sqrt{2}$ (2) $\pm\sqrt{140}$, $\sqrt{140}$ (3) $\pm\sqrt{\frac{5}{12}}$, $\sqrt{\frac{5}{12}}$ (4) $\pm\sqrt{3.6}$, $\sqrt{3.6}$

04 (1) -6, 6으로 2개이다.
(2) -1, 1로 2개이다.
(3) -3, 3으로 2개이다.
(4) 0의 제곱근은 0 한 개 뿐이다.
(5) 음수의 제곱근은 없다.

05 (1) 0의 제곱근은 0으로 한 개이다.
(3) 음수의 제곱근은 없다.

힘수 만점 10쪽

01 ① **02** ① **03** ② **04** ② **05** $\sqrt{35}$ cm

01 7의 제곱근은 양의 제곱근 $\sqrt{7}$과 음의 제곱근 $-\sqrt{7}$이고, 제곱근 7은 $\sqrt{7}$이다.

02 ① $\sqrt{4}=2$
②, ③, ④, ⑤는 ±2
③ $(-2)^2=4$이므로 4의 제곱근은 ±2이다.

03 ① 9의 제곱근은 ±3이다.
③ 0의 제곱근은 0이다.
④ $(-5)^2=25$이므로 25의 제곱근은 ±5이다.
⑤ $\frac{4}{9}$의 제곱근은 $\pm\frac{2}{3}$로 그 개수는 2개이다.

04 9의 양의 제곱근은 3이므로 $a=3$
제곱근 $\frac{1}{9}$은 $\frac{1}{3}$이므로 $b=\frac{1}{3}$
따라서 $ab=3\times\frac{1}{3}=1$

05 직사각형의 넓이는 $7\times5=35$ (cm^2)이므로
정사각형의 한 변의 길이를 x cm라 하면 정사각형의 넓이는
$x^2=35$
따라서 정사각형의 한 변의 길이는
$x=\sqrt{35}$

2강 제곱근의 성질 11~13쪽

01 (1) 2 (2) 28 (3) 13 (4) 27 (5) -6 (6) -15 (7) -12 (8) -17
02 (1) $\frac{1}{3}$ (2) $\frac{1}{2}$ (3) $-\frac{5}{8}$ (4) $-\frac{5}{7}$ (5) 1.2 (6) 2.3
03 (1) 3 (2) 6 (3) -8 (4) 18 (5) -7 (6) $\frac{3}{7}$ (7) $\frac{1}{9}$ (8) $-\frac{4}{3}$

04 (1) 8 (2) 4 (3) 7 (4) 9 (5) 13
05 (1) 0 (2) 4 (3) 2 (4) 3
06 (1) 30 (2) 3 (3) 5 (4) 6
07 (1) 4 (2) 30 (3) 8 (4) 9
08 (1) 5 (2) 4
09 (1) $2a$ (2) $7a$ (3) $-5a$ (4) $-8a$ (5) $4a$ (6) $6a$ (7) $-3a$ (8) $-10a$
10 (1) $-3a$ (2) $-7a$ (3) $12a$ (4) $5a$
11 (1) a, $-a$ (2) a, $-a$ (3) $-a$, a (4) $-a$, a
12 (1) $x-3$ (2) $-x+2$ (3) $-x-3$ (4) $-x-4$ (5) $-x+1$ (6) $1-x$ (7) 2

03 (2) $\sqrt{36}=\sqrt{6^2}=6$
(5) $-\sqrt{49}=-\sqrt{7^2}=-7$
(7) $\sqrt{\frac{1}{81}}=\sqrt{\left(\frac{1}{9}\right)^2}=\frac{1}{9}$

04 (1) $(\sqrt{5})^2+(\sqrt{3})^2=5+3=8$
(2) $(\sqrt{2})^2+(-\sqrt{2})^2=2+2=4$
(3) $\sqrt{(-3)^2}+\sqrt{4^2}=3+4=7$
(4) $\sqrt{16}+\sqrt{25}=\sqrt{4^2}+\sqrt{5^2}=4+5=9$
(5) $\sqrt{(-6)^2}+(-\sqrt{7})^2=6+7=13$

05 (1) $(\sqrt{3})^2-(-\sqrt{3})^2=3-3=0$
(2) $(\sqrt{12})^2-\sqrt{(-8)^2}=12-8=4$
(3) $\sqrt{100}-\sqrt{64}=\sqrt{10^2}-\sqrt{8^2}=10-8=2$
(4) $(-\sqrt{7})^2-\sqrt{(-4)^2}=7-4=3$

06 (1) $(\sqrt{5})^2\times(\sqrt{6})^2=5\times6=30$
(2) $\left(-\sqrt{\frac{3}{2}}\right)^2\times\sqrt{2^2}=\frac{3}{2}\times2=3$
(3) $\sqrt{\left(\frac{3}{4}\right)^2}\times\sqrt{\left(-\frac{20}{3}\right)^2}=\frac{3}{4}\times\frac{20}{3}=5$
(4) $\left(-\sqrt{\frac{5}{8}}\right)^2\times\left(-\sqrt{\frac{48}{5}}\right)^2=\frac{5}{8}\times\frac{48}{5}=6$

07 (1) $\sqrt{16^2}\div\sqrt{(-4)^2}=16\div4=4$
(2) $(-\sqrt{6})^2\div\sqrt{\left(\frac{1}{5}\right)^2}=6\div\frac{1}{5}=6\times5=30$
(3) $\sqrt{\left(-\frac{14}{9}\right)^2}\div\left(-\sqrt{\frac{7}{36}}\right)^2=\frac{14}{9}\times\frac{36}{7}=8$
(4) $\sqrt{6^2}\div\left(-\sqrt{\frac{2}{3}}\right)^2=6\div\frac{2}{3}=6\times\frac{3}{2}=9$

08 (1) (주어진 식)$=10-11+6=5$
(2) (주어진 식)$=2\times3+5-7=4$

10 (1) $3a<0$이므로
$\sqrt{(3a)^2}=-3a$
(2) $7a<0$이므로
$\sqrt{(-7a)^2}=\sqrt{(7a)^2}=-7a$
(3) $12a<0$이므로
$-\sqrt{(12a)^2}=-(-12a)=12a$
(4) $5a<0$이므로
$-\sqrt{(-5a)^2}=-\sqrt{(5a)^2}=-(-5a)=5a$

12 (1) $x-3>0$이므로
$\sqrt{(x-3)^2}=x-3$
(2) $x-2<0$이므로
$\sqrt{(x-2)^2}=-(x-2)=-x+2$
(3) $x+3>0$이므로
$-\sqrt{(x+3)^2}=-(x+3)=-x-3$
(4) $x+4<0$이므로
$\sqrt{(x+4)^2}=-(x+4)=-x-4$
(5) $x-1<0$이므로
$\sqrt{(x-1)^2}=-(x-1)=-x+1$
(6) $1-x>0$이므로
$\sqrt{(1-x)^2}=1-x$
(7) $x>0$, $x-2<0$이므로
$\sqrt{x^2}+\sqrt{(x-2)^2}=x-(x-2)=x-x+2=2$

힘수 만점

14쪽

01 ④ **02** ④ **03** ⑤ **04** ② **05** ③

01 ①, ②, ③, ⑤는 2
④ $-\sqrt{(-2)^2}=-\sqrt{2^2}=-2$

02 ④ $(\sqrt{81})^2=81$

03 ①, ②, ③, ④는 a ⑤는 $-a$

04 ① (주어진 식)$=5+11=16$
② (주어진 식)$=6\times3=18$
③ (주어진 식)$=12\div\frac{1}{3}=12\times3=36$
④ (주어진 식)$=-\frac{3}{2}\times\frac{4}{3}\times8=-16$
⑤ (주어진 식)$=4-10=-6$

05 $1<a<2$이므로 $a-1>0$, $a-2<0$

$\therefore \sqrt{(a-1)^2}-\sqrt{(a-2)^2}=(a-1)+(a-2)=2a-3$

3강+ 근호가 있는 수를 자연수로 만들기 15~16쪽

01 (1) $\sqrt{9^2}$, 9 (2) $\sqrt{12^2}$, 12 (3) $\sqrt{20^2}$, 20 (4) $\sqrt{25^2}$, 25
02 (1) $8a$ (2) $11a$ (3) 30 (4) 126
03 (1) 3 (2) 5 (3) 10 (4) 105 (5) 6 (6) 26 (7) 30 (8) 3
04 (1) 3 (2) 5 (3) 30 (4) 14 (5) 42 (6) 10
05 (1) 1 (2) 4 (3) 9 (4) 1
06 (1) 3 (2) 4 (3) 2
07 (1) 2개 (2) 3개 (3) 6개

02 (1) $\sqrt{64a^2}=\sqrt{8^2a^2}=\sqrt{(8a)^2}=8a$

(2) $\sqrt{121a^2}=\sqrt{11^2a^2}=\sqrt{(11a)^2}=11a$

(3) $\sqrt{2^2\times3^2\times5^2}=\sqrt{(2\times3\times5)^2}=2\times3\times5=30$

(4) $\sqrt{2^2\times3^4\times7^2}=\sqrt{(2\times3^2\times7)^2}=2\times3^2\times7=126$

03 (1) 지수가 홀수인 소인수는 3이므로 가장 작은 x의 값은
$x=3$

(2) 지수가 홀수인 소인수는 5이므로 가장 작은 x의 값은
$x=5$

(3) 지수가 홀수인 소인수는 2, 5이므로 가장 작은 x의 값은
$x=2\times5=10$

(4) 지수가 홀수인 소인수는 3, 5, 7이므로 가장 작은 x의 값은
$x=3\times5\times7=105$

(5) 24를 소인수분해하면 $\sqrt{24x}=\sqrt{2^3\times3\times x}$에서
지수가 홀수인 소인수는 2, 3이므로 가장 작은 x의 값은
$x=2\times3=6$

(6) 104를 소인수분해하면 $\sqrt{104x}=\sqrt{2^3\times13\times x}$에서
지수가 홀수인 소인수는 2, 13이므로 가장 작은 x의 값은
$x=2\times13=26$

(7) 120을 소인수분해하면 $\sqrt{120x}=\sqrt{2^3\times3\times5\times x}$에서
지수가 홀수인 소인수는 2, 3, 5이므로 가장 작은 x의 값은
$x=2\times3\times5=30$

(8) 300을 소인수분해하면 $\sqrt{300x}=\sqrt{2^2\times3\times5^2\times x}$에서
지수가 홀수인 소인수는 3이므로 가장 작은 x의 값은
$x=3$

04 (1) 지수가 홀수인 소인수는 3이므로 가장 작은 x의 값은
$x=3$

(2) 지수가 홀수인 소인수는 5이므로 가장 작은 x의 값은
$x=5$

(3) 지수가 홀수인 소인수는 2, 3, 5이므로 가장 작은 x의 값은
$x=2\times3\times5=30$

(4) $\sqrt{\frac{56}{x}}=\sqrt{\frac{2^3\times7}{x}}$에서
지수가 홀수인 소인수는 2, 7이므로 가장 작은 x의 값은
$x=2\times7=14$

(5) $\sqrt{\frac{168}{x}}=\sqrt{\frac{2^3\times3\times7}{x}}$에서
지수가 홀수인 소인수는 2, 3, 7이므로 가장 작은 x의 값은
$x=2\times3\times7=42$

(6) $\sqrt{\frac{360}{x}}=\sqrt{\frac{2^3\times3^2\times5}{x}}$에서
지수가 홀수인 소인수는 2, 5이므로 가장 작은 x의 값은
$x=2\times5=10$

05 (1) 3보다 큰 수 중에서 제곱수가 되는 가장 작은 수는 4이므로
$\sqrt{3+x}=\sqrt{3+1}=\sqrt{4}=2$
$\therefore x=1$

(2) 21보다 큰 수 중에서 제곱수가 되는 가장 작은 수는 25이므로 $\sqrt{21+x}=\sqrt{21+4}=\sqrt{25}=5$
$\therefore x=4$

(3) 40보다 큰 수 중에서 제곱수가 되는 가장 작은 수는 49이므로 $\sqrt{40+x}=\sqrt{40+9}=\sqrt{49}=7$
$\therefore x=9$

(4) 120보다 큰 수 중에서 제곱수가 되는 가장 작은 수는 121이므로 $\sqrt{120+x}=\sqrt{120+1}=\sqrt{121}=11$
$\therefore x=1$

06 (1) 7보다 작은 수 중에서 $7-x$가 제곱수가 되는 경우는
$7-x=1$, $7-x=4$
이므로
$7-x=1$에서 $x=6$
$7-x=4$에서 $x=3$
따라서 가장 작은 자연수 $x=3$

(2) 13보다 작은 수 중에서 $13-x$가 제곱수가 되는 경우는
$13-x=1$, $13-x=4$, $13-x=9$
이므로
$13-x=1$에서 $x=12$
$13-x=4$에서 $x=9$
$13-x=9$에서 $x=4$
따라서 가장 작은 자연수 $x=4$

(3) 18보다 작은 수 중에서 $18-x$가 제곱수가 되는 경우는
$18-x=1$, $18-x=4$, $18-x=9$, $18-x=16$
이므로
$18-x=1$에서 $x=17$
$18-x=4$에서 $x=14$
$18-x=9$에서 $x=9$

$18-x=16$에서 $x=2$

따라서 가장 작은 자연수 $x=2$

07 정수가 되려면 근호 안의 수가 제곱수 또는 0이어야 한다.

(1) 근호 안의 수가 0인 경우는

$\sqrt{3-x}=\sqrt{0}=0$에서 $x=3$

3보다 작은 수 중에서 $3-x$가 제곱수가 되는 경우는 1이므로

$\sqrt{3-x}=\sqrt{1}=1$에서 $x=2$

따라서 정수가 되게 하는 자연수 x는 3, 2로 2개이다.

(2) 근호 안의 수가 0인 경우는

$\sqrt{8-x}=\sqrt{0}=0$에서 $x=8$

8보다 작은 수 중에서 $8-x$가 제곱수가 되는 경우는 1, 4이므로

$\sqrt{8-x}=\sqrt{1}=1$에서 $x=7$

$\sqrt{8-x}=\sqrt{4}=2$에서 $x=4$

따라서 정수가 되게 하는 자연수 x는 4, 7, 8로 3개이다.

(3) 근호 안의 수가 0인 경우는

$\sqrt{28-x}=\sqrt{0}=0$에서 $x=28$

28보다 작은 수 중에서 $28-x$가 제곱수가 되는 경우는 1, 4, 9, 16, 25이므로

$\sqrt{28-x}=\sqrt{1}=1$에서 $x=27$

$\sqrt{28-x}=\sqrt{4}=2$에서 $x=24$

$\sqrt{28-x}=\sqrt{9}=3$에서 $x=19$

$\sqrt{28-x}=\sqrt{16}=4$에서 $x=12$

$\sqrt{28-x}=\sqrt{25}=5$에서 $x=3$

따라서 정수가 되게 하는 자연수 x는 3, 12, 19, 24, 27, 28로 6개이다.

힘수 만점 17쪽

01 3 **02** 8 **03** ⑤ **04** 60 **05** ②

01 $\sqrt{48x}=\sqrt{2^4\times3\times x}$에서 지수가 홀수인 소인수는 3이므로

$x=3$

02 28보다 큰 수 중에서 제곱수가 되는 가장 작은 수는 36이므로

$\sqrt{28+x}=\sqrt{28+8}=\sqrt{36}=6$

따라서 $x=8$

03 47보다 큰 수 중에서 제곱수가 되는 가장 작은 수는 49이므로

$\sqrt{47+m}=\sqrt{47+2}=\sqrt{49}=7$

따라서 $m=2$, $n=7$이므로

$m+n=2+7=9$

04 $\sqrt{\frac{240}{x}}=\sqrt{\frac{2^4\times3\times5}{x}}$이므로 자연수가 되려면 x는 240의 약수이면서 $3\times5\times$(자연수)^2 꼴이어야 한다.

따라서 가장 큰 두 자리 자연수 x는

$3\times5\times2^2=60$

05 $\sqrt{108x}=\sqrt{2^2\times3^3\times x}$이므로 제곱근 안의 지수가 짝수이면 제곱수를 만들 수 있으므로 x의 값이 될 수 있는 수는 지수가 홀수인 소인수를 홀수 번 곱하거나 지수가 홀수인 소인수 홀수 번과 지수가 짝수인 소인수를 짝수 번 곱해 주면 된다.

3, $2^2\times3=12$, $3^3=27$, $2^4\times3=48$, $2^2\times3^3=108$, …이다.

4강 제곱근의 대소 관계 18~19쪽

01 (1) $<$ (2) $>$ (3) $<$ (4) $>$

02 (1) $>$ (2) $<$ (3) $>$ (4) $>$

03 (1) $>$ (2) $<$ (3) $<$ (4) $<$ (5) $<$ (6) $>$

04 (1) $>$ (2) $>$ (3) $<$ (4) $<$ (5) $<$ (6) $>$

05 (1) $\sqrt{\frac{1}{2}}$, $\sqrt{2}$, 2 (2) $-\sqrt{2}$, -1, 0, $\sqrt{\frac{1}{2}}$, $\sqrt{3}$

(3) $-\sqrt{0.4}$, $-\sqrt{\frac{3}{10}}$, $\sqrt{0.\dot{1}}$, $\sqrt{0.6}$

06 (1) 1, 2, 3 (2) 1, 2, 3, 4, 5, 6, 7, 8, 9 (3) 1

07 (1) 5, 6, 7, 8 (2) 10, 11, 12, 13, 14, 15, 16

(3) 2, 3 (4) 3, 4, 5, 6

08 (1) 2개 (2) 4개 (3) 8개 (4) 9개

09 (1) 5, 6, 7 (2) 4, 5

01 (1) $2<5$이므로 $\sqrt{2}\ \boxed{<}\ \sqrt{5}$

(2) $7>4$이므로 $\sqrt{7}\ \boxed{>}\ \sqrt{4}$

(3) $0.4<1.4$이므로 $\sqrt{0.4}\ \boxed{<}\ \sqrt{1.4}$

(4) $\frac{1}{3}>\frac{1}{7}$이므로 $\sqrt{\frac{1}{3}}\ \boxed{>}\ \sqrt{\frac{1}{7}}$

02 (1) $3<8$이므로 $\sqrt{3}<\sqrt{8}$

$\therefore -\sqrt{3}\ \boxed{>}\ -\sqrt{8}$

(2) $10>9$이므로 $\sqrt{10}>\sqrt{9}$

$\therefore -\sqrt{10}\ \boxed{<}\ -\sqrt{9}$

(3) $\frac{2}{3}<\frac{4}{3}$이므로 $\sqrt{\frac{2}{3}}<\sqrt{\frac{4}{3}}$

$\therefore -\sqrt{\frac{2}{3}}\ \boxed{>}\ -\sqrt{\frac{4}{3}}$

(4) $2.8<28$이므로 $\sqrt{2.8}<\sqrt{28}$

$\therefore -\sqrt{2.8}\ \boxed{>}\ -\sqrt{28}$

03 (1) $3=\sqrt{9}$이고 $9>8$이므로 $\sqrt{9}>\sqrt{8}$

$\therefore 3 \boxed{>} \sqrt{8}$

(2) $6=\sqrt{36}$이고 $35<36$이므로 $\sqrt{35}<\sqrt{36}$

$\therefore \sqrt{35} \boxed{<} 6$

(3) $3=\sqrt{9}$이고 $9<12$이므로 $\sqrt{9}<\sqrt{12}$

$\therefore 3 \boxed{<} \sqrt{12}$

(4) $\frac{1}{3}=\sqrt{\frac{1}{9}}$이고 $\frac{1}{9}<\frac{1}{6}$이므로 $\sqrt{\frac{1}{9}}<\sqrt{\frac{1}{6}}$

$\therefore \frac{1}{3} \boxed{<} \sqrt{\frac{1}{6}}$

(5) $\frac{1}{4}=\sqrt{\frac{1}{16}}$이고 $\frac{1}{16}<\frac{1}{4}$이므로 $\sqrt{\frac{1}{16}}<\sqrt{\frac{1}{4}}$

$\therefore \frac{1}{4} \boxed{<} \sqrt{\frac{1}{4}}$

(6) $0.5=\sqrt{0.25}$이고 $0.5>0.25$이므로 $\sqrt{0.5}>\sqrt{0.25}$

$\therefore \sqrt{0.5} \boxed{>} 0.5$

04 (1) $2=\sqrt{4}$이고 $4<5$이므로 $\sqrt{4}<\sqrt{5}$

$\therefore -\sqrt{4}>-\sqrt{5}$, 즉 $-2 \boxed{>} -\sqrt{5}$

(2) $16=\sqrt{256}$이고 $24<256$이므로 $\sqrt{24}<\sqrt{256}$

$\therefore -\sqrt{24}>-\sqrt{256}$, 즉 $-\sqrt{24} \boxed{>} -16$

(3) $5=\sqrt{25}$이고 $25>10$이므로 $\sqrt{25}>\sqrt{10}$

$\therefore -\sqrt{25}<-\sqrt{10}$, 즉 $-5 \boxed{<} -\sqrt{10}$

(4) $\frac{2}{5}=\sqrt{\frac{4}{25}}$이고 $\frac{2}{3}>\frac{4}{25}$이므로 $\sqrt{\frac{2}{3}}>\sqrt{\frac{4}{25}}$

$\therefore -\sqrt{\frac{2}{3}}<-\sqrt{\frac{4}{25}}$, 즉 $-\sqrt{\frac{2}{3}} \boxed{<} -\frac{2}{5}$

(5) $\frac{1}{2}=\sqrt{\frac{1}{4}}$이고 $\frac{1}{2}>\frac{1}{4}$이므로 $\sqrt{\frac{1}{2}}>\sqrt{\frac{1}{4}}$

$\therefore -\sqrt{\frac{1}{2}}<-\sqrt{\frac{1}{4}}$, 즉 $-\sqrt{\frac{1}{2}} \boxed{<} -\frac{1}{2}$

(5) $0.8=\sqrt{0.64}$이고 $0.64<0.8$이므로 $\sqrt{0.64}<\sqrt{0.8}$

$\therefore -\sqrt{0.64}>-\sqrt{0.8}$, 즉 $-0.8 \boxed{>} -\sqrt{0.8}$

05 (1) 모두 제곱하면 $(\sqrt{2})^2=2$, $\left(\sqrt{\frac{1}{2}}\right)^2=\frac{1}{2}$, $2^2=4$이므로

작은 수부터 나열하면

$\frac{1}{2}$, 2, 4, 즉 $\sqrt{\frac{1}{2}}$, $\sqrt{2}$, 2이다.

(2) 음수: $1<\sqrt{2}$이므로 $-1>-\sqrt{2}$

양수: $\sqrt{3}>\sqrt{\frac{1}{2}}$

$\therefore -\sqrt{2}, -1, 0, \sqrt{\frac{1}{2}}, \sqrt{3}$

(3) 음수: $\sqrt{0.4}>\sqrt{\frac{3}{10}}$ 이므로 $-\sqrt{0.4}<-\sqrt{\frac{3}{10}}$

양수: $\sqrt{0.\dot{1}}=\sqrt{\frac{1}{9}}$ 이고 $0.6=\frac{6}{10}>\frac{1}{9}$이므로

$\sqrt{0.6}>\sqrt{0.\dot{1}}$

$\therefore -\sqrt{0.4}, -\sqrt{\frac{3}{10}}, \sqrt{0.\dot{1}}, \sqrt{0.6}$

06 (1) 양변을 제곱하면 $x<4$이므로

$x=1, 2, 3$

(2) 양변을 제곱하면 $x\le 9$이므로

$x=1, 2, 3, 4, 5, 6, 7, 8, 9$

(3) 양변을 제곱하면 $x\le 1$이므로

$x=1$

07 (1) 각 변을 제곱하면 $4<x<9$이므로 주어진 부등식을 만족시키는 자연수 x는 5, 6, 7, 8

(2) 각 변을 제곱하면 $9<x\le 16$이므로 주어진 부등식을 만족시키는 자연수 x는 10, 11, 12, 13, 14, 15, 16

(3) 각 변을 제곱하면 $2<x^2<10$이므로 주어진 부등식을 만족시키는 자연수 x는 2, 3

(4) 각 변을 제곱하면 $5<x^2\le 36$이므로 주어진 부등식을 만족시키는 자연수 x는 3, 4, 5, 6

08 (1) $\sqrt{4}<\sqrt{9}<\sqrt{16}$이므로

$2<\sqrt{9}<4$

따라서 $\sqrt{9}$보다 작은 자연수는 1, 2의 2개이다.

(2) $\sqrt{16}<\sqrt{24}<\sqrt{25}$이므로

$4<\sqrt{24}<5$

따라서 $\sqrt{24}$보다 작은 자연수는 1, 2, 3, 4의 4개이다.

(3) $\sqrt{64}<\sqrt{70}<\sqrt{81}$이므로

$8<\sqrt{70}<9$

따라서 $\sqrt{70}$보다 작은 자연수는 1, 2, 3, 4, 5, 6, 7, 8의 8개이다.

(4) $\sqrt{81}<\sqrt{99}<\sqrt{100}$이므로

$9<\sqrt{99}<10$

따라서 $\sqrt{99}$보다 작은 자연수는 1, 2, 3, 4, 5, 6, 7, 8, 9의 9개이다.

09 (1) $3^2<(\sqrt{2n})^2<4^2$, $9<2n<16$

$\therefore \frac{9}{2}<n<8$

따라서 자연수 n은 5, 6, 7이다.

(2) $\left(\frac{3}{2}\right)^2<(\sqrt{n-1})^2\le 2^2$, $\frac{9}{4}<n-1\le 4$

$\therefore \frac{13}{4}<n\le 5$

따라서 자연수 n은 4, 5이다.

힘수 만점 20쪽

01 ④ **02** ⑤ **03** ③

04 $-\sqrt{\frac{3}{2}}, -\frac{2}{3}, -\sqrt{\frac{1}{3}}, 0, \frac{1}{4}, \sqrt{\frac{1}{2}}$ **05** 9

01 ① $\sqrt{2}<\sqrt{3}$

② $-\sqrt{5}>-\sqrt{6}$

③ $\sqrt{7}<\sqrt{9}=3$

④ $-2=-\sqrt{4}<-\sqrt{2}$

⑤ $\sqrt{8}<\sqrt{16}=4$

02 ① $3=\sqrt{9}$이므로 $\sqrt{8}<\sqrt{9}=3$

$\therefore -\sqrt{8}>-3$

② $3<7$이므로 $\sqrt{3}<\sqrt{7}$

③ $\frac{1}{2}>\frac{1}{3}$이므로 $\sqrt{\frac{1}{2}}>\sqrt{\frac{1}{3}}$

④ $5=\sqrt{25}$이므로 $\sqrt{24}<\sqrt{25}=5$

⑤ $\sqrt{(-4)^2}=4$, $\sqrt{(-3)^2}=3$이므로

$\sqrt{(-4)^2}>\sqrt{(-3)^2}$

03 ㄱ. $2=\sqrt{4}$이고 $\sqrt{4}<\sqrt{5}$

$\therefore \sqrt{5}>2$

ㄴ. $0.2=\sqrt{0.04}$이고 $\sqrt{0.04}<\sqrt{0.2}$

$\therefore 0.2<\sqrt{0.2}$

ㄷ. $3=\sqrt{9}$이고 $\sqrt{9}<\sqrt{10}$이므로 $3<\sqrt{10}$

$\therefore 3-\sqrt{10}<0$

ㄹ. $4=\sqrt{16}$이고 $\sqrt{14}<\sqrt{16}$이므로 $\sqrt{14}<4$

$\therefore \sqrt{14}-4<0$

이상에서 옳은 것은 ㄴ, ㄷ이다.

04 $\left(\sqrt{\frac{1}{2}}\right)^2=\frac{1}{2}$, $\left(-\sqrt{\frac{1}{3}}\right)^2=\frac{1}{3}$, $\left(-\sqrt{\frac{3}{2}}\right)^2=\frac{3}{2}$,

$\left(\frac{1}{4}\right)^2=\frac{1}{16}$, $\left(-\frac{2}{3}\right)^2=\frac{4}{9}$에서

$\frac{1}{3}<\frac{3}{2}$에서 $\sqrt{\frac{1}{3}}<\sqrt{\frac{3}{2}}$이므로 $-\sqrt{\frac{1}{3}}>-\sqrt{\frac{3}{2}}$

$\frac{3}{2}>\frac{4}{9}$ ⇨ $\sqrt{\frac{3}{2}}>\sqrt{\frac{4}{9}}=\frac{2}{3}$이므로 $-\sqrt{\frac{3}{2}}<-\frac{2}{3}$

$\frac{1}{3}<\frac{4}{9}$에서 $\sqrt{\frac{1}{3}}<\sqrt{\frac{4}{9}}=\frac{2}{3}$이므로 $-\sqrt{\frac{1}{3}}>-\frac{2}{3}$

$\frac{1}{2}>\frac{1}{16}$에서 $\sqrt{\frac{1}{2}}>\frac{1}{4}$

따라서 (양수)$>0>$(음수)이므로

$-\sqrt{\frac{3}{2}}<-\frac{2}{3}<-\sqrt{\frac{1}{3}}<0<\frac{1}{4}<\sqrt{\frac{1}{2}}$

05 $\sqrt{3}<x<\sqrt{18}$의 각 변을 제곱하면 $3<x^2<18$

이 부등식을 만족시키는 x^2의 값은 4, 9, 16이므로

x의 값은 2, 3, 4이다.

$\therefore 2+3+4=9$

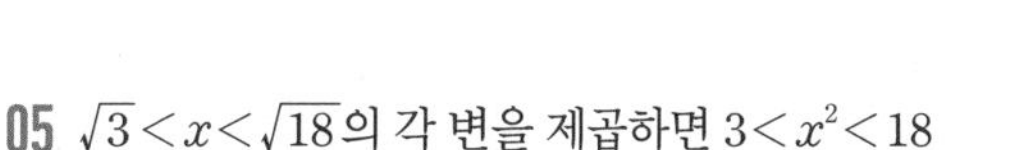

5강 무리수와 실수 21~22쪽

01 (1) 유 (2) 무 (3) 유 (4) 무 (5) 유 (6) 무 (7) 유

02 (1) $\sqrt{12}$, $\sqrt{0.1}$, 2개 (2) $\sqrt{3}$, $\sqrt{\frac{1}{2}}$, 2개

(3) $\sqrt{6}$, $\sqrt{\frac{7}{25}}$, $\sqrt{\frac{18}{6}}$, $\sqrt{4.9}$, $\sqrt{10}$, 5개

03 (1) ○ (2) ○ (3) ○ (4) × (5) ○ (6) ×

04 $\sqrt{\frac{16}{25}}$, $\sqrt{0.64}$

05 (1) ○ (2) × (3) × (4) ○ (5) ○ (6) × (7) ○

06 (1) $\sqrt{2}$ (2) $\sqrt{5}$ (3) $\sqrt{13}$

07 (1) $\sqrt{2}$ (2) $2+\sqrt{2}$ (3) $2+\sqrt{5}$ (4) $-\sqrt{10}$

01 (1) $\sqrt{4}=2$이므로 유리수이다.

(3) 순환소수이므로 유리수이다.

(7) $\sqrt{\frac{4}{9}}=\sqrt{\left(\frac{2}{3}\right)^2}=\frac{2}{3}$이므로 유리수이다.

02 (1) $\sqrt{25}=5$(유리수), $\sqrt{\frac{9}{100}}=\frac{3}{10}$(유리수),

$\sqrt{\frac{1}{9}}=\frac{1}{3}$(유리수)

(2) $\sqrt{16}=4$(유리수), $3.\dot{1}\dot{4}=\frac{314-3}{99}=\frac{311}{99}$(유리수),

$\sqrt{0.01}=0.1$(유리수)

(3) 모두 무리수이다.

03 (4) 순환소수는 무한소수이고 유리수이다.

(6) $\sqrt{4}=2$와 같은 수는 무리수가 아니다.

04 □는 무리수이므로 무리수가 아닌 것은

$\sqrt{\frac{16}{25}}=\frac{4}{5}$, $\sqrt{0.64}=0.8$

05 (2) 서로 다른 무리수 사이에는 무수히 많은 유리수와 무리수가 있다.

(3) 수직선은 실수에 대응하는 점으로 빈틈없이 메울 수 있다.

(6) 수직선은 유리수와 무리수만으로 완전히 메울 수 있다.

06 피타고라스 정리를 이용한다.

(1) $\sqrt{1^2+1^2}=\sqrt{2}$

(2) $\sqrt{2^2+1^2}=\sqrt{5}$

(3) $\sqrt{3^2+2^2}=\sqrt{13}$

힘수 만점 23쪽

01 ③ **02** ②, ⑤ **03** ② **04** ③

01 $\sqrt{0.\dot{4}}=\sqrt{\frac{4}{9}}=\frac{2}{3}$(유리수), $\sqrt{\frac{1}{4}}=\frac{1}{2}$(유리수),

$\sqrt{0.09}=0.3$(유리수), -0.1313(유리수), 3.14(유리수)

02 ② 순환소수가 아닌 무한소수는 무리수이고 실수이다.

⑤ 실수 중 정수가 아닌 수는 유리수 또는 무리수이다.

03 한 변의 길이가 1인 정사각형의 대각선의 길이는 $\sqrt{2}$이므로 점 A에 대응하는 수는 $2+\sqrt{2}$

04 ①, ②, ③ $\overline{AB}=\sqrt{1^2+2^2}=\sqrt{5}$이므로

$\overline{AP}=\overline{AB}=\sqrt{5}$

$\therefore P(1+\sqrt{5})$

④ $\overline{AQ}=\overline{AB}=\sqrt{5}$이므로 $Q(1-\sqrt{5})$

⑤ $\overline{CP}=\overline{AP}-\overline{AC}=\sqrt{5}-2$

6강 실수의 대소 관계 24~25쪽

01 (1) > (2) < (3) > (4) < (5) > (6) < (7) < (8) >
02 (1) > (2) < (3) < (4) >
03 (1) > (2) < (3) > (4) <
04 (1) <, < (2) <, < (3) <, <, <, <
05 (1) D (2) B (3) F (4) A (5) E (6) C
06 (1) ○ (2) × (3) × (4) ○
07 (1)

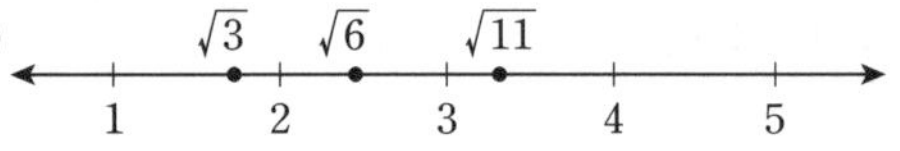

(2)

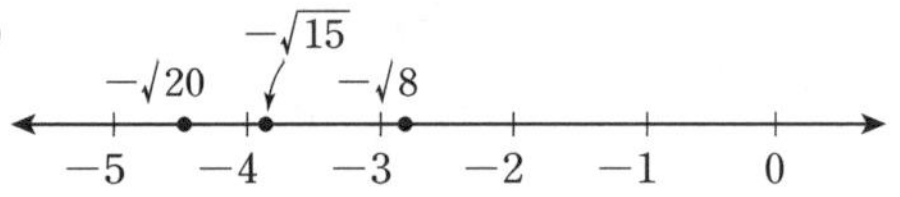

08 (1) D (2) F (3) B (4) C

01 (1) $4-(\sqrt{3}+1)=4-\sqrt{3}-1=3-\sqrt{3}>0$

$\therefore 4>\sqrt{3}+1$

(2) $\sqrt{6}+1-7=\sqrt{6}-6<0$

$\therefore \sqrt{6}+1<7$

(3) $-1-(-6+\sqrt{24})=-1+6-\sqrt{24}$

$=5-\sqrt{24}>0$

$\therefore -1>-6+\sqrt{24}$

(4) $(\sqrt{2}+1)-(\sqrt{3}+1)=\sqrt{2}+1-\sqrt{3}-1$

$=\sqrt{2}-\sqrt{3}<0$

$\therefore \sqrt{2}+1<\sqrt{3}+1$

(5) $(\sqrt{2}+3)-(\sqrt{2}+\sqrt{8})=\sqrt{2}+3-\sqrt{2}-\sqrt{8}$

$=3-\sqrt{8}$

$=\sqrt{9}-\sqrt{8}>0$

$\therefore \sqrt{2}+3>\sqrt{2}+\sqrt{8}$

(6) $(2+\sqrt{3})-(\sqrt{5}+\sqrt{3})=2+\sqrt{3}-\sqrt{5}-\sqrt{3}$

$=2-\sqrt{5}=\sqrt{4}-\sqrt{5}<0$

$\therefore 2+\sqrt{3}<\sqrt{5}+\sqrt{3}$

(7) $(1-\sqrt{5})-(1-\sqrt{2})=1-\sqrt{5}-1+\sqrt{2}$

$=-\sqrt{5}+\sqrt{2}<0$

$\therefore 1-\sqrt{5}<1-\sqrt{2}$

(8) $(\sqrt{17}+\sqrt{5})-(4+\sqrt{5})=\sqrt{17}+\sqrt{5}-4-\sqrt{5}$

$=\sqrt{17}-\sqrt{16}>0$

$\therefore \sqrt{17}+\sqrt{5}>4+\sqrt{5}$

02 (1) $\sqrt{3}-1-(\sqrt{2}-1)=\sqrt{3}-1-\sqrt{2}+1=\sqrt{3}-\sqrt{2}>0$

$\therefore \sqrt{3}-1>\sqrt{2}-1$

(2) $(\sqrt{8}-2)-(\sqrt{9}-2)=\sqrt{8}-2-\sqrt{9}+2$

$=\sqrt{8}-\sqrt{9}<0$

$\therefore \sqrt{8}-2<\sqrt{9}-2$

(3) $(\sqrt{12}-\sqrt{7})-(12-\sqrt{7})=\sqrt{12}-\sqrt{7}-12+\sqrt{7}$

$=\sqrt{12}-12<0$

$\therefore \sqrt{12}-\sqrt{7}<12-\sqrt{7}$

(4) $(-\sqrt{18}-\sqrt{8})-(-\sqrt{23}-\sqrt{8})$

$=-\sqrt{18}-\sqrt{8}+\sqrt{23}+\sqrt{8}$

$=-\sqrt{18}+\sqrt{23}>0$

$\therefore -\sqrt{18}-\sqrt{8}>-\sqrt{23}-\sqrt{8}$

03 (1) $(\sqrt{2}+4)-4=\sqrt{2}>0$

$\therefore \sqrt{2}+4>4$

(2) $(\sqrt{5}+6)-9=\sqrt{5}-3=\sqrt{5}-\sqrt{9}<0$

$\therefore \sqrt{5}+6<9$

(3) $3-(-\sqrt{10}+6)=3+\sqrt{10}-6=-3+\sqrt{10}$

$=-\sqrt{9}+\sqrt{10}>0$

$\therefore 3>-\sqrt{10}+6$

(4) $-3-(-5+\sqrt{12})=-3+5-\sqrt{12}=2-\sqrt{12}$

$=\sqrt{4}-\sqrt{12}<0$

$\therefore -3<-5+\sqrt{12}$

05 (1) $1<\sqrt{2}<2$

(2) $-2<-\sqrt{3}<-1$

(3) $\sqrt{9}<\sqrt{10}<\sqrt{16}$ ⇨ $3<\sqrt{10}<4$

(4) $-\sqrt{4}=-2$

(5) $2<\sqrt{\frac{9}{2}}<3$

(6) $\sqrt{0.2}=\sqrt{\frac{1}{5}}$ ⇨ $0<\sqrt{\frac{1}{5}}<1$

06 (1) $\sqrt{9}<\sqrt{12}<\sqrt{16}$ ⇨ $3<\sqrt{12}<4$

(2) $5=\sqrt{25}$이므로 $\sqrt{15}$, $\sqrt{24}$ 사이에 존재하지 않는다.

(3) $\sqrt{25}<\sqrt{27}<\sqrt{36}$ ⇨ $5<\sqrt{27}<6$

따라서 4와 5 사이에 존재하지 않는다.

(4) $\sqrt{4}<\sqrt{5}<\sqrt{9}$ ⇨ $2<\sqrt{5}<3$ ⇨ $1<\sqrt{5}-1<2$

07 (1) $\sqrt{9}<\sqrt{11}<\sqrt{16}$ ⇨ $3<\sqrt{11}<4$

이므로 $\sqrt{11}$은 3과 4 사이에 나타낸다.

$1<\sqrt{3}<\sqrt{4}$ ⇨ $1<\sqrt{3}<2$

이므로 $\sqrt{3}$은 1과 2 사이에 나타낸다.

$\sqrt{4}<\sqrt{6}<\sqrt{9}$ ⇨ $2<\sqrt{6}<3$

이므로 $\sqrt{6}$은 2와 3 사이에 나타낸다.

따라서 수직선 위에 나타내면 다음과 같다.

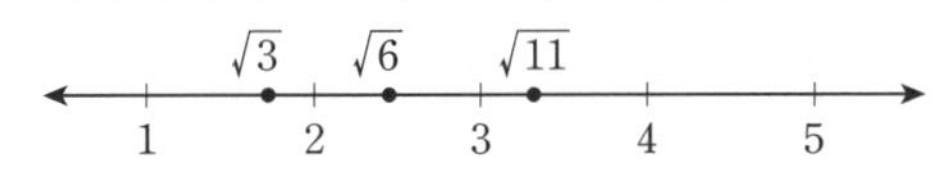

(2) $\sqrt{9}<\sqrt{15}<\sqrt{16}$ ⇨ $3<\sqrt{15}<4$

⇨ $-4<-\sqrt{15}<-3$

이므로 $-\sqrt{15}$는 -4와 -3 사이에 나타낸다.

$\sqrt{16}<\sqrt{20}<\sqrt{25}$ ⇨ $4<\sqrt{20}<5$

⇨ $-5<-\sqrt{20}<-4$

이므로 $-\sqrt{20}$은 -5와 -4 사이에 나타낸다.

$\sqrt{4}<\sqrt{8}<\sqrt{9}$ ⇨ $2<\sqrt{8}<3$

⇨ $-3<-\sqrt{8}<-2$

이므로 $-\sqrt{8}$은 -3과 -2 사이에 나타낸다.

따라서 수직선 위에 나타내면 다음과 같다.

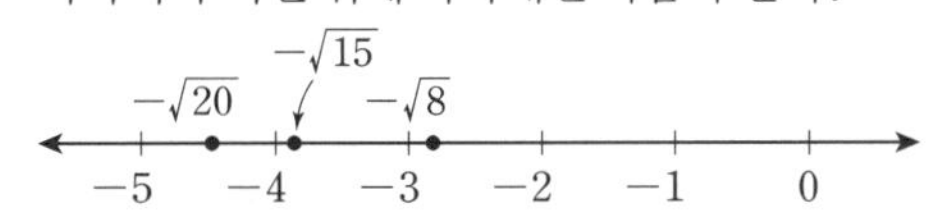

08 (1) $2<\sqrt{8}<3$ ⇨ $1<\sqrt{8}-1<2$

(2) $2<\sqrt{5}<3$ ⇨ $3<\sqrt{5}+1<4$

(3) $3<\sqrt{13}<4$ ⇨ $-1<-4+\sqrt{13}<0$

(4) $5<\sqrt{26}<6$ ⇨ $0<\sqrt{26}-5<1$

힘수 만점 26쪽

01 ⑤ **02** $\sqrt{\frac{5}{2}}$ **03** B **04** ⑤ **05** $c<a<b$

01 ① $\sqrt{2}-1>0$이므로 $\sqrt{2}>1$

② $(5-\sqrt{3})-(5-\sqrt{2})=-\sqrt{3}+\sqrt{2}<0$

$\therefore 5-\sqrt{3}<5-\sqrt{2}$

③ $(-\sqrt{5})-(-4)=-\sqrt{5}+4=-\sqrt{5}+\sqrt{16}>0$

$\therefore -\sqrt{5}>-4$

④ $(\sqrt{2}-3)-(1+\sqrt{2})=-4<0$

$\therefore \sqrt{2}-3<1+\sqrt{2}$

⑤ $(\sqrt{17}-3)-(\sqrt{17}+1)=-4<0$

$\therefore \sqrt{17}-3<\sqrt{17}+1$

02 (음수)$<0<$(양수)이고, $2=\sqrt{4}$이므로

$2>\sqrt{3}>\sqrt{\frac{5}{2}}>\sqrt{2}>0>-1$

따라서 세 번째로 큰 수는 $\sqrt{\frac{5}{2}}$이다.

03 $\sqrt{36}<\sqrt{45}<\sqrt{49}$, 즉 $6<\sqrt{45}<7$이므로 $\sqrt{45}$에 대응하는 점은 B이다.

04 ⑤ $\sqrt{2}<\sqrt{3}$이므로 $\frac{\sqrt{2}-\sqrt{3}}{2}$은 음수가 되어 $\sqrt{2}$보다 작은 수이므로 $\sqrt{2}$와 $\sqrt{3}$ 사이에 있는 수가 아니다.

05 $a-b=(3+\sqrt{3})-5=\sqrt{3}-2=\sqrt{3}-\sqrt{4}<0$

$\therefore a<b$

$a-c=(3+\sqrt{3})-(\sqrt{3}+\sqrt{5})$

$=3-\sqrt{5}=\sqrt{9}-\sqrt{5}>0$

$\therefore a>c$

따라서 $c<a$, $a<b$이므로 $c<a<b$

7강 중단원 연산 마무리 27~29쪽

01 (1) $\sqrt{8}$, $-\sqrt{8}$ (2) $\sqrt{\frac{5}{12}}$, $-\sqrt{\frac{5}{12}}$ (3) $\sqrt{7}$ (4) $\sqrt{0.1}$ 또는 $\sqrt{\frac{1}{10}}$

02 (1) × (2) ○ (3) ○ (4) ×

03 (1) 7 (2) 21 (3) $-\frac{2}{3}$ (4) -5

04 (1) 6 (2) 2 (3) -1 (4) $-\frac{1}{15}$

05 (1) 9 (2) $\frac{2}{3}$ (3) 15 (4) 2

06 ㄴ, ㄷ

07 (1) $-2x+2$ (2) $2a-5b$ (3) 1

08 (1) 10 (2) 15 (3) 70 (4) 5

09 (1) 1 (2) 12

10 (1) 7개 (2) 4개

11 (1) > (2) < (3) < (4) >

12 (1) 10개 (2) 7개 (3) 3개 (4) 2개

13 5개

14 (1) ○ (2) ○ (3) × (4) ○ (5) ×

15 (1) < (2) < (3) > (4) <

16 (1) C (2) B (3) E (4) D

17 (1) $\mathrm{P}(-2-\sqrt{2})$ (2) $\mathrm{Q}(-3+\sqrt{2})$ (3) $-1+2\sqrt{2}$ (4) $-1+\sqrt{2}$

18 ⑤ **19** ③ **20** ①

02 (1) 0의 제곱근은 0이다.
(4) 16의 음의 제곱근은 -4이다.

04 (1) $(\sqrt{3})^2+(-\sqrt{3})^2=3+3=6$
(2) $(\sqrt{5})^2-\sqrt{(-3)^2}=5-3=2$
(3) $\sqrt{4}+\sqrt{9}-\sqrt{36}=\sqrt{2^2}+\sqrt{3^2}-\sqrt{6^2}$
$=2+3-6=-1$
(4) $\left(-\sqrt{\frac{3}{5}}\right)^2-\left(-\sqrt{\frac{2}{3}}\right)^2=\frac{3}{5}-\frac{2}{3}$
$=\frac{9}{15}-\frac{10}{15}=-\frac{1}{15}$

05 (1) $(\sqrt{3})^2\times(-\sqrt{3})^2=3\times3=9$
(2) $\sqrt{\left(\frac{27}{7}\right)^2}\div\left(-\sqrt{\frac{81}{14}}\right)^2=\frac{27}{7}\div\frac{81}{14}=\frac{27}{7}\times\frac{14}{81}=\frac{2}{3}$
(3) $\sqrt{36}\div\sqrt{2^2}\times(-\sqrt{5})^2=\sqrt{6^2}\div\sqrt{2^2}\times(-\sqrt{5})^2$
$=6\div2\times5=15$
(4) $(-\sqrt{2})^2\times\sqrt{(-7)^2}\times\left(\sqrt{\frac{1}{7}}\right)^2=2\times7\times\frac{1}{7}=2$

06 ㄱ. $a<0$이므로 $\sqrt{a^2}=-a$
ㄴ. $2a<0$이므로 $\sqrt{(2a)^2}=-2a$
ㄷ. $\sqrt{(-4a)^2}=\sqrt{(4a)^2}=-4a$
ㄹ. $-\sqrt{25a^2}=-\sqrt{(5a)^2}$이고, $5a<0$이므로
$-\sqrt{(5a)^2}=-(-5a)=5a$
이상에서 옳은 것은 ㄴ, ㄷ이다.

07 (1) $x<1$에서 $x-1<0$, $1-x>0$이므로
$\sqrt{(x-1)^2}+\sqrt{(1-x)^2}=-(x-1)+(1-x)$
$=-x+1+1-x$
$=-2x+2$
(2) $a>0$, $b<0$에서 $2a>0$, $5b<0$이므로
$\sqrt{(-2a)^2}+\sqrt{(5b)^2}-\sqrt{(2a)^2}+\sqrt{(5b)^2}$
$=2a-5b$
(3) $2<x<3$에서 $x-2>0$, $x-3<0$이므로
$\sqrt{(x-2)^2}+\sqrt{(x-3)^2}=(x-2)-(x-3)$
$=x-2-x+3=1$

08 (1) 자연수가 되려면 근호 안의 소인수의 지수가 모두 짝수이어야 한다.
따라서 $\sqrt{2^3\times3^2\times5\times x}$가 자연수가 되도록 하는 최소의 자연수 x는 지수가 홀수인 소인수의 곱인
$x=2\times5=10$
(2) $\sqrt{240x}=\sqrt{2^4\times3\times5\times x}$이므로 $\sqrt{240x}$가 자연수가 되도록 하는 가장 작은 자연수 x는 지수가 홀수인 소인수의 곱인
$x=3\times5=15$
(3) $\sqrt{\frac{2\times3^4\times5\times7}{x}}$이 자연수가 되도록 하는 가장 작은 자연수 x는 지수가 홀수인 소인수의 곱인
$x=2\times5\times7=70$
(4) $\sqrt{\frac{20}{x}}=\sqrt{\frac{2^2\times5}{x}}$이므로 $\sqrt{\frac{20}{x}}$이 자연수가 되도록 하는 가장 작은 자연수 x는
$x=5$

09 (1) 15보다 큰 수 중에서 제곱수는 16, 25, 36, 49, 64, …이고 이때의 x의 값은 1, 10, 21, 34, 49, …
따라서 가장 작은 자연수 x는 1이다.
(2) 37보다 큰 수 중에서 제곱수는 49, 64, 81, 100, …이고 이때의 x의 값은 12, 27, 44, 63, …
따라서 가장 작은 자연수 x는 12이다.

10 (1) 정수가 되려면 근호 안의 수가 제곱수 또는 0이어야 한다.
근호 안의 수가 0인 경우는
$\sqrt{40-x}=\sqrt{0}=0$에서 $x=40$
40보다 작은 수 중에서 $40-x$가 제곱수가 되는 경우는 1, 4, 9, 16, 25, 36이므로
$\sqrt{40-x}=\sqrt{1}=1$에서 $x=39$
$\sqrt{40-x}=\sqrt{4}=2$에서 $x=36$
$\sqrt{40-x}=\sqrt{9}=3$에서 $x=31$
$\sqrt{40-x}=\sqrt{16}=4$에서 $x=24$
$\sqrt{40-x}=\sqrt{25}=5$에서 $x=15$
$\sqrt{40-x}=\sqrt{36}=6$에서 $x=4$
따라서 정수가 되게 하는 자연수 x는 4, 15, 24, 31, 36, 39, 40으로 7개이다.
(2) $\sqrt{\frac{72}{x}}$가 정수가 되려면 $\frac{72}{x}$가 제곱수가 되어야 한다.
$\frac{72}{x}=\frac{2^3\times3^2}{x}$이므로 $\frac{72}{x}$를 제곱수가 되도록 하는 x는
2, 2×2^2, 2×3^2, $2\times2^2\times3^2$
즉, 2, 8, 18, 72으로 4개이다.

11 (1) $\sqrt{15}+1-4=\sqrt{15}-3=\sqrt{15}-\sqrt{9}>0$
$\therefore \sqrt{15}+1\ \boxed{>}\ 4$
(2) $3-\sqrt{3}-2=1-\sqrt{3}<0$
$\therefore 3-\sqrt{3}\ \boxed{<}\ 2$
(3) $(4-\sqrt{5})-(\sqrt{17}-\sqrt{5})=4-\sqrt{5}-\sqrt{17}+\sqrt{5}$
$=4-\sqrt{17}$
$=\sqrt{16}-\sqrt{17}<0$
$\therefore 4-\sqrt{5}\ \boxed{<}\ \sqrt{17}-\sqrt{5}$

(4) $2-\sqrt{7}-(-1)=2-\sqrt{7}+1=3-\sqrt{7}=\sqrt{9}-\sqrt{7}>0$

$\therefore 2-\sqrt{7}\ \boxed{>}\ -1$

12 (1) $5<\sqrt{x}<6$ ⇨ $25<x<36$

따라서 이 식을 만족시키는 자연수 x는 10개이다.

(2) $\frac{3}{2}<\sqrt{x+1}\le 3$ ⇨ $\frac{9}{4}<x+1\le 9$ ⇨ $\frac{5}{4}<x\le 8$

따라서 이 식을 만족시키는 자연수 x는 2, 3, 4, 5, 6, 7, 8로 7개이다.

(3) $\sqrt{10}<x<\sqrt{48}$ ⇨ $10<x^2<48$

따라서 이 식을 만족시키는 자연수 x는 4, 5, 6으로 3개이다.

(4) $\sqrt{2}<3x<\sqrt{40}$ ⇨ $2<9x^2<40$ ⇨ $\frac{2}{9}<x^2<\frac{40}{9}$

따라서 이 식을 만족시키는 자연수 x는 1, 2로 2개이다.

13 다음은 모두 유리수이다.

$0,\ \sqrt{25}=5,\ 0.3\dot{2}=\frac{29}{90},\ -\sqrt{169}=-13,\ \sqrt{\frac{1}{16}}=\frac{1}{4}$

따라서 무리수는 5개이다.

14 (3) 순환소수가 아닌 무한소수는 무리수로 실수이다.

(5) 실수 중에서 유리수가 아닌 수는 무리수이다.

15 (1) $(3-\sqrt{5})-(3-\sqrt{2})=3-\sqrt{5}-3+\sqrt{2}$

$=-\sqrt{5}+\sqrt{2}<0$

$\therefore 3-\sqrt{5}\ \boxed{<}\ 3-\sqrt{2}$

(2) $(\sqrt{9}-\sqrt{3})-(\sqrt{16}-\sqrt{3})=(3-\sqrt{3})-(4-\sqrt{3})$

$=3-\sqrt{3}-4+\sqrt{3}$

$=-1<0$

$\therefore \sqrt{9}-\sqrt{3}\ \boxed{<}\ \sqrt{16}-\sqrt{3}$

(3) $(-\sqrt{12}-1)-(-\sqrt{12}-\sqrt{2})=-\sqrt{12}-1+\sqrt{12}+\sqrt{2}$

$=-1+\sqrt{2}>0$

$\therefore -\sqrt{12}-1\ \boxed{>}\ -\sqrt{12}-\sqrt{2}$

(4) $(-2-\sqrt{6})-(-3)=-2-\sqrt{6}+3$

$=1-\sqrt{6}<0$

$\therefore -2-\sqrt{6}\ \boxed{<}\ -3$

16 (1) $\sqrt{49}<\sqrt{52}<\sqrt{64}$ ⇨ $7<\sqrt{52}<8$

따라서 $\sqrt{52}$는 7과 8 사이의 수이므로 점 C이다.

(2) $\sqrt{36}<\sqrt{45}<\sqrt{49}$ ⇨ $6<\sqrt{45}<7$

따라서 $\sqrt{45}$는 6과 7 사이의 수이므로 점 B이다.

(3) $\sqrt{81}<\sqrt{86}<\sqrt{100}$ ⇨ $9<\sqrt{86}<10$

따라서 $\sqrt{86}$은 9와 10 사이의 수이므로 점 E이다.

(4) $\sqrt{64}<\sqrt{78}<\sqrt{81}$ ⇨ $8<\sqrt{78}<9$

따라서 $\sqrt{78}$은 8과 9 사이의 수이므로 점 D이다.

17 (1), (2) $\overline{AC}=\overline{BD}=\sqrt{2}$이므로

$P(-2-\sqrt{2}),\ Q(-3+\sqrt{2})$

(3) $\overline{PQ}=(-3+\sqrt{2})-(-2-\sqrt{2})$

$=-3+\sqrt{2}+2+\sqrt{2}$

$=-1+2\sqrt{2}$

(4) $\overline{CQ}=(-3+\sqrt{2})-(-2)$

$=-3+\sqrt{2}+2$

$=-1+\sqrt{2}$

18 $a-3<0,\ 3-a>0$이므로

$\sqrt{(a-3)^2}+\sqrt{(3-a)^2}=-(a-3)+(3-a)$

$=-a+3+3-a$

$=-2a+6$

19 (i) 27보다 작은 제곱수 중에서 가장 작은 수는 1이므로

$27-x=1,\ x=26$

$\therefore M=26$

(ii) 27보다 작은 제곱수 중에서 가장 큰 수는 25이므로

$27-x=25,\ x=2$

$\therefore m=2$

(i), (ii)에서 $M-m=26-2=24$

20 $\sqrt{4}<\sqrt{7}<\sqrt{9}$, 즉 $2<\sqrt{7}<3$이므로

$-3<-\sqrt{7}<-2$

$\therefore 3<6-\sqrt{7}<4$

따라서 $6-\sqrt{7}$에 대응하는 점은 구간 A에 있다.

8강 제곱근의 곱셈 30~31쪽

01 (1) 3, 15 (2) 3, 7, 42 (3) 4, $12\sqrt{2}$ (4) 2, $-2\sqrt{12}$ (5) 4, 2, $8\sqrt{6}$ (6) 9, 7, 6, $-45\sqrt{42}$

02 (1) $\sqrt{6}$ (2) $\sqrt{35}$ (3) $\sqrt{60}$ (4) -4

03 (1) $14\sqrt{3}$ (2) $6\sqrt{15}$ (3) $-6\sqrt{48}$ (4) $10\sqrt{70}$ (5) 40 (6) $12\sqrt{3}$

04 (1) $\sqrt{\frac{3}{2}}$ (2) $\sqrt{15}$ (3) $-\sqrt{6}$ (4) $-4\sqrt{2}$ (5) $6\sqrt{15}$

05 (1) 6 (2) 60 (3) 1 (4) 20

06 (1) 4, 4 (2) 6, 6 (3) 3, 3 (4) 10, 10

07 (1) 3, 18 (2) 2, 28 (3) 5, 150

08 (1) $2\sqrt{6}$ (2) $5\sqrt{2}$ (3) $4\sqrt{5}$ (4) $8\sqrt{2}$ (5) $-2\sqrt{5}$ (6) $-7\sqrt{2}$

09 (1) $\sqrt{45}$ (2) $\sqrt{108}$ (3) $-\sqrt{32}$ (4) $-\sqrt{54}$

10 (1) ㉣ (2) ㉠ (3) ㉡ (4) ㉢

02 (1) $\sqrt{2}\times\sqrt{3}=\sqrt{2\times3}=\sqrt{6}$
(2) $\sqrt{5}\times\sqrt{7}=\sqrt{5\times7}=\sqrt{35}$
(3) $\sqrt{6}\times\sqrt{10}=\sqrt{6\times10}=\sqrt{60}$
(4) $-\sqrt{8}\times\sqrt{2}=-\sqrt{8\times2}=-\sqrt{16}=-\sqrt{4^2}=-4$

03 (1) $7\times2\sqrt{3}=(7\times2)\times\sqrt{3}=14\sqrt{3}$
(2) $2\sqrt{3}\times3\sqrt{5}=(2\times3)\times\sqrt{3\times5}=6\sqrt{15}$
(3) $-3\sqrt{8}\times2\sqrt{6}=(-3\times2)\times\sqrt{8\times6}$
$=-6\sqrt{48}$
(4) $2\sqrt{7}\times5\sqrt{2}\times\sqrt{5}=(2\times5\times1)\times\sqrt{7\times2\times5}$
$=10\sqrt{70}$
(5) $5\sqrt{2}\times4\sqrt{2}=(5\times4)\times(\sqrt{2})^2=20\times2=40$
(6) $6\sqrt{0.3}\times2\sqrt{10}=(6\times2)\times\sqrt{0.3\times10}=12\sqrt{3}$

04 (1) $\sqrt{2}\times\sqrt{\frac{3}{4}}=\sqrt{2\times\frac{3}{4}}=\sqrt{\frac{3}{2}}$
(2) $\sqrt{\frac{5}{7}}\times\sqrt{21}=\sqrt{\frac{5}{7}\times21}=\sqrt{15}$
(3) $-\sqrt{\frac{9}{2}}\times\sqrt{\frac{4}{3}}=-\sqrt{\frac{9}{2}\times\frac{4}{3}}=-\sqrt{6}$
(4) $-2\sqrt{5}\times2\sqrt{\frac{2}{5}}=-(2\times2)\times\sqrt{5\times\frac{2}{5}}=-4\sqrt{2}$
(5) $2\sqrt{\frac{6}{5}}\times3\sqrt{\frac{25}{3}}\times\sqrt{\frac{3}{2}}$
$=(2\times3)\times\sqrt{\frac{6}{5}\times\frac{25}{3}\times\frac{3}{2}}$
$=6\sqrt{15}$

05 (1) $\sqrt{3}\times\sqrt{12}=\sqrt{3\times12}=\sqrt{36}=6$
(2) $3\sqrt{2}\times5\sqrt{8}=15\times\sqrt{16}=15\times4=60$
(3) $\sqrt{\frac{5}{3}}\times\sqrt{\frac{6}{10}}=\sqrt{\frac{5}{3}\times\frac{6}{10}}=\sqrt{\frac{2}{2}}=1$
(4) $\sqrt{\frac{15}{7}}\times4\sqrt{\frac{35}{3}}=4\sqrt{\frac{15}{7}\times\frac{35}{3}}=4\times\sqrt{5^2}=20$

08 (1) $\sqrt{24}=\sqrt{4\times6}=\sqrt{2^2\times6}=2\sqrt{6}$
(2) $\sqrt{50}=\sqrt{25\times2}=\sqrt{5^2\times2}=5\sqrt{2}$
(3) $\sqrt{80}=\sqrt{16\times5}=\sqrt{4^2\times5}=4\sqrt{5}$
(4) $\sqrt{128}=\sqrt{64\times2}=\sqrt{8^2\times2}=8\sqrt{2}$
(5) $-\sqrt{20}=-\sqrt{4\times5}=-\sqrt{2^2\times5}=-2\sqrt{5}$
(6) $-\sqrt{98}=-\sqrt{49\times2}=-\sqrt{7^2\times2}=-7\sqrt{2}$

09 (1) $3\sqrt{5}=\sqrt{3^2\times5}=\sqrt{9\times5}=\sqrt{45}$
(2) $6\sqrt{3}=\sqrt{6^2\times3}=\sqrt{36\times3}=\sqrt{108}$
(3) $-2\sqrt{8}=-\sqrt{2^2\times8}=-\sqrt{4\times8}=-\sqrt{32}$
(4) $-3\sqrt{6}=-\sqrt{3^2\times6}=-\sqrt{9\times6}=-\sqrt{54}$

10 (1) $\sqrt{12}=\sqrt{4\times3}=\sqrt{2^2}\times\sqrt{3}=(\sqrt{2})^2\times\sqrt{3}$
$=a^2b$
(2) $\sqrt{18}=\sqrt{2\times9}=\sqrt{2}\times\sqrt{3^2}=\sqrt{2}\times(\sqrt{3})^2$
$=ab^2$
(3) $\sqrt{36}=\sqrt{4\times9}=\sqrt{2^2}\times\sqrt{3^2}=(\sqrt{2})^2\times(\sqrt{3})^2$
$=a^2b^2$
(4) $\sqrt{54}=\sqrt{2\times27}=\sqrt{2}\times\sqrt{3^3}=\sqrt{2}\times(\sqrt{3})^3$
$=ab^3$

힘수 만점 32쪽

01 ④ **02** ④ **03** 6 **04** ② **05** 7

01 ① $\sqrt{2}\times\sqrt{6}=\sqrt{12}=\sqrt{4\times3}=2\sqrt{3}$
② $-\sqrt{2}\times\sqrt{8}=-\sqrt{16}=-4$
③ $3\sqrt{3}\times2\sqrt{5}=6\sqrt{15}$
④ $\sqrt{\frac{5}{3}}\times\sqrt{\frac{6}{5}}=\sqrt{\frac{5}{3}\times\frac{6}{5}}=\sqrt{2}$
⑤ $\sqrt{\frac{3}{4}}\times2\sqrt{\frac{16}{9}}=2\sqrt{\frac{3}{4}\times\frac{16}{9}}=2\sqrt{\frac{4}{3}}$

02 ① $\sqrt{24}=\sqrt{2^2\times6}=2\sqrt{6}$
$\therefore$ □$=2$
② $-\sqrt{40}=-\sqrt{2^2\times10}=-2\sqrt{10}$
$\therefore$ □$=10$
③ $\sqrt{76}=\sqrt{2^2\times19}=2\sqrt{19}$
$\therefore$ □$=2$
④ $\sqrt{99}=\sqrt{3^2\times11}=3\sqrt{11}$
$\therefore$ □$=11$
⑤ $\sqrt{108}=\sqrt{6^2\times3}=6\sqrt{3}$
$\therefore$ □$=6$

03 $\sqrt{18}\times\sqrt{20}=\sqrt{3^2\times2}\times\sqrt{2^2\times5}$
$=3\sqrt{2}\times2\sqrt{5}=6\sqrt{10}$
$\therefore a=6$

04 $\sqrt{32}=\sqrt{4^2\times2}=4\sqrt{2}$이므로 $a=4$
$\sqrt{75}=\sqrt{5^2\times3}=5\sqrt{3}$이므로 $b=5$
$\therefore \sqrt{ab}=\sqrt{4\times5}=\sqrt{2^2\times5}=2\sqrt{5}$

05 $\sqrt{500}=\sqrt{10^2\times5}=10\sqrt{5}$이므로 $a=10$
$\sqrt{63}=\sqrt{3^2\times7}=3\sqrt{7}$이므로 $b=3$
$\therefore a-b=7$

9강 제곱근의 나눗셈 33~35쪽

01 (1) 6 (2) $\frac{15}{45}$, $\frac{1}{3}$ (3) 42, $\frac{42}{6}$, 7 (4) 4, $\frac{6}{3}$, 2, 2 (5) $\frac{20}{3}$, 5

02 (1) $\sqrt{6}$ (2) 3 (3) $\sqrt{\frac{5}{3}}$ (4) $-\sqrt{7}$

03 (1) $\sqrt{5}$ (2) $\frac{1}{4}$ (3) $3\sqrt{2}$ (4) -6 (5) 20 (6) $4\sqrt{3}$

04 (1) 3 (2) $-2\sqrt{6}$ (3) $15\sqrt{2}$ (4) 2

05 (1) 4, 4 (2) 7, 7 (3) 3, 3 (4) 100, 10, 10

06 (1) 5, $\frac{2}{25}$ (2) 4, 5 (3) 6, 18 (4) 3, 2, $\frac{27}{4}$

07 (1) $\frac{\sqrt{13}}{4}$ (2) $\frac{\sqrt{3}}{2}$ (3) $\frac{\sqrt{2}}{2}$ (4) $-\frac{\sqrt{6}}{3}$ (5) $-\frac{\sqrt{5}}{8}$ (6) $-\frac{\sqrt{5}}{6}$ (7) $\frac{\sqrt{17}}{10}$ (8) $\frac{\sqrt{3}}{50}$

08 (1) $\sqrt{\frac{3}{16}}$ (2) $\sqrt{\frac{4}{3}}$ (3) $\sqrt{\frac{7}{6}}$ (4) $-\sqrt{\frac{3}{2}}$ (5) $-\sqrt{\frac{2}{5}}$ (6) $-\sqrt{\frac{1}{2}}$

09 (1) $\sqrt{7}$, $\sqrt{7}$, $\frac{\sqrt{7}}{7}$ (2) $\sqrt{3}$, $\sqrt{3}$, $\frac{2\sqrt{3}}{3}$ (3) $\sqrt{2}$, $\sqrt{2}$, $\frac{\sqrt{6}}{2}$ (4) $\sqrt{5}$, $\sqrt{5}$, $\frac{\sqrt{30}}{10}$

10 (1) $\frac{\sqrt{2}}{2}$ (2) $3\sqrt{5}$ (3) $-\sqrt{7}$

11 (1) $\frac{\sqrt{42}}{7}$ (2) $\frac{\sqrt{33}}{3}$ (3) $\frac{\sqrt{15}}{3}$ (4) $\frac{\sqrt{6}}{9}$ (5) $\frac{\sqrt{15}}{2}$ (6) $\frac{\sqrt{30}}{5}$

12 (1) $\frac{3\sqrt{2}}{2}$ (2) $\frac{\sqrt{6}}{2}$ (3) $\frac{\sqrt{14}}{2}$ (4) $\frac{2\sqrt{5}}{5}$ (5) $-3\sqrt{30}$

01 (1) $\frac{\sqrt{18}}{\sqrt{3}}=\sqrt{\frac{18}{3}}=\sqrt{\boxed{6}}$

(2) $\frac{\sqrt{15}}{\sqrt{45}}=\sqrt{\boxed{\frac{15}{45}}}=\sqrt{\boxed{\frac{1}{3}}}$

(3) $\sqrt{42}\div\sqrt{6}=\frac{\sqrt{\boxed{42}}}{\sqrt{6}}=\sqrt{\boxed{\frac{42}{6}}}=\sqrt{\boxed{7}}$

(4) $4\sqrt{6}\div2\sqrt{3}=\frac{\boxed{4}}{2}\sqrt{\boxed{\frac{6}{3}}}=\boxed{2}\sqrt{\boxed{2}}$

(5) $\sqrt{\frac{15}{4}}\div\sqrt{\frac{3}{20}}=\sqrt{\frac{15}{4}}\times\sqrt{\frac{20}{3}}=\sqrt{\frac{15}{4}\times\boxed{\frac{20}{3}}}=\boxed{5}$

03 (1) $\sqrt{3}\div\sqrt{\frac{3}{5}}=\sqrt{3\times\frac{5}{3}}=\sqrt{5}$

(2) $\sqrt{\frac{7}{8}}\div\sqrt{14}=\sqrt{\frac{7}{8}\times\frac{1}{14}}=\sqrt{\frac{1}{16}}=\frac{1}{4}$

(3) $12\sqrt{10}\div4\sqrt{5}=12\sqrt{10}\times\frac{1}{4\sqrt{5}}=3\sqrt{2}$

(4) $-9\sqrt{28}\div3\sqrt{7}=-9\sqrt{28}\times\frac{1}{3\sqrt{7}}=-3\sqrt{4}=-6$

(5) $8\sqrt{\frac{25}{2}}\div2\sqrt{\frac{1}{2}}=(8\div2)\times\sqrt{\frac{25}{2}\times2}=4\sqrt{5^2}=20$

(6) $2\sqrt{\frac{3}{5}}\div\sqrt{\frac{6}{15}}\div\sqrt{\frac{1}{8}}=2\sqrt{\frac{3}{5}\times\frac{15}{6}\times8}$
$=2\sqrt{12}=2\sqrt{2^2\times3}=4\sqrt{3}$

04 (1) $\sqrt{3}\times\sqrt{6}\div\sqrt{2}=\sqrt{3\times6\times\frac{1}{2}}=3$

(2) $-\sqrt{48}\div\sqrt{6}\times\sqrt{3}=-\sqrt{48\times\frac{1}{6}\times3}$
$=-\sqrt{24}=-2\sqrt{6}$

(3) $5\sqrt{2}\times\sqrt{27}\div\sqrt{3}=5\sqrt{2\times27\times\frac{1}{3}}=5\sqrt{18}=15\sqrt{2}$

(4) $\frac{3\sqrt{2}}{2}\times\sqrt{\frac{5}{18}}\div\frac{\sqrt{5}}{4}=\frac{\sqrt{18}}{2}\times\frac{\sqrt{5}}{\sqrt{18}}\times\frac{4}{\sqrt{5}}=2$

05 (1) $\sqrt{\frac{5}{16}}=\sqrt{\frac{5}{\boxed{4}^2}}=\frac{\sqrt{5}}{\boxed{4}}$

(2) $\sqrt{\frac{11}{49}}=\sqrt{\frac{11}{\boxed{7}^2}}=\frac{\sqrt{11}}{\boxed{7}}$

(3) $-\sqrt{\frac{2}{9}}=-\sqrt{\frac{2}{\boxed{3}^2}}=-\frac{\sqrt{2}}{\boxed{3}}$

(4) $\sqrt{0.13}=\sqrt{\frac{13}{\boxed{100}}}=\sqrt{\frac{13}{\boxed{10}^2}}=\frac{\sqrt{13}}{\boxed{10}}$

06 (1) $\frac{\sqrt{2}}{5}=\sqrt{\frac{2}{\boxed{5}^2}}=\sqrt{\boxed{\frac{2}{25}}}$

(2) $-\frac{\sqrt{80}}{4}=-\sqrt{\frac{80}{\boxed{4}^2}}=-\sqrt{\frac{80}{16}}=-\sqrt{\boxed{5}}$

(3) $\frac{\sqrt{10}}{6}=\sqrt{\frac{10}{\boxed{6}^2}}=\sqrt{\frac{10}{36}}=\sqrt{\frac{5}{\boxed{18}}}$

(4) $\frac{3\sqrt{3}}{2}=\sqrt{\frac{\boxed{3}^2\times3}{\boxed{2}^2}}=\sqrt{\boxed{\frac{27}{4}}}$

07 (1) $\sqrt{\frac{13}{16}}=\sqrt{\frac{13}{4^2}}=\frac{\sqrt{13}}{4}$

(2) $\sqrt{\frac{21}{28}}=\sqrt{\frac{3}{4}}=\sqrt{\frac{3}{2^2}}=\frac{\sqrt{3}}{2}$

(3) $\sqrt{\frac{50}{100}}=\sqrt{\frac{5^2\times2}{10^2}}=\frac{5\sqrt{2}}{10}=\frac{\sqrt{2}}{2}$

(4) $-\sqrt{\frac{6}{9}}=-\sqrt{\frac{6}{3^2}}=-\frac{\sqrt{6}}{3}$

(5) $-\sqrt{\frac{5}{64}}=-\sqrt{\frac{5}{8^2}}=-\frac{\sqrt{5}}{8}$

(6) $-\sqrt{\frac{10}{72}}=-\sqrt{\frac{5}{36}}=-\sqrt{\frac{5}{6^2}}=-\frac{\sqrt{5}}{6}$

(7) $\sqrt{0.17}=\sqrt{\frac{17}{100}}=\sqrt{\frac{17}{10^2}}=\frac{\sqrt{17}}{10}$

(8) $\sqrt{0.0012}=\sqrt{\frac{12}{10000}}=\sqrt{\frac{2^2\times 3}{100^2}}=\frac{2\sqrt{3}}{100}=\frac{\sqrt{3}}{50}$

08 (1) $\frac{\sqrt{3}}{4}=\frac{\sqrt{3}}{\sqrt{4^2}}=\sqrt{\frac{3}{16}}$

(2) $\frac{\sqrt{12}}{3}=\frac{\sqrt{12}}{\sqrt{3^2}}=\sqrt{\frac{12}{9}}=\sqrt{\frac{4}{3}}$

(3) $\frac{\sqrt{42}}{6}=\frac{\sqrt{42}}{\sqrt{6^2}}=\sqrt{\frac{42}{36}}=\sqrt{\frac{7}{6}}$

(4) $-\frac{\sqrt{24}}{4}=-\frac{\sqrt{24}}{\sqrt{4^2}}=-\sqrt{\frac{24}{16}}=-\sqrt{\frac{3}{2}}$

(5) $-\frac{\sqrt{10}}{5}=-\frac{\sqrt{10}}{\sqrt{5^2}}=-\sqrt{\frac{10}{25}}=-\sqrt{\frac{2}{5}}$

(6) $-\frac{\sqrt{8}}{4}=-\frac{\sqrt{8}}{\sqrt{4^2}}=-\sqrt{\frac{8}{16}}=-\sqrt{\frac{1}{2}}$

10 (2) $\frac{15}{\sqrt{5}}=\frac{15\times\sqrt{5}}{\sqrt{5}\times\sqrt{5}}=\frac{15\sqrt{5}}{5}=3\sqrt{5}$

(3) $-\frac{7}{\sqrt{7}}=-\frac{7\times\sqrt{7}}{\sqrt{7}\times\sqrt{7}}=-\frac{7\sqrt{7}}{7}=-\sqrt{7}$

11 (1) $\frac{\sqrt{6}}{\sqrt{7}}=\frac{\sqrt{6}\times\sqrt{7}}{\sqrt{7}\times\sqrt{7}}=\frac{\sqrt{42}}{7}$

(2) $\frac{\sqrt{11}}{\sqrt{3}}=\frac{\sqrt{11}\times\sqrt{3}}{\sqrt{3}\times\sqrt{3}}=\frac{\sqrt{33}}{3}$

(3) $\sqrt{\frac{5}{3}}=\frac{\sqrt{5}}{\sqrt{3}}=\frac{\sqrt{5}\times\sqrt{3}}{\sqrt{3}\times\sqrt{3}}=\frac{\sqrt{15}}{3}$

(4) $\frac{2}{3\sqrt{6}}=\frac{2\times\sqrt{6}}{3\sqrt{6}\times\sqrt{6}}=\frac{2\sqrt{6}}{18}=\frac{\sqrt{6}}{9}$

(5) $\frac{5\sqrt{3}}{2\sqrt{5}}=\frac{5\sqrt{3}\times\sqrt{5}}{2\sqrt{5}\times\sqrt{5}}=\frac{5\sqrt{15}}{10}=\frac{\sqrt{15}}{2}$

(6) $\frac{2\sqrt{3}}{\sqrt{10}}=\frac{2\sqrt{3}\times\sqrt{10}}{\sqrt{10}\times\sqrt{10}}=\frac{2\sqrt{30}}{10}=\frac{\sqrt{30}}{5}$

12 (1) $\sqrt{27}\div\sqrt{12}\times\sqrt{2}=\sqrt{27}\times\frac{1}{\sqrt{12}}\times\sqrt{2}$

$=\sqrt{27\times\frac{1}{12}\times 2}=\sqrt{\frac{9}{2}}=\frac{3}{\sqrt{2}}=\frac{3\sqrt{2}}{2}$

(2) $\sqrt{3}\times\sqrt{6}\div\sqrt{12}=\sqrt{3\times 6\times\frac{1}{12}}$

$=\sqrt{\frac{18}{12}}=\sqrt{\frac{3}{2}}=\frac{\sqrt{3}}{\sqrt{2}}=\frac{\sqrt{6}}{2}$

(3) $\sqrt{\frac{5}{2}}\div\sqrt{\frac{10}{3}}\times\sqrt{\frac{14}{3}}=\sqrt{\frac{5}{2}\times\frac{3}{10}\times\frac{14}{3}}$

$=\sqrt{\frac{7}{2}}=\frac{\sqrt{7}}{\sqrt{2}}=\frac{\sqrt{14}}{2}$

(4) $\frac{3\sqrt{2}}{2}\times\sqrt{\frac{3}{45}}\div\frac{\sqrt{6}}{4}=\frac{3\sqrt{2}}{2}\times\sqrt{\frac{3}{45}}\times\frac{4}{\sqrt{6}}$

$=6\sqrt{2\times\frac{3}{45}\times\frac{1}{6}}$

$=6\sqrt{\frac{1}{45}}=6\times\frac{1}{3\sqrt{5}}$

$=\frac{2}{\sqrt{5}}=\frac{2\sqrt{5}}{5}$

(5) $3\sqrt{18}\div(-\sqrt{12})\times 2\sqrt{5}=-6\sqrt{18\times\frac{1}{12}\times 5}$

$=-6\sqrt{\frac{15}{2}}=-\frac{6\sqrt{15}}{\sqrt{2}}$

$=-\frac{6\sqrt{30}}{2}=-3\sqrt{30}$

힘수 만점 36쪽

01 ③ **02** 15 **03** ③ **04** ② **05** 4

01 ① $\sqrt{15}\div\sqrt{3}=\frac{\sqrt{15}}{\sqrt{3}}=\sqrt{\frac{15}{3}}=\sqrt{5}$

② $-\frac{\sqrt{12}}{\sqrt{3}}=-\sqrt{\frac{12}{3}}=-\sqrt{4}=-2$

③ $\sqrt{\frac{8}{3}}\div\sqrt{\frac{2}{3}}=\sqrt{\frac{8}{3}}\times\sqrt{\frac{3}{2}}=\sqrt{\frac{8}{3}\times\frac{3}{2}}=\sqrt{4}=2$

④ $-\sqrt{33}\div\sqrt{\frac{3}{11}}=-\sqrt{33}\times\sqrt{\frac{11}{3}}=-11$

⑤ $\sqrt{7}\div\sqrt{10}\div\left(-\sqrt{\frac{7}{50}}\right)=\sqrt{7}\times\frac{1}{\sqrt{10}}\times\left(-\frac{\sqrt{50}}{\sqrt{7}}\right)$

$=-\sqrt{5}$

02 $3\sqrt{2}\div\frac{1}{\sqrt{35}}\times\frac{\sqrt{5}}{\sqrt{7}}=3\sqrt{2}\times\sqrt{35}\times\frac{\sqrt{5}}{\sqrt{7}}$

$=3\times\sqrt{2\times 35\times\frac{5}{7}}$

$=3\times\sqrt{2\times 5^2}=15\sqrt{2}$

$\therefore a=15$

03 $-\frac{\sqrt{7}}{3}\times\sqrt{\frac{15}{21}}\div\frac{\sqrt{30}}{6}=-\frac{\sqrt{7}}{3}\times\sqrt{\frac{15}{21}}\times\frac{6}{\sqrt{30}}$

$=-2\sqrt{7\times\frac{15}{21}\times\frac{1}{30}}$

$=-2\sqrt{\frac{1}{6}}=-\frac{2}{\sqrt{6}}$

$=-\frac{2\sqrt{6}}{6}=-\frac{\sqrt{6}}{3}$

04 ① $\sqrt{\frac{2}{3}}\times\sqrt{\frac{1}{2}}=\sqrt{\frac{2}{3}\times\frac{1}{2}}=\sqrt{\frac{1}{3}}$

② $3\times\frac{1}{\sqrt{3}}=\frac{\sqrt{9}}{\sqrt{3}}=\sqrt{\frac{9}{3}}=\sqrt{3}$

③ $2\sqrt{2}\div\sqrt{24}=\frac{2\sqrt{2}}{\sqrt{24}}=\frac{2\sqrt{2}}{2\sqrt{6}}=\frac{\sqrt{2}}{\sqrt{6}}=\sqrt{\frac{2}{6}}=\sqrt{\frac{1}{3}}$

④ $\sqrt{6}\div\sqrt{18}=\frac{\sqrt{6}}{\sqrt{18}}=\sqrt{\frac{6}{18}}=\sqrt{\frac{1}{3}}$

⑤ $\frac{\sqrt{2}}{\sqrt{6}}=\sqrt{\frac{2}{6}}=\sqrt{\frac{1}{3}}$

05 $\frac{8}{\sqrt{2}}=\frac{8\times\sqrt{2}}{\sqrt{2}\times\sqrt{2}}=\frac{8\sqrt{2}}{2}=4\sqrt{2}$

$\therefore a=4$

$\frac{9}{\sqrt{27}}=\frac{9\times\sqrt{3}}{3\sqrt{3}\times\sqrt{3}}=\frac{9\sqrt{3}}{9}=\sqrt{3}$

$\therefore b=1$

$\therefore ab=4\times1=4$

10강+ 제곱근의 덧셈과 뺄셈 37~39쪽

01 (1) ㉣ (2) ㉢ (3) ㉡ (4) ㉠

02 (1) $11\sqrt{7}$ (2) $3\sqrt{6}$ (3) $9\sqrt{2}$ (4) $4\sqrt{3}$

03 (1) $-3\sqrt{2}+3\sqrt{3}$ (2) $10\sqrt{5}+2\sqrt{7}$ (3) $7\sqrt{3}+3\sqrt{7}$

04 (1) $2\sqrt{7}$ (2) $5\sqrt{6}$ (3) $\sqrt{5}$ (4) $9+3\sqrt{7}$ (5) $4\sqrt{2}-2\sqrt{3}$ (6) $-2\sqrt{2}+5\sqrt{7}$

05 (1) $\frac{5\sqrt{5}}{6}$ (2) $\frac{\sqrt{3}}{3}$ (3) $-\frac{5\sqrt{5}}{3}$ (4) $\frac{7\sqrt{6}}{3}-\frac{\sqrt{5}}{6}$

06 (1) $\sqrt{6}+\sqrt{21}$ (2) $2-2\sqrt{10}$ (3) $\sqrt{15}+3$ (4) $7-\sqrt{21}$ (5) $\sqrt{5}-\sqrt{2}$ (6) $\sqrt{2}$

07 (1) $\sqrt{2}$ (2) $7-\sqrt{10}$ (3) $\sqrt{3}+\frac{\sqrt{6}}{3}$ (4) $\frac{5\sqrt{2}}{2}$

08 (1) $\sqrt{3}$, $\sqrt{3}$, $\frac{\sqrt{3}+\sqrt{6}}{3}$ (2) $\sqrt{5}$, $\sqrt{5}$, $\frac{5-2\sqrt{5}}{5}$ (3) $\sqrt{6}$, $\sqrt{6}$, 2, 6 (4) 2, 2, $\sqrt{7}$, $\sqrt{7}$, $\sqrt{14}+2$

09 (1) $\frac{\sqrt{6}+\sqrt{15}}{3}$ (2) $\frac{\sqrt{15}-\sqrt{10}}{5}$ (3) $\frac{2\sqrt{7}-\sqrt{42}}{7}$ (4) $\frac{2\sqrt{6}-3}{12}$ (5) $\frac{\sqrt{6}-2}{4}$

10 (1) $2\sqrt{6}$ (2) $2\sqrt{5}-\sqrt{6}$ (3) $3\sqrt{7}$ (4) 4 (5) 7 (6) 22 (7) $19\sqrt{3}$ (8) $7\sqrt{2}$

11 (1) $7+3\sqrt{2}$ (2) $\sqrt{6}-\sqrt{2}$ (3) 5 (4) $-\frac{\sqrt{2}}{2}-\frac{\sqrt{6}}{6}$

12 (1) $4+a$, $4+a$, -4 (2) 1 (3) $\frac{15}{2}$

01 (1) $2\sqrt{3}+3\sqrt{3}=(2+3)\sqrt{3}=5\sqrt{3}$

(2) $7\sqrt{3}-4\sqrt{3}=(7-4)\sqrt{3}=3\sqrt{3}$

(3) $\sqrt{3}+6\sqrt{3}=(1+6)\sqrt{3}=7\sqrt{3}$

(4) $9\sqrt{3}-3\sqrt{3}=(9-3)\sqrt{3}=6\sqrt{3}$

02 (1) $3\sqrt{7}+8\sqrt{7}=(3+8)\sqrt{7}=11\sqrt{7}$

(2) $8\sqrt{6}-5\sqrt{6}=(8-5)\sqrt{6}=3\sqrt{6}$

(3) $\sqrt{2}+3\sqrt{2}+5\sqrt{2}=(1+3+5)\sqrt{2}=9\sqrt{2}$

(4) $12\sqrt{3}-3\sqrt{3}-5\sqrt{3}=(12-3-5)\sqrt{3}=4\sqrt{3}$

03 (1) $4\sqrt{2}+5\sqrt{3}-7\sqrt{2}-2\sqrt{3}$

$=(4-7)\sqrt{2}+(5-2)\sqrt{3}$

$=-3\sqrt{2}+3\sqrt{3}$

(2) $3\sqrt{5}-2\sqrt{7}+7\sqrt{5}+4\sqrt{7}$

$=(3+7)\sqrt{5}+(-2+4)\sqrt{7}$

$=10\sqrt{5}+2\sqrt{7}$

(3) $3\sqrt{3}+5\sqrt{7}+4\sqrt{3}-2\sqrt{7}$

$=(3+4)\sqrt{3}+(5-2)\sqrt{7}$

$=7\sqrt{3}+3\sqrt{7}$

04 (1) $\sqrt{7}+\sqrt{63}-\sqrt{28}=\sqrt{7}+\sqrt{9\times7}-\sqrt{4\times7}$

$=\sqrt{7}+3\sqrt{7}-2\sqrt{7}$

$=2\sqrt{7}$

(2) $\sqrt{54}-\sqrt{24}+\sqrt{96}=\sqrt{9\times6}-\sqrt{4\times6}+\sqrt{16\times6}$

$=3\sqrt{6}-2\sqrt{6}+4\sqrt{6}$

$=5\sqrt{6}$

(3) $\sqrt{20}+\sqrt{45}-\sqrt{80}=\sqrt{4\times5}+\sqrt{9\times5}-\sqrt{16\times5}$

$=2\sqrt{5}+3\sqrt{5}-4\sqrt{5}$

$=\sqrt{5}$

(4) $\sqrt{169}-\sqrt{256}+\sqrt{144}+\sqrt{63}$

$=\sqrt{13^2}-\sqrt{16^2}+\sqrt{12^2}+\sqrt{9\times7}$

$=13-16+12+3\sqrt{7}$

$=9+3\sqrt{7}$

(5) $\sqrt{27}+2\sqrt{128}-6\sqrt{8}-\sqrt{75}$

$=\sqrt{9\times3}+2\sqrt{64\times2}-6\sqrt{4\times2}-\sqrt{25\times3}$

$=3\sqrt{3}+16\sqrt{2}-12\sqrt{2}-5\sqrt{3}$

$=4\sqrt{2}-2\sqrt{3}$

(6) $2\sqrt{32}+3\sqrt{63}-5\sqrt{8}-4\sqrt{7}$

$=2\sqrt{16\times2}+3\sqrt{9\times7}-5\sqrt{4\times2}-4\sqrt{7}$

$=8\sqrt{2}+9\sqrt{7}-10\sqrt{2}-4\sqrt{7}$

$=-2\sqrt{2}+5\sqrt{7}$

05 (1) $\frac{\sqrt{5}}{2}+\frac{\sqrt{5}}{3}=\frac{3\sqrt{5}+2\sqrt{5}}{6}=\frac{5\sqrt{5}}{6}$

(2) $-\sqrt{3}+\frac{4\sqrt{3}}{3}=\frac{-3\sqrt{3}+4\sqrt{3}}{3}=\frac{\sqrt{3}}{3}$

(3) $\frac{\sqrt{80}}{3}-\frac{15}{\sqrt{5}}=\frac{4\sqrt{5}}{3}-3\sqrt{5}=\frac{4\sqrt{5}-9\sqrt{5}}{3}$

$=-\frac{5\sqrt{5}}{3}$

(4) $2\sqrt{6}+\frac{2\sqrt{20}}{3}+\sqrt{\frac{2}{3}}-\frac{3\sqrt{5}}{2}$

$=2\sqrt{6}+\frac{4\sqrt{5}}{3}+\frac{\sqrt{6}}{3}-\frac{3\sqrt{5}}{2}$

$=\frac{6\sqrt{6}+\sqrt{6}}{3}+\frac{8\sqrt{5}-9\sqrt{5}}{6}$

$=\frac{7\sqrt{6}}{3}-\frac{\sqrt{5}}{6}$

06 (1) $\sqrt{3}(\sqrt{2}+\sqrt{7})=\sqrt{3}\times\sqrt{2}+\sqrt{3}\times\sqrt{7}$
$=\sqrt{3\times2}+\sqrt{3\times7}$
$=\sqrt{6}+\sqrt{21}$

(2) $\sqrt{2}(\sqrt{2}-2\sqrt{5})=\sqrt{2}\times\sqrt{2}-\sqrt{2}\times2\sqrt{5}$
$=\sqrt{2\times2}-2\sqrt{2\times5}$
$=\sqrt{2^2}-2\sqrt{10}$
$=2-2\sqrt{10}$

(3) $(\sqrt{5}+\sqrt{3})\sqrt{3}=\sqrt{5}\times\sqrt{3}+\sqrt{3}\times\sqrt{3}$
$=\sqrt{5\times3}+\sqrt{3\times3}$
$=\sqrt{15}+\sqrt{3^2}$
$=\sqrt{15}+3$

(4) $(\sqrt{7}-\sqrt{3})\sqrt{7}=\sqrt{7}\times\sqrt{7}-\sqrt{3}\times\sqrt{7}$
$=\sqrt{7\times7}-\sqrt{3\times7}$
$=\sqrt{7^2}-\sqrt{21}$
$=7-\sqrt{21}$

(5) $(\sqrt{15}-\sqrt{6})\div\sqrt{3}=\dfrac{\sqrt{15}-\sqrt{6}}{\sqrt{3}}$
$=\dfrac{\sqrt{15}}{\sqrt{3}}-\dfrac{\sqrt{6}}{\sqrt{3}}$
$=\sqrt{5}-\sqrt{2}$

(5) $(\sqrt{48}-\sqrt{12})\div\sqrt{6}=\dfrac{\sqrt{48}-\sqrt{12}}{\sqrt{6}}$
$=\sqrt{\dfrac{48}{6}}-\sqrt{\dfrac{12}{6}}$
$=\sqrt{8}-\sqrt{2}$
$=\sqrt{4\times2}-\sqrt{2}$
$=2\sqrt{2}-\sqrt{2}=\sqrt{2}$

07 (1) $(2\sqrt{3}+1)\sqrt{2}-2\sqrt{6}$
$=2\sqrt{6}+\sqrt{2}-2\sqrt{6}$
$=\sqrt{2}$

(2) $\sqrt{5}(3\sqrt{5}+\sqrt{2})-\sqrt{2}(2\sqrt{5}+4\sqrt{2})$
$=15+\sqrt{10}-2\sqrt{10}-8$
$=7-\sqrt{10}$

(3) $\sqrt{2}(\sqrt{24}-\sqrt{3})+(\sqrt{32}-\sqrt{81})\div\sqrt{3}$
$=\sqrt{2}(2\sqrt{6}-\sqrt{3})+(4\sqrt{2}-9)\div\sqrt{3}$
$=2\sqrt{12}-\sqrt{6}+\dfrac{4\sqrt{2}}{\sqrt{3}}-\dfrac{9}{\sqrt{3}}$
$=4\sqrt{3}-\sqrt{6}+\dfrac{4\sqrt{6}}{3}-3\sqrt{3}$
$=\sqrt{3}+\dfrac{\sqrt{6}}{3}$

(4) $\dfrac{1}{\sqrt{3}}(\sqrt{54}-6\sqrt{2})+\sqrt{6}\left(2-\dfrac{1}{\sqrt{12}}\right)$
$=\sqrt{18}-\dfrac{6\sqrt{2}}{\sqrt{3}}+2\sqrt{6}-\dfrac{1}{\sqrt{2}}$
$=3\sqrt{2}-2\sqrt{6}+2\sqrt{6}-\dfrac{\sqrt{2}}{2}=\dfrac{5\sqrt{2}}{2}$

08 (1) $\dfrac{1+\sqrt{2}}{\sqrt{3}}=\dfrac{(1+\sqrt{2})\times\boxed{\sqrt{3}}}{\sqrt{3}\times\boxed{\sqrt{3}}}=\boxed{\dfrac{\sqrt{3}+\sqrt{6}}{3}}$

(2) $\dfrac{\sqrt{5}-2}{\sqrt{5}}=\dfrac{(\sqrt{5}-2)\times\boxed{\sqrt{5}}}{\sqrt{5}\times\boxed{\sqrt{5}}}=\boxed{\dfrac{5-2\sqrt{5}}{5}}$

(3) $\dfrac{\sqrt{2}-\sqrt{3}}{\sqrt{6}}=\dfrac{(\sqrt{2}-\sqrt{3})\times\boxed{\sqrt{6}}}{\sqrt{6}\times\boxed{\sqrt{6}}}$
$=\dfrac{\sqrt{12}-\sqrt{18}}{6}$
$=\dfrac{\boxed{2}\sqrt{3}-3\sqrt{2}}{\boxed{6}}$

(4) $\dfrac{7\sqrt{2}+\sqrt{28}}{\sqrt{7}}=\dfrac{7\sqrt{2}+\boxed{2}\sqrt{7}}{\sqrt{7}}$
$=\dfrac{(7\sqrt{2}+\boxed{2}\sqrt{7})\times\boxed{\sqrt{7}}}{\sqrt{7}\times\boxed{\sqrt{7}}}$
$=\dfrac{7\sqrt{14}+14}{7}$
$=\boxed{\sqrt{14}+2}$

09 (1) $\dfrac{\sqrt{2}+\sqrt{5}}{\sqrt{3}}=\dfrac{(\sqrt{2}+\sqrt{5})\times\sqrt{3}}{\sqrt{3}\times\sqrt{3}}=\dfrac{\sqrt{6}+\sqrt{15}}{3}$

(2) $\dfrac{\sqrt{3}-\sqrt{2}}{\sqrt{5}}=\dfrac{(\sqrt{3}-\sqrt{2})\times\sqrt{5}}{\sqrt{5}\times\sqrt{5}}=\dfrac{\sqrt{15}-\sqrt{10}}{5}$

(3) $\dfrac{2-\sqrt{6}}{\sqrt{7}}=\dfrac{(2-\sqrt{6})\times\sqrt{7}}{\sqrt{7}\times\sqrt{7}}=\dfrac{2\sqrt{7}-\sqrt{42}}{7}$

(4) $\dfrac{2\sqrt{2}-\sqrt{3}}{4\sqrt{3}}=\dfrac{(2\sqrt{2}-\sqrt{3})\times\sqrt{3}}{4\sqrt{3}\times\sqrt{3}}=\dfrac{2\sqrt{6}-3}{12}$

(5) $\dfrac{\sqrt{27}-\sqrt{18}}{\sqrt{72}}=\dfrac{3\sqrt{3}-3\sqrt{2}}{6\sqrt{2}}=\dfrac{3\sqrt{6}-6}{12}=\dfrac{\sqrt{6}-2}{4}$

10 (1) $\sqrt{2}\times\sqrt{3}+\sqrt{12}\div\sqrt{2}$
$=\sqrt{6}+\dfrac{\sqrt{12}}{\sqrt{2}}$
$=\sqrt{6}+\sqrt{6}$
$=2\sqrt{6}$

(2) $\sqrt{10}\times\sqrt{2}-\sqrt{30}\times\dfrac{1}{\sqrt{5}}$
$=\sqrt{20}-\dfrac{\sqrt{30}}{\sqrt{5}}$
$=\sqrt{4\times5}-\sqrt{\dfrac{30}{5}}$
$=2\sqrt{5}-\sqrt{6}$

(3) $\sqrt{35}\div\sqrt{5}+\sqrt{2}\times\sqrt{14}$
$=\dfrac{\sqrt{35}}{\sqrt{5}}+\sqrt{28}$
$=\sqrt{\dfrac{35}{5}}+\sqrt{4\times7}$
$=\sqrt{7}+2\sqrt{7}$
$=3\sqrt{7}$

(4) $8\sqrt{15}\times3\sqrt{6}\div18\sqrt{10}$

$=8\sqrt{15}\times3\sqrt{6}\times\dfrac{1}{18\sqrt{10}}$

$=\left(8\times3\times\dfrac{1}{18}\right)\times\sqrt{\dfrac{15\times6}{10}}$

$=\dfrac{4}{3}\sqrt{9}$

$=4$

(5) $\sqrt{4}-\sqrt{(-6)^2}\div(-\sqrt{2})^2+\sqrt{64}$

$=2-6\div2+8$

$=2-3+8=7$

(6) $\sqrt{2}(\sqrt{8}+\sqrt{32})+(\sqrt{800}-\sqrt{200})\div\sqrt{2}$

$=\sqrt{16}+\sqrt{64}+\sqrt{400}-\sqrt{100}$

$=4+8+20-10$

$=22$

(7) $2\sqrt{2}\times4\sqrt{6}+6\sqrt{15}\div2\sqrt{5}$

$=8\sqrt{12}+3\sqrt{3}=16\sqrt{3}+3\sqrt{3}$

$=19\sqrt{3}$

(8) $\sqrt{18}-\dfrac{\sqrt{12}}{\sqrt{6}}+\sqrt{10}\times\sqrt{5}$

$=3\sqrt{2}-\sqrt{2}+5\sqrt{2}$

$=7\sqrt{2}$

11 (1) $(\sqrt{18}+\sqrt{32})\times\dfrac{1}{\sqrt{2}}+(\sqrt{12}+\sqrt{48})\times\dfrac{1}{\sqrt{6}}$

$=(3\sqrt{2}+4\sqrt{2})\times\dfrac{1}{\sqrt{2}}+(2\sqrt{3}+4\sqrt{3})\times\dfrac{1}{\sqrt{6}}$

$=7+\dfrac{6\sqrt{3}}{\sqrt{6}}=7+\dfrac{6\sqrt{18}}{6}$

$=7+3\sqrt{2}$

(2) $\sqrt{3}(\sqrt{6}-\sqrt{2})+(\sqrt{48}-\sqrt{64})\div\sqrt{2}$

$=\sqrt{18}-\sqrt{6}+\sqrt{24}-\sqrt{32}$

$=3\sqrt{2}-\sqrt{6}+2\sqrt{6}-4\sqrt{2}$

$=\sqrt{6}-\sqrt{2}$

(3) $(\sqrt{18}+2\sqrt{5})\div\sqrt{2}-\sqrt{5}\left(\sqrt{2}-\dfrac{2}{\sqrt{5}}\right)$

$=\sqrt{9}+\dfrac{2\sqrt{5}}{\sqrt{2}}-\sqrt{10}+2$

$=3+\sqrt{10}-\sqrt{10}+2$

$=5$

(4) $\dfrac{3}{\sqrt{2}}+\dfrac{5}{\sqrt{6}}-\sqrt{2}(2+\sqrt{3})$

$=\dfrac{3\sqrt{2}}{2}+\dfrac{5\sqrt{6}}{6}-2\sqrt{2}-\sqrt{6}$

$=-\dfrac{\sqrt{2}}{2}-\dfrac{\sqrt{6}}{6}$

12 (2) $\sqrt{2}-2\sqrt{2}+a\sqrt{2}+8$

$=(1-2+a)\sqrt{2}+8$

$=(a-1)\sqrt{2}+8$

이 식이 유리수가 되려면 무리수 부분이 0이어야 하므로

$a-1=0 \qquad \therefore a=1$

(3) $5a+15\sqrt{5}-2\sqrt{5}(a+3\sqrt{5})$

$=5a+15\sqrt{5}-2a\sqrt{5}-30$

$=5a-30+(15-2a)\sqrt{5}$

이 식이 유리수가 되어야 하므로

$15-2a=0 \qquad \therefore a=\dfrac{15}{2}$

힘수 만점 40쪽

01 ③ **02** ② **03** ③ **04** 0 **05** 1

01 ① $3\sqrt{5}+2\sqrt{5}=(3+2)\sqrt{5}=5\sqrt{5}$

② $7\sqrt{3}-3\sqrt{3}=(7-3)\sqrt{3}=4\sqrt{3}$

③ $\sqrt{5}-2\sqrt{5}=(1-2)\sqrt{5}=-\sqrt{5}$

④ $\sqrt{2}+3\sqrt{2}-4\sqrt{2}=(1+3-4)\sqrt{2}=0$

⑤ $\dfrac{3\sqrt{2}}{5}-\dfrac{2\sqrt{2}}{3}=\dfrac{9\sqrt{2}}{15}-\dfrac{10\sqrt{2}}{15}=-\dfrac{\sqrt{2}}{15}$

02 $\sqrt{27}-\dfrac{12}{\sqrt{3}}-\dfrac{4}{\sqrt{8}}+\sqrt{72}$

$=3\sqrt{3}-\dfrac{12\sqrt{3}}{\sqrt{3}\sqrt{3}}-\dfrac{4\sqrt{2}}{2\sqrt{2}\sqrt{2}}+6\sqrt{2}$

$=3\sqrt{3}-4\sqrt{3}-\sqrt{2}+6\sqrt{2}$

$=5\sqrt{2}-\sqrt{3}$

03 $\sqrt{100}-\sqrt{13^2}+(-\sqrt{(-2)^2})^2$

$=10-13+4=1$

04 $6\sqrt{3}-\sqrt{75}+\sqrt{45}-4\sqrt{5}$

$=6\sqrt{3}-5\sqrt{3}+3\sqrt{5}-4\sqrt{5}$

$=\sqrt{3}-\sqrt{5}$

따라서 $a=1$, $b=-1$이므로

$a+b=1+(-1)=0$

05 $\sqrt{40}-3\sqrt{6}+\sqrt{2}(3\sqrt{5}-\sqrt{3})$

$=2\sqrt{10}-3\sqrt{6}+3\sqrt{10}-\sqrt{6}$

$=5\sqrt{10}-4\sqrt{6}$

따라서 $A=5$, $B=-4$이므로

$A+B=1$

11강 제곱근표 41~42쪽

01 (1) 2.191 (2) 2.247 (3) 2.261 (4) 2.236
02 (1) 4.83 (2) 5.12 (3) 4.9
03 (1) 100, 10, 10, 24.49 (2) 10000, 100, 244.9
(3) 100, 10, 10, 0.2449 (4) 10000, 100, 0.02449
04 (1) 14.14 (2) 44.72 (3) 141.4 (4) 0.4472 (5) 0.1414
05 (1) 17.32 (2) 173.2 (3) 0.1732 (4) 54.77 (5) 0.5477
06 (1) 4, 2, 2, 4.472 (2) 36, 6, 6, 13.416
(3) 100, 4, 10, 4, 10, 0.8944
07 (1) $3<\sqrt{13}<4$, 3, $\sqrt{13}-3$
(2) $4<\sqrt{19}<5$, 4, $\sqrt{19}-4$
(3) $6<\sqrt{45}<7$, 6, $\sqrt{45}-6$
(4) $7<\sqrt{60}<8$, 7, $\sqrt{60}-7$
(5) $11<\sqrt{123}<12$, 11, $\sqrt{123}-11$
08 (1) 3, $\sqrt{3}-1$ (2) 4, $\sqrt{6}-2$ (3) 1, $3-\sqrt{5}$ (4) 3, $2-\sqrt{3}$
(5) 6, $\sqrt{18}-4$

03 (1) $\sqrt{600}=\sqrt{6\times\boxed{100}}=\boxed{10}\sqrt{6}=\boxed{10}\times2.449$
$=\boxed{24.49}$
(2) $\sqrt{60000}=\sqrt{6\times\boxed{10000}}=\boxed{100}\sqrt{6}=\boxed{244.9}$
(3) $\sqrt{0.06}=\sqrt{\dfrac{6}{\boxed{100}}}=\dfrac{\sqrt{6}}{\boxed{10}}=\dfrac{2.449}{\boxed{10}}=\boxed{0.2449}$
(4) $\sqrt{0.0006}=\sqrt{\dfrac{6}{\boxed{10000}}}=\dfrac{\sqrt{6}}{\boxed{100}}=\boxed{0.02449}$

04 (1) $\sqrt{200}=\sqrt{100\times2}=10\sqrt{2}=10\times1.414=14.14$
(2) $\sqrt{2000}=\sqrt{100\times20}=10\sqrt{20}$
$=10\times4.472=44.72$
(3) $\sqrt{20000}=\sqrt{10000\times2}=100\sqrt{2}$
$=100\times1.414=141.4$
(4) $\sqrt{0.2}=\sqrt{\dfrac{20}{100}}=\dfrac{\sqrt{20}}{10}=\dfrac{4.472}{10}=0.4472$
(5) $\sqrt{0.02}=\sqrt{\dfrac{2}{100}}=\dfrac{\sqrt{2}}{10}=\dfrac{1.414}{10}=0.1414$

05 (1) $\sqrt{300}=\sqrt{100\times3}=10\sqrt{3}$
$=10\times1.732=17.32$
(2) $\sqrt{30000}=\sqrt{10000\times3}=100\sqrt{3}$
$=100\times1.732=173.2$
(3) $\sqrt{0.03}=\sqrt{\dfrac{3}{100}}=\dfrac{\sqrt{3}}{10}=\dfrac{1.732}{10}=0.1732$
(4) $\sqrt{3000}=\sqrt{100\times30}=10\sqrt{30}$
$=10\times5.477=54.77$
(5) $\sqrt{0.3}=\sqrt{\dfrac{30}{100}}=\dfrac{\sqrt{30}}{10}=\dfrac{5.477}{10}=0.5477$

06 (1) $\sqrt{20}=\sqrt{\boxed{4}\times5}=\boxed{2}\sqrt{5}=\boxed{2}\times2.236=\boxed{4.472}$
(2) $\sqrt{180}=\sqrt{\boxed{36}\times5}=\boxed{6}\sqrt{5}=\boxed{6}\times2.236=\boxed{13.416}$
(3) $\sqrt{0.8}=\sqrt{\dfrac{80}{\boxed{100}}}=\dfrac{\boxed{4}\times\sqrt{5}}{\boxed{10}}=\dfrac{\boxed{4}\times2.236}{\boxed{10}}$
$=\boxed{0.8944}$

07 (1) $\sqrt{9}<\sqrt{13}<\sqrt{16}$ ⇨ $3<\sqrt{13}<4$이므로
정수 부분은 3
소수 부분은 $\sqrt{13}-3$
(2) $\sqrt{16}<\sqrt{19}<\sqrt{25}$ ⇨ $4<\sqrt{19}<5$이므로
정수 부분은 4
소수 부분은 $\sqrt{19}-4$
(3) $\sqrt{36}<\sqrt{45}<\sqrt{49}$ ⇨ $6<\sqrt{45}<7$이므로
정수 부분은 6
소수 부분은 $\sqrt{45}-6$
(4) $\sqrt{49}<\sqrt{60}<\sqrt{64}$ ⇨ $7<\sqrt{60}<8$이므로
정수 부분은 7
소수 부분은 $\sqrt{60}-7$
(5) $\sqrt{121}<\sqrt{123}<\sqrt{144}$ ⇨ $11<\sqrt{123}<12$이므로
정수 부분은 11
소수 부분은 $\sqrt{123}-11$

08 (1) $1<\sqrt{3}<2$ ⇨ $3<2+\sqrt{3}<4$이므로
정수 부분은 3,
소수 부분은 $2+\sqrt{3}-3=\sqrt{3}-1$
(2) $2<\sqrt{6}<3$ ⇨ $4<\sqrt{6}+2<5$이므로
정수 부분은 4,
소수 부분은 $\sqrt{6}+2-4=\sqrt{6}-2$
(3) $2<\sqrt{5}<3$ ⇨ $-3<-\sqrt{5}<-2$ ⇨ $1<4-\sqrt{5}<2$이므로
정수 부분은 1,
소수 부분은 $4-\sqrt{5}-1=3-\sqrt{5}$
(4) $-2<-\sqrt{3}<-1$ ⇨ $3<5-\sqrt{3}<4$이므로
정수 부분은 3,
소수 부분은 $5-\sqrt{3}-3=2-\sqrt{3}$
(5) $4<\sqrt{18}<5$ ⇨ $6<2+\sqrt{18}<7$이므로
정수 부분은 6,
소수 부분은 $2+\sqrt{18}-6=\sqrt{18}-4$

힘수 만점 43쪽

01 ④ **02** ⑤ **03** ① **04** ② **05** $7+\sqrt{3}$

01 ① $\sqrt{60}=7.746$ ② $\sqrt{61}=7.810$
③ $\sqrt{60.6}=7.785$ ⑤ $\sqrt{59.4}=7.707$

02 ① $\sqrt{0.05}=\sqrt{\frac{5}{100}}=\frac{1}{10}\sqrt{5}=0.2236$

② $\sqrt{0.2}=\sqrt{\frac{20}{100}}=\sqrt{\frac{5}{25}}=\frac{\sqrt{5}}{5}=\frac{1}{5}\times 2.236=0.4472$

③ $\sqrt{45}=3\sqrt{5}=3\times 2.236=6.708$

④ $\sqrt{80}=4\sqrt{5}=4\times 2.236=8.944$

⑤ $\sqrt{1000}=10\sqrt{10}$이므로 알 수 없다.

03 $\sqrt{0.002}=\sqrt{\frac{2}{1000}}=\sqrt{\frac{1}{500}}=\frac{1}{10\sqrt{5}}=\frac{1}{10a}$

04 $1<\sqrt{3}<2$이므로

정수 부분 $a=1$, 소수 부분 $b=\sqrt{3}-1$

$\therefore 2a+b=2\times 1+(\sqrt{3}-1)=2+\sqrt{3}-1=1+\sqrt{3}$

05 $1<\sqrt{3}<2$이므로 $-2<-\sqrt{3}<-1$, $3<5-\sqrt{3}<4$

$\therefore$ 정수 부분 $A=3$,

소수 부분 $B=5-\sqrt{3}-3=2-\sqrt{3}$

따라서 $A^2-B=9-(2-\sqrt{3})=7+\sqrt{3}$

12강 중단원 연산 마무리 44~46쪽

01 (1) 6 (2) $\sqrt{6}$ (3) $\sqrt{6}$ (4) $24\sqrt{2}$

02 (1) $4\sqrt{2}$ (2) $3\sqrt{3}$ (3) $3\sqrt{5}$ (4) 2

03 (1) $4\sqrt{3}$ (2) $4\sqrt{6}$ (3) $8\sqrt{5}$ (4) $5\sqrt{6}$

04 (1) $\sqrt{45}$ (2) $\sqrt{128}$ (3) $-\sqrt{75}$ (4) $-\sqrt{98}$

05 (1) $\frac{\sqrt{6}}{9}$ (2) $\frac{\sqrt{5}}{8}$ (3) $\frac{\sqrt{7}}{10}$ (4) $\frac{\sqrt{33}}{100}$

06 (1) $\frac{5\sqrt{8}}{8}$ (2) $\frac{\sqrt{3}}{6}$ (3) $\frac{5\sqrt{15}}{18}$ (4) $\frac{5\sqrt{3}}{12}$

07 (1) ab (2) $\frac{2a}{b}$ (3) ab^2 (4) $\frac{a}{2b^2}$

08 (1) $-4\sqrt{2}+2\sqrt{3}$ (2) $9\sqrt{5}+5\sqrt{6}$

(3) $-9\sqrt{3}-7\sqrt{7}$ (4) $-\frac{5\sqrt{2}}{2}+\frac{3\sqrt{6}}{4}$

09 (1) $5\sqrt{2}+\sqrt{5}$ (2) $\frac{2+5\sqrt{2}}{4}$ (3) $\sqrt{6}-3\sqrt{3}$

10 (1) $-4+\sqrt{2}$ (2) $14-4\sqrt{2}$

11 (1) $1-\sqrt{2}$ (2) $4\sqrt{3}$ (3) $\frac{1}{2}-\frac{\sqrt{6}}{2}$ **12** (1) 3 (2) 5

13 (1) 21.4 (2) 2.02 (3) 2.14

14 (1) 22.36 (2) 70.71 (3) 0.07071 (4) 0.2236

15 6, $-2+\sqrt{7}$ **16** ② **17** $1-\sqrt{10}$

18 $15\sqrt{6}$ cm^2

01 (1) $\sqrt{2}\times\sqrt{3}\times\sqrt{6}=\sqrt{2\times 3\times 6}=\sqrt{6^2}=6$

(2) $\sqrt{\frac{7}{4}}\times 3\sqrt{\frac{8}{21}}=3\sqrt{\frac{7}{4}\times\frac{8}{21}}=3\sqrt{\frac{2}{3}}=\sqrt{6}$

(3) $\sqrt{\frac{28}{3}}\div\sqrt{\frac{14}{9}}=\sqrt{\frac{28}{3}}\times\sqrt{\frac{9}{14}}$

$=\sqrt{\frac{28}{3}\times\frac{9}{14}}=\sqrt{6}$

(4) $3\sqrt{2}\div\frac{\sqrt{7}}{\sqrt{8}}\div\frac{1}{\sqrt{56}}$

$=3\sqrt{2}\times\frac{\sqrt{8}}{\sqrt{7}}\times\sqrt{56}$

$=3\sqrt{2\times\frac{8}{7}\times 56}$

$=24\sqrt{2}$

02 (1) $\sqrt{24}\div\sqrt{6}\times 2\sqrt{2}=2\sqrt{6}\times\frac{1}{\sqrt{6}}\times 2\sqrt{2}=4\sqrt{2}$

(2) $\frac{2}{\sqrt{2}}\times\frac{\sqrt{15}}{\sqrt{8}}\div\frac{\sqrt{5}}{6}=\frac{2}{\sqrt{2}}\times\frac{\sqrt{15}}{\sqrt{8}}\times\frac{6}{\sqrt{5}}$

$=12\sqrt{\frac{1}{2}\times\frac{15}{8}\times\frac{1}{5}}=12\sqrt{\frac{3}{16}}$

$=3\sqrt{3}$

(3) $3\sqrt{15}\div 2\sqrt{18}\times 2\sqrt{6}=3\sqrt{15}\times\frac{1}{2\sqrt{18}}\times 2\sqrt{6}$

$=3\sqrt{15\times\frac{1}{18}\times 6}$

$=3\sqrt{5}$

(4) $\frac{3\sqrt{2}}{2}\times\sqrt{\frac{5}{18}}\div\frac{\sqrt{5}}{4}=\frac{\sqrt{18}}{2}\times\sqrt{\frac{5}{18}}\times\frac{4}{\sqrt{5}}=2$

03 (1) $\sqrt{48}=\sqrt{16\times 3}=4\sqrt{3}$

(2) $\sqrt{96}=\sqrt{16\times 6}=4\sqrt{6}$

(3) $\sqrt{320}=\sqrt{64\times 5}=8\sqrt{5}$

(4) $\sqrt{30}\times\sqrt{5}=\sqrt{30\times 5}=\sqrt{150}$

$=\sqrt{25\times 6}=5\sqrt{6}$

04 (1) $3\sqrt{5}=\sqrt{3^2\times 5}=\sqrt{45}$

(2) $4\sqrt{8}=\sqrt{4^2\times 8}=\sqrt{128}$

(3) $-5\sqrt{3}=-\sqrt{5^2\times 3}=-\sqrt{75}$

(4) $-7\sqrt{2}=-\sqrt{7^2\times 2}=-\sqrt{98}$

05 (1) $\sqrt{\frac{6}{81}}=\sqrt{\frac{6}{9^2}}=\frac{\sqrt{6}}{9}$

(2) $\sqrt{\frac{15}{192}}=\sqrt{\frac{5}{64}}=\sqrt{\frac{5}{8^2}}=\frac{\sqrt{5}}{8}$

(3) $\sqrt{0.07}=\sqrt{\frac{7}{100}}=\sqrt{\frac{7}{10^2}}=\frac{\sqrt{7}}{10}$

(4) $\sqrt{0.0033}=\sqrt{\frac{33}{10000}}=\sqrt{\frac{33}{100^2}}=\frac{\sqrt{33}}{100}$

06 (1) $\frac{5}{\sqrt{8}}=\frac{5\times\sqrt{8}}{\sqrt{8}\times\sqrt{8}}=\frac{5\sqrt{8}}{8}$

(2) $\frac{1}{2\sqrt{3}}=\frac{\sqrt{3}}{2\sqrt{3}\times\sqrt{3}}=\frac{\sqrt{3}}{6}$

(3) $\frac{5\sqrt{5}}{6\sqrt{3}}=\frac{5\sqrt{5}\times\sqrt{3}}{6\sqrt{3}\times\sqrt{3}}=\frac{5\sqrt{15}}{18}$

(4) $\frac{5}{\sqrt{48}}=\frac{5}{\sqrt{16\times3}}=\frac{5}{4\sqrt{3}}$

$=\frac{5\times\sqrt{3}}{4\sqrt{3}\times\sqrt{3}}=\frac{5\sqrt{3}}{12}$

07 (1) $\sqrt{15}=\sqrt{3}\sqrt{5}=ab$

(2) $\sqrt{\frac{12}{5}}=\frac{\sqrt{12}}{\sqrt{5}}=\frac{2\sqrt{3}}{\sqrt{5}}=\frac{2a}{b}$

(3) $\sqrt{75}=\sqrt{25\times3}=\sqrt{3}\times(\sqrt{5})^2=ab^2$

(4) $\sqrt{0.03}=\sqrt{\frac{3}{100}}=\frac{\sqrt{3}}{2\times(\sqrt{5})^2}=\frac{a}{2b^2}$

08 (1) $5\sqrt{2}-6\sqrt{3}-9\sqrt{2}+8\sqrt{3}$

$=(5-9)\sqrt{2}+(-6+8)\sqrt{3}$

$=-4\sqrt{2}+2\sqrt{3}$

(2) $12\sqrt{5}-\sqrt{6}+6\sqrt{6}-3\sqrt{5}$

$=(12-3)\sqrt{5}+(-1+6)\sqrt{6}$

$=9\sqrt{5}+5\sqrt{6}$

(3) $\sqrt{75}-2\sqrt{147}-2\sqrt{28}-\sqrt{63}$

$=\sqrt{25\times3}-2\sqrt{49\times3}-2\sqrt{4\times7}-\sqrt{9\times7}$

$=5\sqrt{3}-14\sqrt{3}-4\sqrt{7}-3\sqrt{7}$

$=-9\sqrt{3}-7\sqrt{7}$

(4) $\frac{7}{\sqrt{2}}+\frac{\sqrt{3}}{\sqrt{8}}-\sqrt{72}+\frac{3}{\sqrt{6}}$

$=\frac{7}{\sqrt{2}}+\frac{\sqrt{3}}{2\sqrt{2}}-6\sqrt{2}+\frac{3}{\sqrt{6}}$

$=\frac{7\sqrt{2}}{2}+\frac{\sqrt{6}}{4}-6\sqrt{2}+\frac{3\sqrt{6}}{6}$

$=\left(\frac{7}{2}-6\right)\sqrt{2}+\left(\frac{1}{4}+\frac{1}{2}\right)\sqrt{6}$

$=-\frac{5\sqrt{2}}{2}+\frac{3\sqrt{6}}{4}$

09 (1) $\frac{10+\sqrt{10}}{\sqrt{2}}=\frac{(10+\sqrt{10})\times\sqrt{2}}{\sqrt{2}\times\sqrt{2}}$

$=\frac{10\sqrt{2}+2\sqrt{5}}{2}$

$=5\sqrt{2}+\sqrt{5}$

(2) $\frac{\sqrt{2}+5}{2\sqrt{2}}=\frac{(\sqrt{2}+5)\times\sqrt{2}}{2\sqrt{2}\times\sqrt{2}}=\frac{2+5\sqrt{2}}{4}$

(3) $\frac{\sqrt{72}-18}{\sqrt{12}}=\frac{\sqrt{36\times2}-18}{\sqrt{4\times3}}=\frac{6\sqrt{2}-18}{2\sqrt{3}}$

$=\frac{3\sqrt{2}-9}{\sqrt{3}}$

$=\frac{(3\sqrt{2}-9)\times\sqrt{3}}{\sqrt{3}\times\sqrt{3}}$

$=\frac{3\sqrt{6}-9\sqrt{3}}{3}$

$=\sqrt{6}-3\sqrt{3}$

10 (1) $2\sqrt{2}(1-\sqrt{2})+\frac{2}{\sqrt{2}}-\sqrt{8}$

$=2\sqrt{2}-4+\sqrt{2}-2\sqrt{2}$

$=-4+\sqrt{2}$

(2) $\sqrt{2}(\sqrt{8}+1)+\sqrt{5}(2\sqrt{5}-\sqrt{10})$

$=\sqrt{16}+\sqrt{2}+10-\sqrt{50}$

$=4+\sqrt{2}+10-5\sqrt{2}$

$=14-4\sqrt{2}$

11 (1) $\frac{\sqrt{18}}{3}+\frac{2\sqrt{6}+\sqrt{3}}{\sqrt{3}}-\sqrt{32}$

$=\frac{3\sqrt{2}}{3}+2\sqrt{2}+1-4\sqrt{2}$

$=\sqrt{2}+2\sqrt{2}+1-4\sqrt{2}$

$=1-\sqrt{2}$

(2) $3\sqrt{3}(2-\sqrt{3})+\frac{6}{\sqrt{3}}-\sqrt{48}+\sqrt{81}$

$=6\sqrt{3}-9+\frac{6\sqrt{3}}{3}-4\sqrt{3}+9$

$=6\sqrt{3}-9+2\sqrt{3}-4\sqrt{3}+9$

$=4\sqrt{3}$

(3) $\frac{3}{2\sqrt{3}}(\sqrt{2}-\sqrt{3})-\frac{2\sqrt{3}-\sqrt{8}}{\sqrt{2}}$

$=\frac{3\sqrt{2}}{2\sqrt{3}}-\frac{3}{2}-\frac{2\sqrt{3}}{\sqrt{2}}+\frac{\sqrt{8}}{\sqrt{2}}$

$=\frac{3\sqrt{6}}{6}-\frac{3}{2}-\frac{2\sqrt{6}}{2}+2$

$=\left(\frac{1}{2}-1\right)\sqrt{6}+\frac{1}{2}$

$=\frac{1}{2}-\frac{\sqrt{6}}{2}$

12 (1) $6\sqrt{3}+3a-6-2a\sqrt{3}=3a-6+(6-2a)\sqrt{3}$

이 식이 유리수가 되어야 하므로

$6-2a=0\quad\therefore a=3$

(2) $3(2+a\sqrt{5})+4a-15\sqrt{5}$

$=6+3a\sqrt{5}+4a-15\sqrt{5}$

$=(6+4a)+(3a-15)\sqrt{5}$

이 식이 유리수가 되어야 하므로

$3a-15=0 \quad \therefore a=5$

14 (1) $\sqrt{500}=\sqrt{100\times5}=10\sqrt{5}=22.36$

(2) $\sqrt{5000}=\sqrt{100\times50}=10\sqrt{50}=70.71$

(3) $\sqrt{0.005}=\sqrt{\frac{50}{10000}}=\frac{\sqrt{50}}{100}=0.07071$

(4) $\sqrt{0.05}=\sqrt{\frac{5}{100}}=\frac{\sqrt{5}}{10}=0.2236$

15 $2<\sqrt{7}<3$이므로 $6<4+\sqrt{7}<7$

따라서 정수 부분은 6,

소수 부분은 $4+\sqrt{7}-6=-2+\sqrt{7}$

16 $\sqrt{12}\times\sqrt{k}=2\sqrt{3k}$, $\sqrt{2}\times\sqrt{18}=\sqrt{36}=6$이므로

$2\sqrt{3k}=6$, $\sqrt{3k}=3$, $3k=9$

$\therefore k=3$

17 $x=\frac{\sqrt{3}-2}{2\sqrt{3}}=\frac{(\sqrt{3}-2)\times\sqrt{3}}{2\sqrt{3}\times\sqrt{3}}=\frac{3-2\sqrt{3}}{6}$

$y=\frac{\sqrt{15}-\sqrt{2}}{\sqrt{6}}=\frac{(\sqrt{15}-\sqrt{2})\times\sqrt{6}}{\sqrt{6}\times\sqrt{6}}=\frac{3\sqrt{10}-2\sqrt{3}}{6}$

$\therefore 2(x-y)=2\left(\frac{3-2\sqrt{3}}{6}-\frac{3\sqrt{10}-2\sqrt{3}}{6}\right)$

$=2\left(\frac{3-2\sqrt{3}-3\sqrt{10}+2\sqrt{3}}{6}\right)$

$=\frac{3-3\sqrt{10}}{3}$

$=1-\sqrt{10}$

18 $\square\mathrm{ABCD}=\frac{1}{2}(\sqrt{32}+\sqrt{72})\times\sqrt{27}$

$=\frac{1}{2}(4\sqrt{2}+6\sqrt{2})\times3\sqrt{3}$

$=\frac{1}{2}\times10\sqrt{2}\times3\sqrt{3}$

$=15\sqrt{6}\ (\mathrm{cm}^2)$

Ⅱ 식의 계산

힘수 점검 49쪽

1. (1) $2^3\times3$ (2) 2^4 (3) 2×7^2 (4) $2^3\times3\times5$

2. (1) $24xy$ (2) $12xy^2$ (3) $2a+3$ (4) $-b$

3. (1) $\frac{\sqrt{2}}{2}$ (2) $\frac{\sqrt{15}}{5}$ (3) $\frac{2\sqrt{3}}{9}$ (4) $\frac{\sqrt{3}}{6}$

4. (1) $a+4b$ (2) $-x^2+2x+1$
(3) $-x^2y^3+3x^3y^2$ (4) $3xy-6x$

5. (1) ○ (2) × (3) ○ (4) ×

6. (1) $x=2$ (2) $x=-14$ (3) $x=\frac{18}{5}$ (4) $x=5$

13강+ 곱셈 공식 50~52쪽

01 (1) $ax+ay+bx+by$ (2) $xy+7x+3y+21$
(3) $ac+2ad-2bc-4bd$ (4) $x^2+2xy-x-2y$
(5) $2xy+4x-3y-6$ (6) $x^2-7x-2xy+14y$
(7) $9xy+9x+6y+6$ (8) $ax+bx+cx+ay+by+cy$

02 (1) $x^2+7x+10$ (2) $2a^2-5a-12$
(3) $-3x^2+13xy-12y^2$ (4) $3a^2-10ab+3b^2$
(5) $x^2-2xy-3y^2-x+3y$

03 (1) $a^2+2ab-2a+b^2-2b$ (2) $2x^2+xy+x-3y^2-y$
(3) $2x^2+3xy+y^2-2x-2y$
(4) $6x^2-7xy-3y^2+15x+5y$

04 (1) 13 (2) 13 (3) -4

05 (1) x^2+4x+4 (2) $a^2-10a+25$ (3) $4x^2-4x+1$
(4) $4a^2+20ab+25b^2$

06 (1) a^2+6a+9 (2) $y^2-14y+49$ (3) $x^2-12xy+36y^2$

07 (1) x^2-1 (2) x^2-9 (3) $4b^2-25$ (4) $9y^2-4$
(5) $16x^2-49y^2$ (6) $\frac{1}{4}x^2-\frac{1}{81}y^2$

08 (1) x^2-4 (2) x^2-4 (3) $16x^2-9$ (4) $9-16x^2$
(5) $9a^2-4b^2$ (6) $4b^2-9a^2$ (7) $x^2-\frac{4}{9}y^2$
(8) $25y^2-\frac{1}{9}x^2$

09 (1) x^2+5x+6 (2) x^2-x-20 (3) $x^2-5x-24$
(4) $x^2-9x+18$ (5) $x^2-4xy-5y^2$
(6) $x^2-11xy+24y^2$

10 (1) $a^2-\frac{5}{6}a+\frac{1}{6}$ (2) $x^2-\frac{1}{2}x-\frac{1}{2}$

(3) $a^2+\frac{1}{3}ab-\frac{2}{3}b^2$ (4) $x^2+\frac{7}{10}xy+\frac{1}{10}y^2$

11 (1) $4x^2+21x+5$ (2) $6x^2-5x-6$

(3) $35x^2-27xy+4y^2$ (4) $24x^2+2xy-15y^2$

12 (1) $12x^2-2x+\frac{1}{12}$ (2) $8x^2-xy-\frac{1}{4}y^2$

(3) $\frac{1}{15}x^2-\frac{2}{15}xy-8y^2$

13 (1) 5 (2) 7 (3) $3y$ (4) $3y$

02 (1) $(x+2)(x+5)=x^2+5x+2x+10$
$=x^2+7x+10$

(2) $(a-4)(2a+3)=2a^2+3a-8a-12$
$=2a^2-5a-12$

(3) $(-x+3y)(3x-4y)=-3x^2+4xy+9xy-12y^2$
$=-3x^2+13xy-12y^2$

(4) $(3a-b)(a-3b)=3a^2-9ab-ab+3b^2$
$=3a^2-10ab+3b^2$

(5) $(x+y-1)(x-3y)$
$=x^2-3xy+xy-3y^2-x+3y$
$=x^2-2xy-3y^2-x+3y$

03 (1) (주어진 식)
$=a^2+ab-2a+ab+b^2-2b$
$=a^2+2ab-2a+b^2-2b$

(2) (주어진 식)
$=2x^2+3xy+x-2xy-3y^2-y$
$=2x^2+xy+x-3y^2-y$

(3) (주어진 식)
$=2x^2+xy-2x+2xy+y^2-2y$
$=2x^2+3xy+y^2-2x-2y$

(4) (주어진 식)
$=6x^2-9xy+15x+2xy-3y^2+5y$
$=6x^2-7xy-3y^2+15x+5y$

04 (1) $2x^2\times5+(-3x)\times(-x)=13x^2$
따라서 x^2의 계수는 13이다.

(2) $2x\times2y+3y\times3x=13xy$
따라서 xy의 계수는 13이다.

(3) $2y\times(-2y)=-4y^2$
따라서 y^2의 계수는 -4이다.

05 (1) $(x+2)^2=x^2+2\times x\times2+2^2$
$=x^2+4x+4$

(2) $(a-5)^2=a^2-2\times a\times5+5^2$
$=a^2-10a+25$

(3) $(2x-1)^2=(2x)^2-2\times2x\times1+1^2$
$=4x^2-4x+1$

(4) $(2a+5b)^2=(2a)^2+2\times2a\times5b+(5b)^2$
$=4a^2+20ab+25b^2$

06 (1) $(-a-3)^2=(a+3)^2$
$=a^2+2\times a\times3+3^2$
$=a^2+6a+9$

(2) $(7-y)^2=7^2-2\times7\times y+y^2$
$=y^2-14y+49$

(3) $(-x+6y)^2=(-x)^2+2\times(-x)\times6y+(6y)^2$
$=x^2-12xy+36y^2$

07 (3) $(2b+5)(2b-5)=(2b)^2-5^2=4b^2-25$

(4) $(3y-2)(3y+2)=(3y)^2-2^2=9y^2-4$

(5) $(4x+7y)(4x-7y)=(4x)^2-(7y)^2=16x^2-49y^2$

(6) $\left(\frac{1}{2}x-\frac{1}{9}y\right)\left(\frac{1}{2}x+\frac{1}{9}y\right)=\left(\frac{1}{2}x\right)^2-\left(\frac{1}{9}y\right)^2$
$=\frac{1}{4}x^2-\frac{1}{81}y^2$

08 (2) (주어진 식)$=(-x+2)(-x-2)$
$=(-x)^2-4=x^2-4$

(3) (주어진 식)$=(-4x-3)(-4x+3)$
$=(-4x)^2-9=16x^2-9$

(4) (주어진 식)$=(-3+4x)(-3-4x)$
$=(-3)^2-(4x)^2=9-16x^2$

(5) (주어진 식)$=(-3a)^2-(2b)^2=9a^2-4b^2$

(6) (주어진 식)$=(2b-3a)(2b+3a)$
$=(2b)^2-(3a)^2=4b^2-9a^2$

(7) (주어진 식)$=\left(x+\frac{2}{3}y\right)\left(x-\frac{2}{3}y\right)$
$=x^2-\frac{4}{9}y^2$

(8) (주어진 식)$=\left(-5y+\frac{1}{3}x\right)\left(-5y-\frac{1}{3}x\right)$
$=25y^2-\frac{1}{9}x^2$

09 (1) $(x+2)(x+3)=x^2+(2+3)x+2\times3$
$=x^2+5x+6$

(2) $(x+4)(x-5)=x^2+\{4+(-5)\}x+4\times(-5)$
$=x^2-x-20$

(3) $(x-8)(x+3)=x^2+\{(-8)+3\}x+(-8)\times3$
$=x^2-5x-24$

(4) $(x-6)(x-3)=x^2+\{(-6)+(-3)\}x+(-6)\times(-3)$
$=x^2-9x+18$

(5) $(x+y)(x-5y)=x^2+(-5+1)xy+y\times(-5y)$
$=x^2-4xy-5y^2$

(6) $(x-3y)(x-8y)$
$=x^2+\{(-8)+(-3)\}xy+(-3y)\times(-8y)$
$=x^2-11xy+24y^2$

10 (1) $\left(a-\frac{1}{2}\right)\left(a-\frac{1}{3}\right)$
$=a^2+\left\{\left(-\frac{1}{2}\right)+\left(-\frac{1}{3}\right)\right\}a+\left(-\frac{1}{2}\right)\times\left(-\frac{1}{3}\right)$
$=a^2-\frac{5}{6}a+\frac{1}{6}$

(2) $(x-1)\left(x+\frac{1}{2}\right)=x^2+\left(-1+\frac{1}{2}\right)x+(-1)\times\frac{1}{2}$
$=x^2-\frac{1}{2}x-\frac{1}{2}$

(3) $(a+b)\left(a-\frac{2}{3}b\right)=a^2+\left(-\frac{2}{3}+1\right)ab+b\times\left(-\frac{2}{3}b\right)$
$=a^2+\frac{1}{3}ab-\frac{2}{3}b^2$

(4) $\left(x+\frac{1}{2}y\right)\left(x+\frac{1}{5}y\right)=x^2+\left(\frac{1}{5}+\frac{1}{2}\right)xy+\frac{1}{2}y\times\frac{1}{5}y$
$=x^2+\frac{7}{10}xy+\frac{1}{10}y^2$

11 (1) $(x+5)(4x+1)=4x^2+(1+20)x+5$
$=4x^2+21x+5$

(2) $(2x-3)(3x+2)$
$=6x^2+\{4+(-9)\}x-6$
$=6x^2-5x-6$

(3) $(5x-y)(7x-4y)=35x^2+(-20-7)xy+4y^2$
$=35x^2-27xy+4y^2$

(4) $(6x+5y)(4x-3y)=24x^2+(-18+20)xy-15y^2$
$=24x^2+2xy-15y^2$

12 (1) $\left(3x-\frac{1}{4}\right)\left(4x-\frac{1}{3}\right)$
$=12x^2+(-1-1)x+\frac{1}{12}$
$=12x^2-2x+\frac{1}{12}$

(2) $\left(4x+\frac{1}{2}y\right)\left(2x-\frac{1}{2}y\right)$
$=8x^2+(-2+1)xy-\frac{1}{4}y^2$
$=8x^2-xy-\frac{1}{4}y^2$

(3) $\left(\frac{1}{5}x+2y\right)\left(\frac{1}{3}x-4y\right)$
$=\frac{1}{15}x^2+\left(-\frac{4}{5}+\frac{2}{3}\right)xy-8y^2$
$=\frac{1}{15}x^2-\frac{2}{15}xy-8y^2$

13 (1) $(x-2)(x+\square)=x^2+(\square-2)x-2\times\square$
$=x^2+3x-10$

따라서 $\square-2=3$, $2\times\square=10$이므로 $\square=5$

$\therefore (x-2)(x+\boxed{5})=x^2+3x-10$

(2) $(x+4)(x-\square)=x^2+(-\square+4)x-4\times\square$
$=x^2-3x-28$

따라서 $-\square+4=-3$, $4\times\square=28$이므로 $\square=7$

$\therefore (x+4)(x-\boxed{7})=x^2-3x-28$

(3) $(2x+\square)(3x-2y)$
$=6x^2+(-4y+\square\times3)x-\square\times2y$
$=6x^2+5xy-6y^2$

따라서 $-4y+3\times\square=5y$, $\square\times2y=6y^2$

이므로 $\square=3y$

$\therefore (2x+\boxed{3y})(3x-2y)=6x^2+5xy-6y^2$

(4) $(-3x+y)(4x-\square)$
$=-12x^2+(3\times\square+4y)x-y\times\square$
$=-12x^2+13xy-3y^2$

따라서 $3\times\square+4y=13y$, $y\times\square=3y^2$

이므로 $\square=3y$

$\therefore (-3x+y)(4x-\boxed{3y})=-12x^2+13xy-3y^2$

힘수 만점 53쪽

01 ③ **02** ① **03** $3x^2-x-14$
04 $2x^2-5xy+4x-12y^2+6y$ **05** ④

01 ③ $(x-4)(x+2)=x^2-2x-8$

02 $(a-b)^2=a^2-2ab+b^2$
① $(-a+b)^2=a^2-2ab+b^2$
② $(a+b)^2=a^2+2ab+b^2$
③ $(-a-b)^2=a^2+2ab+b^2$
④ $-(a-b)^2=-a^2+2ab-b^2$
⑤ $-(a+b)^2=-a^2-2ab-b^2$

03 $(x-1)^2+(2x-5)(x+3)$
$=x^2-2x+1+2x^2+x-15$
$=3x^2-x-14$

04 $(2x+3y)(x-4y+2)$
$=2x^2-5xy+4x-12y^2+6y$

05 x^2의 계수는 $x\times3x=3x^2$에서 $A=3$
y^2의 계수는 $(-2y)\times(-4y)=8y^2$에서 $B=8$
$\therefore B-A=5$

14강+ 곱셈 공식을 이용한 수 또는 식의 계산 54~56쪽

01 (1) ㄹ (2) ㄴ (3) ㄷ (4) ㅁ (5) ㅂ

02 (1) 3, A, A, $x+y$, x, y (2) A, A, $x+y$

03 (1) $a^2+2ab+b^2-8a-8b+16$

(2) $9x^2-6xy+y^2+12x-4y+4$

(3) $a^2+2ab+b^2-6a-6b+5$

(4) $a^2+4ab+4b^2-3a-6b-4$

(5) $9x^2-24x+16-4y^2$

(6) a^2-b^2+2b-1

04 (1) $3+2\sqrt{2}$ (2) $8+2\sqrt{15}$ (3) $19-8\sqrt{3}$

(4) $12-2\sqrt{35}$ (5) $17-12\sqrt{2}$ (6) 4 (7) 17

(8) $-12+10\sqrt{3}$ (9) $6-\sqrt{6}$ (10) $23+13\sqrt{10}$

05 (1) $\sqrt{3}+1$, $\sqrt{3}+1$, $\sqrt{3}+1$ (2) $\sqrt{2}-1$ (3) $\sqrt{21}+\sqrt{19}$

(4) $3-\sqrt{7}$ (5) $3(\sqrt{10}+3)$ (6) $\sqrt{3}+\sqrt{2}$ (7) $3-2\sqrt{2}$

(8) $17+12\sqrt{2}$

06 (1) ㄷ (2) ㄱ (3) ㄹ (4) ㄴ

07 (1) 3, 600, 10609 (2) 100, 10000, 600, 9409

(3) 0.2, 0.2, 0.04, 96.04

08 (1) 10201 (2) 11025 (3) 2704 (4) 2304 (5) 39601

09 (1) 2, 2, 4, 9996 (2) 2, 300, 2, 10302

10 (1) 9975 (2) 39996 (3) 15.99 (4) 2448 (5) 10080

01 (1) $x-y=A$라 하면

(주어진 식)$=(A+1)(A-3)$

(2) $a+b=A$라 하면

(주어진 식)$=(A+1)^2$

(3) $3x+y=A$라 하면

(주어진 식)$=(A-2)^2$

(4) $x+y=A$라 하면

(주어진 식)$=(A+2)(A-2)$

(5) $a-c=A$라 하면

(주어진 식)$=(a-c-3)(a-c+2)$

$=(A-3)(A+2)$

02 (1) $(x+y-3)^2$을 전개하기 위해 $x+y=A$로 놓으면

$(x+y-3)^2=(A-\boxed{3})^2=\boxed{A}^2-6\boxed{A}+9$

$=(x+y)^2-6(\boxed{x+y})+9$

$=x^2+2xy+y^2-6\boxed{x}-6\boxed{y}+9$

(2) $(x+y+3)(x+y-3)$을 전개하기 위해 $x+y=A$로 놓으면

$(x+y+3)(x+y-3)=(A+3)(\boxed{A}-3)$

$=\boxed{A}^2-9$

$=(\boxed{x+y})^2-9$

$=x^2+2xy+y^2-9$

03 (1) $a+b=A$로 치환하면

(주어진 식)$=(A-4)^2$

$=A^2-8A+16$

$=(a+b)^2-8(a+b)+16$

$=a^2+2ab+b^2-8a-8b+16$

(2) $3x-y=A$로 치환하면

(주어진 식)$=(A+2)^2$

$=A^2+4A+4$

$=(3x-y)^2+4(3x-y)+4$

$=9x^2-6xy+y^2+12x-4y+4$

(3) $a+b=A$로 치환하면

(주어진 식)$=(A-1)(A-5)$

$=A^2-6A+5$

$=(a+b)^2-6(a+b)+5$

$=a^2+2ab+b^2-6a-6b+5$

(4) $a+2b=A$로 치환하면

(주어진 식)$=(A+1)(A-4)$

$=A^2-3A-4$

$=(a+2b)^2-3(a+2b)-4$

$=a^2+4ab+4b^2-3a-6b-4$

(5) $3x-4=A$로 치환하면

(주어진 식)$=(A-2y)(A+2y)$

$=A^2-4y^2$

$=(3x-4)^2-4y^2$

$=9x^2-24x+16-4y^2$

(6) $b-1=A$로 치환하면

(주어진 식)$=(a+A)(a-A)$

$=a^2-A^2$

$=a^2-(b-1)^2$

$=a^2-(b^2-2b+1)$

$=a^2-b^2+2b-1$

04 (1) $(1+\sqrt{2})^2=1^2+2\times\sqrt{2}+(\sqrt{2})^2$

$=3+2\sqrt{2}$

(2) $(\sqrt{3}+\sqrt{5})^2=(\sqrt{3})^2+2\times\sqrt{3}\times\sqrt{5}+(\sqrt{5})^2$

$=8+2\sqrt{15}$

(3) $(4-\sqrt{3})^2=16-2\times4\times\sqrt{3}+(\sqrt{3})^2$

$=19-8\sqrt{3}$

(4) $(\sqrt{7}-\sqrt{5})^2=(\sqrt{7})^2-2\times\sqrt{7}\times\sqrt{5}+(\sqrt{5})^2$

$=12-2\sqrt{35}$

(5) $(2\sqrt{2}-3)^2=(2\sqrt{2})^2-2\times2\sqrt{2}\times3+9$

$=8-12\sqrt{2}+9$

$=17-12\sqrt{2}$

(6) $(\sqrt{6}-\sqrt{2})(\sqrt{2}+\sqrt{6})=(\sqrt{6}-\sqrt{2})(\sqrt{6}+\sqrt{2})$
$=(\sqrt{6})^2-(\sqrt{2})^2$
$=6-2=4$

(7) $(3\sqrt{5}+2\sqrt{7})(3\sqrt{5}-2\sqrt{7})=(3\sqrt{5})^2-(2\sqrt{7})^2$
$=45-28=17$

(8) $(4-2\sqrt{3})(3+4\sqrt{3})=12+(16-6)\sqrt{3}-24$
$=-12+10\sqrt{3}$

(9) $(2\sqrt{6}+3)(\sqrt{6}-2)=12+(-4+3)\sqrt{6}-6$
$=6-\sqrt{6}$

(10) $(3\sqrt{5}+\sqrt{2})(4\sqrt{2}+\sqrt{5})=15+(12+1)\sqrt{10}+8$
$=23+13\sqrt{10}$

05 (1) $\dfrac{2}{\sqrt{3}-1}=\dfrac{2(\boxed{\sqrt{3}+1})}{(\sqrt{3}-1)(\boxed{\sqrt{3}+1})}=\dfrac{2(\sqrt{3}+1)}{2}=\boxed{\sqrt{3}+1}$

(2) $\dfrac{1}{1+\sqrt{2}}=\dfrac{\sqrt{2}-1}{(\sqrt{2}+1)(\sqrt{2}-1)}=\dfrac{\sqrt{2}-1}{2-1}$
$=\sqrt{2}-1$

(3) $\dfrac{2}{\sqrt{21}-\sqrt{19}}=\dfrac{2(\sqrt{21}+\sqrt{19})}{(\sqrt{21}-\sqrt{19})(\sqrt{21}+\sqrt{19})}$
$=\sqrt{21}+\sqrt{19}$

(4) $\dfrac{2}{3+\sqrt{7}}=\dfrac{2(3-\sqrt{7})}{(3+\sqrt{7})(3-\sqrt{7})}=\dfrac{2(3-\sqrt{7})}{9-7}$
$=3-\sqrt{7}$

(5) $\dfrac{3}{\sqrt{10}-3}=\dfrac{3(\sqrt{10}+3)}{(\sqrt{10}-3)(\sqrt{10}+3)}=\dfrac{3(\sqrt{10}+3)}{10-9}$
$=3(\sqrt{10}+3)$

(6) $\dfrac{\sqrt{3}}{3-\sqrt{6}}=\dfrac{\sqrt{3}(3+\sqrt{6})}{(3-\sqrt{6})(3+\sqrt{6})}=\dfrac{\sqrt{3}(3+\sqrt{6})}{9-6}$
$=\dfrac{3\sqrt{3}+3\sqrt{2}}{3}=\sqrt{3}+\sqrt{2}$

(7) $\dfrac{\sqrt{2}-1}{\sqrt{2}+1}=\dfrac{(\sqrt{2}-1)^2}{(\sqrt{2}+1)(\sqrt{2}-1)}=\dfrac{(\sqrt{2}-1)^2}{2-1}$
$=(\sqrt{2}-1)^2=3-2\sqrt{2}$

(8) $\dfrac{3+2\sqrt{2}}{3-2\sqrt{2}}=\dfrac{(3+2\sqrt{2})^2}{(3-2\sqrt{2})(3+2\sqrt{2})}=\dfrac{(3+2\sqrt{2})^2}{9-8}$
$=(3+2\sqrt{2})^2$
$=9+12\sqrt{2}+8=17+12\sqrt{2}$

06 (1) $101\times99=(100+1)(100-1)$
$=100^2-1=9999$
따라서 이용할 수 있는 곱셈 공식은
$(a+b)(a-b)=a^2-b^2$이므로 ㄷ이다.

(2) $102^2=(100+2)^2=100^2+2\times100\times2+2^2$
$=10000+400+4=10404$
따라서 이용할 수 있는 곱셈 공식은
$(a+b)^2=a^2+2ab+b^2$이므로 ㄱ이다.

(3) $51\times54=(50+1)(50+4)$
$=50^2+(4+1)\times50+1\times4$
$=2500+250+4$
$=2754$
따라서 이용할 수 있는 곱셈 공식은
$(x+a)(x+b)=x^2+(a+b)x+ab$이므로 ㄹ이다.

(4) $99^2=(100-1)^2=100^2-2\times100\times1+1^2$
$=10000-200+1$
$=9801$
따라서 이용할 수 있는 곱셈 공식은
$(a-b)^2=a^2-2ab+b^2$이므로 ㄴ이다.

08 (1) $101^2=(100+1)^2=100^2+2\times100\times1+1^2$
$=10000+200+1=10201$

(2) $105^2=(100+5)^2=100^2+2\times100\times5+5^2$
$=10000+1000+25=11025$

(3) $52^2=(50+2)^2=50^2+2\times50\times2+2^2$
$=2500+200+4=2704$

(4) $48^2=(50-2)^2=50^2-2\times50\times2+2^2$
$=2500-200+4=2304$

(5) $199^2=(200-1)^2=200^2-2\times200\times1+1^2$
$=40000-400+1=39601$

10 (1) $105\times95=(100+5)(100-5)$
$=100^2-25$
$=10000-25$
$=9975$

(2) $202\times198=(200+2)(200-2)$
$=200^2-4$
$=40000-4$
$=39996$

(3) $3.9\times4.1=(4-0.1)(4+0.1)$
$=4^2-0.1^2$
$=16-0.01$
$=15.99$

(4) $48\times51=(50-2)(50+1)$
$=50^2-50-2$
$=2500-52$
$=2448$

(5) $96\times105=(100-4)(100+5)$
$=100^2+100-20$
$=10000+80$
$=10080$

힘수 만점 57쪽

01 $4x^2+4xy+y^2-16x-8y+15$ **02** -8
03 (1) $4+\sqrt{15}$ (2) $2\sqrt{3}$ **04** ③ **05** ③ **06** ③

01 $2x+y=A$로 놓으면

$$(\text{주어진 식})=(A-3)(A-5)$$
$$=A^2-8A+15$$
$$=(2x+y)^2-8(2x+y)+15$$
$$=4x^2+4xy+y^2-16x-8y+15$$

02 $2x-5y=A$로 놓으면

$$(2x-5y+3)^2=(A+3)^2$$
$$=A^2+6A+9$$
$$=(2x-5y)^2+6(2x-5y)+9$$
$$=4x^2-20xy+25y^2+12x-30y+9$$

따라서 $a=-20$, $b=12$이므로

$a+b=-20+12=-8$

03 (1) $\dfrac{1}{4-\sqrt{15}}=\dfrac{4+\sqrt{15}}{(4-\sqrt{15})(4+\sqrt{15})}=4+\sqrt{15}$

(2) $\dfrac{1}{\sqrt{3}-\sqrt{2}}+\dfrac{1}{\sqrt{3}+\sqrt{2}}$

$$=\frac{\sqrt{3}+\sqrt{2}}{(\sqrt{3}-\sqrt{2})(\sqrt{3}+\sqrt{2})}+\frac{\sqrt{3}-\sqrt{2}}{(\sqrt{3}+\sqrt{2})(\sqrt{3}-\sqrt{2})}$$
$$=\sqrt{3}+\sqrt{2}+\sqrt{3}-\sqrt{2}=2\sqrt{3}$$

04 $8.1\times7.9=(8+0.1)(8-0.1)$

$$=64-0.01=63.99$$

05 ① $301^2=(300+1)^2=90000+600+1=90601$

② $103\times99=(100+3)(100-1)$

$$=10000+200-3=10197$$

③ $99^2=(100-1)^2=10000-200+1=9801$

④ $10.1\times10.2=(10+0.1)(10+0.2)$

$$=100+3+0.02=103.02$$

⑤ $95\times105=(100-5)(100+5)$

$$=10000-25=9975$$

06 $\dfrac{5+\sqrt{2}}{3-2\sqrt{2}}=\dfrac{(5+\sqrt{2})(3+2\sqrt{2})}{(3-2\sqrt{2})(3+2\sqrt{2})}$

$$=(5+\sqrt{2})(3+2\sqrt{2})$$
$$=15+(10+3)\sqrt{2}+4$$
$$=19+13\sqrt{2}$$

따라서 $a=19$, $b=13$이므로 $a-b=6$

15강 곱셈 공식의 활용 58~59쪽

01 (1) $2ab$ (2) $4ab$ (3) $a+b$ (4) 2 (5) $a+\dfrac{1}{a}$ (6) 4 (7) $a+\dfrac{1}{a}$
02 (1) $2ab$, 6, 10 (2) $4ab$, 12, 4
03 (1) $2ab$, 6, 31 (2) $4ab$, 12, 37
04 (1) ① 90 ② 80 (2) ① 40 ② 44
05 (1) 2, 2, 2 (2) 4, 4, 0
06 (1) ① 7 ② 5 (2) ① 27 ② 29
07 (1) $\dfrac{1}{2}$ (2) 3 (3) $\sqrt{10}$
08 (1) ① -7 ② -4 ③ -3 (2) ① 6 ② 2 ③ 16
09 (1) $\sqrt{3}$, 3, 3, 4 (2) 5, 5, 2, 25, 2, 22
10 (1) 4 (2) 9 (3) 0 (4) $18+7\sqrt{3}$ (5) 5

01 (1) $a^2+b^2=a^2+2ab+b^2-2ab$

$$=(a+b)^2-\boxed{2ab}$$

(2) $(a+b)^2=a^2+2ab+b^2$

$$=a^2-2ab+b^2+4ab$$
$$=(a-b)^2+\boxed{4ab}$$

(3) $(a-b)^2=a^2-2ab+b^2$

$$=a^2+2ab+b^2-4ab$$
$$=(\boxed{a+b})^2-4ab$$

(4) $a^2+\dfrac{1}{a^2}=a^2-2+\dfrac{1}{a^2}+2$

$$=\left(a-\frac{1}{a}\right)^2+\boxed{2}$$

(5) $a^2+\dfrac{1}{a^2}=a^2+2+\dfrac{1}{a^2}-2$

$$=\left(\boxed{a+\frac{1}{a}}\right)^2-2$$

(6) $\left(a+\dfrac{1}{a}\right)^2=a^2+2+\dfrac{1}{a^2}$

$$=a^2-2+\frac{1}{a^2}+4$$
$$=\left(a-\frac{1}{a}\right)^2+\boxed{4}$$

(7) $\left(a-\dfrac{1}{a}\right)^2=a^2-2+\dfrac{1}{a^2}$

$$=a^2+2+\frac{1}{a^2}-4$$
$$=\left(\boxed{a+\frac{1}{a}}\right)^2-4$$

04 (1) ① $x^2+y^2=(x+y)^2-2xy$

$$=10^2-2\times5=100-10=90$$

② $(x-y)^2=(x+y)^2-4xy$

$$=10^2-4\times5=100-20=80$$

(2) ① $x^2+y^2=(x-y)^2+2xy$

$=6^2+2\times2=36+4=40$

② $(x+y)^2=(x-y)^2+4xy$

$=6^2+4\times2=36+8=44$

06 (1) ① $x^2+\frac{1}{x^2}=\left(x+\frac{1}{x}\right)^2-2=(-3)^2-2=7$

② $\left(x-\frac{1}{x}\right)^2=\left(x+\frac{1}{x}\right)^2-4=(-3)^2-4=5$

(2) ① $x^2+\frac{1}{x^2}=\left(x-\frac{1}{x}\right)^2+2=5^2+2=27$

② $\left(x+\frac{1}{x}\right)^2=\left(x-\frac{1}{x}\right)^2+4=5^2+4=29$

07 (1) $(x-y)^2=x^2+y^2-2xy$이므로

$2xy=(x^2+y^2)-(x-y)^2=5-2^2=1$

$\therefore xy=\frac{1}{2}$

(2) $a^2+b^2=(a+b)^2-2ab=7^2-2\times10=29$이므로

$(a-b)^2=a^2+b^2-2ab=29-2\times10=9$

$a>b$이므로 $a-b=\sqrt{9}=3$

(3) $\left(x-\frac{1}{x}\right)^2=x^2+\frac{1}{x^2}-2=12-2=10$

$\therefore x-\frac{1}{x}=\sqrt{10}$

08 (1) ① $(x-3)(x+3)=x^2-9=(\sqrt{2})^2-9=-7$

② $(y-3)(y+3)=y^2-9=(\sqrt{5})^2-9=-4$

③ $(x-y)(x+y)=x^2-y^2=(\sqrt{2})^2-(\sqrt{5})^2=-3$

(2) ① $x+y=(3+\sqrt{7})+(3-\sqrt{7})=6$

② $xy=(3+\sqrt{7})(3-\sqrt{7})=9-7=2$

③ $x^2+y^2=(x+y)^2-2xy=6^2-2\times2=32$

$\therefore \frac{y}{x}+\frac{x}{y}=\frac{x^2+y^2}{xy}=\frac{32}{2}=16$

09 (1) $x=\sqrt{3}+1$에서

식을 변형하면 $x-1=\boxed{\sqrt{3}}$

양변을 제곱하면 $(x-1)^2=\boxed{3}$

식을 전개하면 $x^2-2x+1=\boxed{3}$

$\therefore x^2-2x+2=\boxed{4}$

(2) $x^2-5x=1$에서

양변을 $x(x\neq0)$로 나누면 $x-\boxed{5}=\frac{1}{x}$

식을 이항하면 $x-\frac{1}{x}=\boxed{5}$

양변을 제곱하면 $\left(x-\frac{1}{x}\right)^2=25$

$\therefore x^2+\frac{1}{x^2}-5=\left(x-\frac{1}{x}\right)^2+\boxed{2}-5=\boxed{25}+\boxed{2}-5$

$=\boxed{22}$

10 (1) $\frac{1}{x}=\frac{1}{2+\sqrt{3}}=\frac{2-\sqrt{3}}{(2+\sqrt{3})(2-\sqrt{3})}=2-\sqrt{3}$

$\therefore x+\frac{1}{x}=2+\sqrt{3}+2-\sqrt{3}=4$

(2) $x+1=\sqrt{5}$이므로

$(x+1)^2=5$, $x^2+2x+1=5$, $x^2+2x=4$

$\therefore x^2+2x+5=4+5=9$

(3) $x=\frac{1}{3+2\sqrt{2}}=\frac{3-2\sqrt{2}}{(3+2\sqrt{2})(3-2\sqrt{2})}=3-2\sqrt{2}$

식을 변형하면

$x-3=-2\sqrt{2}$, $(x-3)^2=(-2\sqrt{2})^2$

$x^2-6x+9=8$, $x^2-6x=-1$

$\therefore x^2-6x+1=0$

(4) $x=\frac{2}{\sqrt{3}-1}=\frac{2(\sqrt{3}+1)}{(\sqrt{3}-1)(\sqrt{3}+1)}=\sqrt{3}+1$

이므로 $2x^2+3x+7$에 대입하면

$2(\sqrt{3}+1)^2+3(\sqrt{3}+1)+7$

$=2(4+2\sqrt{3})+3\sqrt{3}+3+7$

$=8+4\sqrt{3}+3\sqrt{3}+10$

$=18+7\sqrt{3}$

(5) 양변을 $x(x\neq0)$로 나누면

$x+1-\frac{1}{x}=0$, $x-\frac{1}{x}=-1$

$\left(x+\frac{1}{x}\right)^2=\left(x-\frac{1}{x}\right)^2+4=(-1)^2+4=5$

힘수 만점 60쪽

01 (1) 28 (2) 44 **02** (1) 6 (2) $2\sqrt{2}$ **03** ② **04** 9
05 ④

01 (1) $x^2+y^2=(x-y)^2+2xy$

$=(2\sqrt{3})^2+2\times8=28$

(2) $(x+y)^2=(x-y)^2+4xy$

$=(2\sqrt{3})^2+4\times8=44$

02 (1) $x^2+\frac{1}{x^2}=\left(x-\frac{1}{x}\right)^2+2=(-2)^2+2=6$

(2) $\left(x+\frac{1}{x}\right)^2=\left(x-\frac{1}{x}\right)^2+4=(-2)^2+4=8$

그런데 $x>0$이므로

$x+\frac{1}{x}=\sqrt{8}=2\sqrt{2}$

03 $x+3=\sqrt{7}$, $(x+3)^2=7$,

$x^2+6x+9=7$, $x^2+6x=-2$

$\therefore x^2+6x+3=-2+3=1$

04 $x=\frac{-2}{4-3\sqrt{2}}=\frac{-2(4+3\sqrt{2})}{(4-3\sqrt{2})(4+3\sqrt{2})}=4+3\sqrt{2}$에서

$x-4=3\sqrt{2}$, $(x-4)^2=(3\sqrt{2})^2$,

$x^2-8x+16=18$, $x^2-8x=2$

$\therefore x^2-8x+7=2+7=9$

05 $x=\frac{\sqrt{2}+1}{\sqrt{2}-1}=(\sqrt{2}+1)^2=3+2\sqrt{2}$에서

$x-3=2\sqrt{2}$, $(x-3)^2=(2\sqrt{2})^2$, $x^2-6x+9=8$

$x^2-6x=-1$

$\therefore x^2-6x+2=-1+2=1$

16강 인수분해와 공통 인수를 이용한 인수분해 61~62쪽

01 (1) $ax+a$ (2) x^2+4x+4 (3) x^2-6x+9 (4) x^2-9
(5) $9x^2-1$ (6) x^2+3x+2 (7) x^2+x-6
(8) $2x^2-9x-5$

02 (1) x, y, x^2, xy (2) a, b, ab^2, b^2
(3) x, $x+y$, $x(x+y)$ (4) $x+1$, $(x-2)(x+1)$
(5) 1, y, xy, $x(a-b)$ (6) x, xy, $y(x+1)$
(7) x, $x+2y$, $x(x+3y)$, $(x+2y)(x+3y)$
(8) x, x^2-1

03 (1) $a(x+y+z)$ (2) ab (3) $2x$, $2x(a+2b-5)$
(4) $2xy$, $2xy(x+2)$

04 (1) $a(x+y)$ (2) $a(x+3y)$ (3) $-3a(x+2y)$
(4) $3y(x-3z)$ (5) $2y(x-2)$ (6) $4ab(3a-2)$

05 (1) $a(b+c-3)$ (2) $b(a^2+bc+ac)$
(3) $2a(3x-y+2z)$ (4) $2x(xy-3y+1)$
(5) $x(ax-3b-ac)$ (6) $2xy(2x+y+2)$

06 (1) $(a+1)(b+1)$ (2) $(a-b)(x-y)$
(3) $(x+3)(ab-1)$ (4) $(x+1)(y-1)$
(5) $(a-3)(3x-2y)$ (6) $(x+1)(2x-1)$

05 (4) $2x^2y-6xy+2x=2x\times xy-2x\times 3y+2x$

$=2x(xy-3y+1)$

(6) $4x^2y+2xy^2+4xy=2xy\times 2x+2xy\times y+2xy\times 2$

$=2xy(2x+y+2)$

06 (4) $x(y-1)-(1-y)=x(y-1)+(y-1)$

$=(x+1)(y-1)$

(5) $(a-3)(x-y)+(a-3)(2x-y)$

$=(a-3)(x-y+2x-y)$

$=(a-3)(3x-2y)$

(6) $x(x+1)+(x+1)(x-1)=(x+1)(x+x-1)$

$=(x+1)(2x-1)$

힘수 만점 63쪽

01 (1) $(a+b)(x-y)$ (2) $-3x(2x-1)$
(3) $(a-1)(x-2)$ (4) $(a+1)(a+2)$

02 ③ **03** ⑤ **04** ④ **05** ⑤

01 (1) $a(x-y)-b(y-x)=a(x-y)+b(x-y)$

$=(a+b)(x-y)$

(2) $-6x^2+3x=-3x\times 2x-3x\times(-1)$

$=-3x(2x-1)$

(3) $a(x-2)-x+2=a(x-2)-(x-2)$

$=(a-1)(x-2)$

(4) $(a+2)^2-(a+2)=(a+2)(a+2-1)$

$=(a+1)(a+2)$

02 $2a^2b+4ab-6b^2=2b(a^2+2a-3b)$

따라서 공통인 인수는 $2b$이다.

03 $a(a+2)(a-2)$의 인수는

1, a, $a+2$, $a-2$, $a(a+2)$, $a(a-2)$, $(a+2)(a-2)$, $a(a+2)(a-2)$

04 ① $4x^2y-6xy^2=2xy(2x-3y)$

② $-2x^2+6x=-2x(x-3)$

③ $3x^2y+6xy=3xy(x+2)$

⑤ $2xy-8x+4y^2=2(xy-4x+2y^2)$

05 $xy^2-x^2y=xy(y-x)=-xy(x-y)$

인수를 모두 구하면 1, -1, x, y, xy, $y-x$, $x-y$, $x(y-x)$, $y(y-x)$, $xy(y-x)$, $-xy(x-y)$

17강 인수분해 공식(1), (2) 64~66쪽

01 (1) 4, 4 (2) 5, 5 (3) 3, 3 (4) $4y$, $4y$

02 (1) $(x+2)^2$ (2) $(x+3)^2$ (3) $(x+7)^2$
(4) $(x+y)^2$ (5) $(x+9y)^2$ (6) $(x+12y)^2$

03 (1) $(x-1)^2$ (2) $(x-5)^2$ (3) $(x-8)^2$
(4) $(x-y)^2$ (5) $(x-3y)^2$ (6) $(x-20y)^2$

04 (1) $(2x+1)^2$ (2) $(5x+3y)^2$ (3) $(3x-1)^2$
(4) $(7x-2)^2$ (5) $\left(x-\frac{1}{2}\right)^2$ (6) $\left(x-\frac{1}{3}\right)^2$
(7) $2(2x+5y)^2$ (8) $\frac{3}{4}(x-2y)^2$

05 (1) 16, 4 (2) 36, 6 (3) 81, 9 (4) $\frac{1}{4}$, $\frac{1}{2}$

06 (1) ±10 (2) ±6 (3) $\pm\frac{1}{2}$

07 (1) 49, 7, 7 (2) 4, 2, 2 (3) 1, 1 (4) 25, $5y$

08 (1) ±12, ±3 (2) ±36, ±2 (3) ±12, $\pm y$

(4) ±2, $\pm\frac{1}{5}y$

09 (1) 3 (2) $2x-2y$ (3) 2

10 (1) 4, 4 (2) 10, 10 (3) $5y$, $5y$ (4) $\frac{1}{8}y$, $\frac{1}{8}y$

11 (1) $(x+2)(x-2)$ (2) $(x+5y)(x-5y)$

(3) $\left(x+\frac{1}{5}\right)\left(x-\frac{1}{5}\right)$ (4) $\left(x+\frac{3}{4}y\right)\left(x-\frac{3}{4}y\right)$

12 (1) $(1+4x)(1-4x)$ (2) $(6+x)(6-x)$

(3) $(8x+y)(8x-y)$ (4) $\left(\frac{1}{3}+y\right)\left(\frac{1}{3}-y\right)$

(5) $(2x+9y)(2x-9y)$ (6) $(8x+11y)(8x-11y)$

13 (1) $5(x+2)(x-2)$ (2) $3(x+4)(x-4)$

(3) $x(x+1)(x-1)$ (4) $y(x+y)(x-y)$

(5) $\frac{1}{2}\left(x+\frac{1}{2}y\right)\left(x-\frac{1}{2}y\right)$ (6) $7\left(x+\frac{1}{5}y\right)\left(x-\frac{1}{5}y\right)$

14 (1) ×, $(x+y)(-x+y)$ (2) ○ (3) ○

(4) ×, $\left(\frac{3}{7}x+4y\right)\left(\frac{3}{7}x-4y\right)$

01 (1) $x^2+8x+16=x^2+2\times x\times\boxed{4}+\boxed{4}^2$

(2) $x^2-10x+25=x^2-2\times x\times\boxed{5}+\boxed{5}^2$

(3) $4x^2+12x+9=(2x)^2+2\times2x\times\boxed{3}+\boxed{3}^2$

(4) $25x^2+40xy+16y^2$

$=(5x)^2+2\times5x\times\boxed{4y}+(\boxed{4y})^2$

02 (1) $x^2+4x+4=x^2+2\times x\times2+2^2$

$=(x+2)^2$

(2) $x^2+6x+9=x^2+2\times x\times3+3^2$

$=(x+3)^2$

(3) $x^2+14x+49=x^2+2\times x\times7+7^2$

$=(x+7)^2$

(5) $x^2+18xy+81y^2=x^2+2\times x\times9y+(9y)^2$

$=(x+9y)^2$

(6) $x^2+24xy+144y^2=x^2+2\times x\times12y+(12y)^2$

$=(x+12y)^2$

03 (2) $x^2-10x+25=x^2-2\times x\times5+5^2$

$=(x-5)^2$

(3) $x^2-16x+64=x^2-2\times x\times8+8^2$

$=(x-8)^2$

(5) $x^2-6xy+9y^2=x^2-2\times x\times3y+(3y)^2$

$=(x-3y)^2$

(6) $x^2-40xy+400y^2=x^2-2\times x\times20y+(20y)^2$

$=(x-20y)^2$

04 (1) $4x^2+4x+1=(2x)^2+2\times2x\times1+1^2$

$=(2x+1)^2$

(2) $25x^2+30xy+9y^2=(5x)^2+2\times5x\times3y+(3y)^2$

$=(5x+3y)^2$

(3) $9x^2-6x+1=(3x)^2-2\times3x\times1+1^2$

$=(3x-1)^2$

(4) $49x^2-28x+4=(7x)^2-2\times7x\times2+2^2$

$=(7x-2)^2$

(5) $x^2-x+\frac{1}{4}=x^2-2\times x\times\frac{1}{2}+\left(\frac{1}{2}\right)^2=\left(x-\frac{1}{2}\right)^2$

(6) $x^2-\frac{2}{3}x+\frac{1}{9}=x^2-2\times x\times\frac{1}{3}+\left(\frac{1}{3}\right)^2=\left(x-\frac{1}{3}\right)^2$

(7) $8x^2+40xy+50y^2=2(4x^2+20xy+25y^2)$

$=2(2x+5y)^2$

(8) $\frac{3}{4}x^2-3xy+3y^2=\frac{3}{4}(x^2-4xy+4y^2)$

$=\frac{3}{4}(x-2y)^2$

05 (1) $x^2+8x+\boxed{16}=x^2+2\times x\times4+4^2$

$=(x+\boxed{4})^2$

(2) $x^2-12x+\boxed{36}=x^2-2\times x\times6+6^2$

$=(x-\boxed{6})^2$

(3) $x^2-18xy+\boxed{81}y^2=x^2-2\times x\times9y+(9y)^2$

$=(x-\boxed{9}y)^2$

(4) $x^2+x+\boxed{\frac{1}{4}}=x^2+2\times x\times\frac{1}{2}+\left(\frac{1}{2}\right)^2$

$=\left(x+\boxed{\frac{1}{2}}\right)^2$

06 (1) $x^2+\square x+25$가 완전제곱식이 되려면

$\square=\pm2\sqrt{25}=\pm10$

즉, $x^2+\boxed{\pm10}x+25=(x\pm5)^2$

(2) $x^2+\square xy+9y^2$이 완전제곱식이 되려면

$\square=\pm2\sqrt{9}=\pm6$

즉, $x^2+\boxed{\pm6}xy+9y^2=(x\pm3y)^2$

(3) $x^2+\square x+\frac{1}{16}$이 완전제곱식이 되려면

$\square=\pm2\sqrt{\frac{1}{16}}=\pm2\times\frac{1}{4}=\pm\frac{1}{2}$

즉, $x^2+\boxed{\pm\frac{1}{2}}x+\frac{1}{16}=\left(x\pm\frac{1}{4}\right)^2$

08 (1) $4x^2+\square x+9=(2x\pm3)^2=4x^2\pm12x+9$

$\therefore \square=\pm12,\ \pm3$

(2) $81x^2+\square x+4=(9x\pm2)^2=81x^2\pm36x+4$

$\therefore \square=\pm36,\ \pm2$

(3) $36x^2+\square xy+y^2=(6x\pm y)^2=36x^2\pm12xy+y^2$

$\therefore \square=\pm12,\ \pm y$

(4) $25x^2+\square xy+\frac{1}{25}y^2=\left(5x\pm\frac{1}{5}y\right)^2$

$=25x^2\pm2xy+\frac{1}{25}y^2$

$\therefore \square=\pm2,\ \pm\frac{1}{5}y$

09 (1) $x>0,\ x-3<0$이므로

$\sqrt{x^2}+\sqrt{x^2-6x+9}=\sqrt{x^2}+\sqrt{(x-3)^2}$

$=x-(x-3)=3$

(2) $x>0,\ y<0,\ x-y>0$이므로

$\sqrt{x^2}+\sqrt{y^2}+\sqrt{x^2-2xy+y^2}$

$=\sqrt{x^2}+\sqrt{y^2}+\sqrt{(x-y)^2}$

$=x-y+(x-y)=2x-2y$

(3) $x-4<0,\ x-2>0$이므로

$\sqrt{x^2-8x+16}+\sqrt{x^2-4x+4}$

$=\sqrt{(x-4)^2}+\sqrt{(x-2)^2}$

$=-(x-4)+(x-2)$

$=-x+4+x-2=2$

10 (1) $x^2-16=x^2-4^2=(x+\boxed{4})(x-\boxed{4})$

(2) $x^2-100=x^2-10^2=(x+\boxed{10})(x-\boxed{10})$

(3) $9x^2-25y^2=(3x)^2-(5y)^2=(3x+\boxed{5y})(3x-\boxed{5y})$

(4) $\frac{1}{49}x^2-\frac{1}{64}y^2=\left(\frac{1}{7}x\right)^2-\left(\frac{1}{8}y\right)^2$

$=\left(\frac{1}{7}x+\boxed{\frac{1}{8}y}\right)\left(\frac{1}{7}x-\boxed{\frac{1}{8}y}\right)$

11 (1) $x^2-4=x^2-2^2=(x+2)(x-2)$

(2) $x^2-25y^2=x^2-(5y)^2=(x+5y)(x-5y)$

(3) $x^2-\frac{1}{25}=x^2-\left(\frac{1}{5}\right)^2=\left(x+\frac{1}{5}\right)\left(x-\frac{1}{5}\right)$

(4) $x^2-\frac{9}{16}y^2=x^2-\left(\frac{3}{4}y\right)^2=\left(x+\frac{3}{4}y\right)\left(x-\frac{3}{4}y\right)$

12 (1) $1-16x^2=1-(4x)^2=(1+4x)(1-4x)$

(2) $-x^2+36=6^2-x^2=(6+x)(6-x)$

(3) $64x^2-y^2=(8x)^2-y^2=(8x+y)(8x-y)$

(4) $\frac{1}{9}-y^2=\left(\frac{1}{3}\right)^2-y^2=\left(\frac{1}{3}+y\right)\left(\frac{1}{3}-y\right)$

(5) $4x^2-81y^2=(2x)^2-(9y)^2=(2x+9y)(2x-9y)$

(6) $64x^2-121y^2=(8x)^2-(11y)^2=(8x+11y)(8x-11y)$

13 (1) $5x^2-20=5(x^2-4)=5(x+2)(x-2)$

(2) $3x^2-48=3(x^2-16)=3(x+4)(x-4)$

(3) $x^3-x=x(x^2-1)=x(x+1)(x-1)$

(4) $x^2y-y^3=y(x^2-y^2)=y(x+y)(x-y)$

(5) $\frac{1}{2}x^2-\frac{1}{8}y^2=\frac{1}{2}\left(x^2-\frac{1}{4}y^2\right)$

$=\frac{1}{2}\left(x+\frac{1}{2}y\right)\left(x-\frac{1}{2}y\right)$

(6) $7x^2-\frac{7}{25}y^2=7\left(x^2-\frac{1}{25}y^2\right)$

$=7\left(x+\frac{1}{5}y\right)\left(x-\frac{1}{5}y\right)$

힘수 만점 67쪽

01 ④ **02** ⑤ **03** ① **04** 24 **05** ②

01 ① $(x+1)^2$ ② $(x-6)^2$ ③ $(x+2)^2$ ⑤ $(x+y)^2$

02 $x^2-10x+A=x^2-2\times x\times5+5^2=(x-5)^2$

따라서 $A=25,\ B=-5$이므로

$A-B=25-(-5)=25+5=30$

04 $9x^2-64y^2=(3x+8y)(3x-8y)$

따라서 $A=3,\ B=8$이므로 $AB=24$

05 $3x^2+12xy+\square=3(x^2+4xy+\triangle)$

이 식이 완전제곱식이 되기 위해서는

$\triangle=\left(\frac{4y}{2}\right)^2=4y^2$

따라서 $\square=3\times4y^2=12y^2$

18강+ 인수분해 공식(3), (4) 68~69쪽

01 (1) 1, 3 (2) -2, 4 (3) -2, -3 (4) -5, 2

02 (1) 2, $2x$ (2) $8y$, $-8y$, $-8xy$

03 (1) $(x+1)(x+2)$ (2) $(x-2)(x-6)$

(3) $(x+1)(x-2)$ (4) $(x+1)(x-4)$

(5) $(x-7)(x-8)$ (6) $(x+3)(x-7)$

(7) $(x-5)(x+8)$ (8) $(x+3)(x-9)$

04 (1) $(x+5y)(x-6y)$ (2) $(x-2y)(x-8y)$

(3) $(x-4y)(x+6y)$ (4) $(x+2y)(x-8y)$

(5) $(x-3y)(x-9y)$ (6) $(x+3y)(x-7y)$

05 (1) 3, 1, $2x$, $5x$ (2) 1, 3, $3x$, x

(3) $2y$, $-2y$, $-xy$, $-13xy$

(4) $3y$, $5y$, $-6xy$, $10xy$, $4xy$

06 (1) $(x-1)(2x-3)$ (2) $(x-3)(3x+1)$
(3) $(2x+5)(3x-2)$ (4) $(x+3)(2x+1)$
(5) $(x-3)(4x+1)$ (6) $(x+1)(5x-6)$
(7) $(x+3)(3x-2)$ (8) $(4x+1)(6x-5)$

07 (1) $(x+4y)(3x-y)$ (2) $(2x-y)(5x-2y)$
(3) $(x-2y)(2x+3y)$ (4) $(2x+y)(4x-3y)$

03 (1) 합이 3, 곱이 2인 두 수는 1, 2이므로

$$x^2+3x+2=x^2+(1+2)x+1\times2=(x+1)(x+2)$$

(2) 합이 -8, 곱이 12인 두 수는 -2, -6이므로

$$x^2-8x+12=x^2+(-2-6)x+(-2)\times(-6)=(x-2)(x-6)$$

(3) 합이 -1, 곱이 -2인 두 수는 1, -2이므로

$$x^2-x-2=x^2+(1-2)x+1\times(-2)=(x+1)(x-2)$$

(4) 합이 -3, 곱이 -4인 두 수는 1, -4이므로

$$x^2-3x-4=x^2+(1-4)x+1\times(-4)=(x+1)(x-4)$$

(5) 합이 -15, 곱이 56인 두 수는 -7, -8이므로

$$x^2-15x+56=x^2+(-7-8)x+(-7)\times(-8)=(x-7)(x-8)$$

(6) 합이 -4, 곱이 -21인 두 수는 3, -7이므로

$$x^2-4x-21=x^2+(3-7)x+3\times(-7)=(x+3)(x-7)$$

(7) 합이 3, 곱이 -40인 두 수는 -5, 8이므로

$$x^2+3x-40=x^2+(-5+8)x+(-5)\times8=(x-5)(x+8)$$

(8) 합이 -6, 곱이 -27인 두 수는 3, -9이므로

$$x^2-6x-27=x^2+(3-9)x+3\times(-9)=(x+3)(x-9)$$

04 (1) $x^2-xy-30y^2=(x+5y)(x-6y)$

$x \quad 5y \longrightarrow 5xy$
$x \quad -6y \longrightarrow -6xy$ (+
$-xy$

(2) $x^2-10xy+16y^2=(x-2y)(x-8y)$

$x \quad -2y \longrightarrow -2xy$
$x \quad -8y \longrightarrow -8xy$ (+
$-10xy$

(3) $x^2+2xy-24y^2=(x-4y)(x+6y)$

$x \quad -4y \longrightarrow -4xy$
$x \quad 6y \longrightarrow 6xy$ (+
$2xy$

(4) $x^2-6xy-16y^2=(x+2y)(x-8y)$

$x \quad 2y \longrightarrow 2xy$
$x \quad -8y \longrightarrow -8xy$ (+
$-6xy$

(5) $x^2-12xy+27y^2=(x-3y)(x-9y)$

$x \quad -3y \longrightarrow -3xy$
$x \quad -9y \longrightarrow -9xy$ (+
$-12xy$

(6) $x^2-4xy-21y^2=(x+3y)(x-7y)$

$x \quad 3y \longrightarrow 3xy$
$x \quad -7y \longrightarrow -7xy$ (+
$-4xy$

06 (1) $2x^2-5x+3=(x-1)(2x-3)$

$x \quad -1 \longrightarrow -2x$
$2x \quad -3 \longrightarrow -3x$ (+
$-5x$

(2) $3x^2-8x-3=(x-3)(3x+1)$

$x \quad -3 \longrightarrow -9x$
$3x \quad 1 \longrightarrow x$ (+
$-8x$

(3) $6x^2+11x-10=(2x+5)(3x-2)$

$2x \quad 5 \longrightarrow 15x$
$3x \quad -2 \longrightarrow -4x$ (+
$11x$

(4) $2x^2+7x+3=(x+3)(2x+1)$

$x \quad 3 \longrightarrow 6x$
$2x \quad 1 \longrightarrow x$ (+
$7x$

(5) $4x^2-11x-3=(x-3)(4x+1)$

$x \quad -3 \longrightarrow -12x$
$4x \quad 1 \longrightarrow x$ (+
$-11x$

(6) $5x^2-x-6=(x+1)(5x-6)$

$x \quad 1 \longrightarrow 5x$
$5x \quad -6 \longrightarrow -6x$ (+
$-x$

(7) $3x^2+7x-6=(x+3)(3x-2)$

$x \quad 3 \longrightarrow 9x$
$3x \quad -2 \longrightarrow -2x$ (+
$7x$

(8) $24x^2-14x-5=(4x+1)(6x-5)$

$4x \quad 1 \longrightarrow 6x$
$6x \quad -5 \longrightarrow -20x$ (+
$-14x$

07 (1) $3x^2+11xy-4y^2=(x+4y)(3x-y)$

$$\begin{array}{lll} x & 4y \longrightarrow & 12xy \\ 3x & -y \longrightarrow & \underline{-xy} \ (+ \\ & & 11xy \end{array}$$

(2) $10x^2-9xy+2y^2=(2x-y)(5x-2y)$

$$\begin{array}{lll} 2x & -y \longrightarrow & -5xy \\ 5x & -2y \longrightarrow & \underline{-4xy} \ (+ \\ & & -9xy \end{array}$$

(3) $2x^2-xy-6^2=(x-2y)(2x+3y)$

$$\begin{array}{lll} x & -2y \longrightarrow & -4xy \\ 2x & 3y \longrightarrow & \underline{3xy} \ (+ \\ & & -xy \end{array}$$

(4) $8x^2-2xy-3y^2=(2x+y)(4x-3y)$

$$\begin{array}{lll} 2x & y \longrightarrow & 4xy \\ 4x & -3y \longrightarrow & \underline{-6xy} \ (+ \\ & & -2xy \end{array}$$

힘수 만점 70쪽

01 (1) $(x+4)(5x-1)$ (2) $(x-2)(3x+5)$ **02** ① **03** $2x+1$ **04** ① **05** $x+5$

01 (1) $5x^2+19x-4=(x+4)(5x-1)$

$$\begin{array}{lll} x & 4 \longrightarrow & 20x \\ 5x & -1 \longrightarrow & \underline{-x} \ (+ \\ & & 19x \end{array}$$

02 $x^2+ax-3=(x-1)(x+b)$에서

$-1\times b=-3$ $\quad \therefore b=3$

따라서 $(x-1)(x+3)=x^2+2x-3$

이므로 $a=2$

$\therefore ab=6$

03 $x^2+x-30=(x-5)(x+6)$

따라서 두 일차식은 $x-5$, $x+6$이므로

$x-5+x+6=2x+1$

04 $2x^2-3x-9=(x-3)(2x+3)$

$x^2+2x-15=(x-3)(x+5)$

이므로 공통 인수는 $x-3$

05 $x^2+6x+5=(x+1)(x+5)$

이므로 액자의 세로의 길이는 $x+1$, 가로의 길이는 $x+5$ 이다.

19강+ 복잡한 식의 인수분해 71~72쪽

01 (1) $-(x+1)^2$ (2) $-(x-2)^2$
(3) $2(x+3)(x-3)$ (4) $x(x+y)(x-y)$
(5) $3(x+1)(x-2)$ (6) $3b(x+4y)(x-6y)$
(7) $-2(x+3y)(2x-y)$ (8) $xy(x+3)^2$

02 (1) 4, 4, 5 (2) 2, 2 (3) $A-B$, $b-3$, $b-3$, 2, 8

03 (1) $(x-y+3)^2$ (2) $4x(x+3)$
(3) $(x+3)(x-8)$ (4) $(2x+3y+1)(2x+3y-6)$
(5) $(3x-y-2)(6x-2y+3)$
(6) $(2x-1)(a+2)(a-2)$

04 (1) $x+1$, $x+1$, $x+1$ (2) $y-1$, $y-1$, $y-1$
(3) $2y-1$, $2y-1$, $2y-1$ (4) $x+1$, $x+1$, $x+1$, $x+1$

05 (1) $(x+2)(y-6)$ (2) $(a-b)(c+d)$
(3) $(1-x)(x+y)$

06 (1) $(x+y+1)(x-y+1)$ (2) $(x+y+2)(x-y+2)$
(3) $(1+3a+b)(1-3a-b)$
(4) $(2y+x+5)(2y-x-5)$
(5) $(x-3y+4)(x-3y-4)$
(6) $(z-2)(xy+z+2)$

07 (1) $(x-1)(x+y-1)$ (2) $(x-2)(x-y+3)$
(3) $(a-b)(a-b+c)$ (4) $(2x+y-2)(2x-y+4)$

01 (1) $-x^2-2x-1=-(x^2+2x+1)=-(x+1)^2$

(2) $-x^2+4x-4=-(x^2-4x+4)=-(x-2)^2$

(3) $2x^2-18=2(x^2-9)=2(x+3)(x-3)$

(4) $x^3-xy^2=x(x^2-y^2)=x(x+y)(x-y)$

(5) $3x^2-3x-6=3(x^2-x-2)=3(x+1)(x-2)$

(6) $3bx^2-6bxy-72by^2=3b(x^2-2xy-24y^2)$
$=3b(x+4y)(x-6y)$

(7) $-4x^2-10xy+6y^2=-2(2x^2+5xy-3y^2)$
$=-2(x+3y)(2x-y)$

(8) $x^3y+6x^2y+9xy=xy(x^2+6x+9)=xy(x+3)^2$

03 (1) $(x-y)^2+6(x-y)+9$에서

$x-y=A$로 놓으면

$A^2+6A+9=(A+3)^2$
$=(x-y+3)^2$

(2) $(2x+3)^2-9$에서

$2x+3=A$로 놓으면

$A^2-9=(A+3)(A-3)$

$=(2x+3+3)(2x+3-3)$

$=2x(2x+6)$

$=4x(x+3)$

(3) $(x-1)^2-3(x-1)-28$에서

$x-1=A$로 놓으면

$A^2-3A-28=(A+4)(A-7)$

$=(x-1+4)(x-1-7)$

$=(x+3)(x-8)$

(4) $(2x+3y)(2x+3y-5)-6$에서

$2x+3y=A$로 놓으면

$A(A-5)-6=A^2-5A-6$

$=(A+1)(A-6)$

$=(2x+3y+1)(2x+3y-6)$

(5) $2(3x-y)^2-(3x-y)-6$에서

$3x-y=A$로 놓으면

$2A^2-A-6=(A-2)(2A+3)$

$=(3x-y-2)\{2(3x-y)+3\}$

$=(3x-y-2)(6x-2y+3)$

(6) $a^2(2x-1)-4(2x-1)$에서

$2x-1=A$로 놓으면

$a^2A-4A=A(a^2-4)=A(a+2)(a-2)$

$=(2x-1)(a+2)(a-2)$

04 (1) $xy+y+x+1=y(\boxed{x+1})+(\boxed{x+1})$

$=(\boxed{x+1})(y+1)$

(2) $xy-x-2y+2=x(\boxed{y-1})-2(\boxed{y-1})$

$=(x-2)(\boxed{y-1})$

(3) $6xy-3x-5z+10yz=3x(\boxed{2y-1})+5z(\boxed{2y-1})$

$=(\boxed{2y-1})(3x+5z)$

(4) $x^3+x^2-x-1=x^2(\boxed{x+1})-(\boxed{x+1})$

$=(\boxed{x+1})(x^2-1)$

$=(\boxed{x+1})^2(x-1)$

05 (1) $xy-6x+2y-12=x(y-6)+2(y-6)$

$=(x+2)(y-6)$

(2) $ac-bd+ad-bc=ac+ad-bd-bc$

$=a(c+d)-b(c+d)$

$=(a-b)(c+d)$

(3) $x-x^2+y-xy=x(1-x)+y(1-x)$

$=(1-x)(x+y)$

06 (1) $x^2+2x+1-y^2=(x+1)^2-y^2$

$=(x+1+y)(x+1-y)$

$=(x+y+1)(x-y+1)$

(2) $x^2-y^2+4x+4=x^2+4x+4-y^2$

$=(x+2)^2-y^2$

$=(x+y+2)(x-y+2)$

(3) $1-9a^2-6ab-b^2=1-(9a^2+6ab+b^2)$

$=1-(3a+b)^2$

$=(1+3a+b)(1-3a-b)$

(4) $4y^2-x^2-10x-25=4y^2-(x^2+10x+25)$

$=4y^2-(x+5)^2$

$=(2y+x+5)(2y-x-5)$

(5) $x^2+9y^2-6xy-16=x^2-6xy+9y^2-16$

$=(x-3y)^2-16$

$=(x-3y+4)(x-3y-4)$

(6) $xyz-2xy+z^2-4=xy(z-2)+(z+2)(z-2)$

$=(z-2)(xy+z+2)$

07 (1) $x^2+1+xy-2x-y=x^2-2x+1+xy-y$

$=(x-1)^2+y(x-1)$

$=(x-1)(x+y-1)$

(2) $x^2-xy+x+2y-6=(x^2+x-6)-xy+2y$

$=(x-2)(x+3)-y(x-2)$

$=(x-2)(x-y+3)$

(3) $a^2+b^2-2ab-bc+ac=(a-b)^2+c(a-b)$

$=(a-b)(a-b+c)$

(4) $4x^2-y^2+4x+6y-8=4x^2+4x+1-(y^2-6y+9)$

$=(2x+1)^2-(y-3)^2$

$=(2x+1+y-3)(2x+1-y+3)$

$=(2x+y-2)(2x-y+4)$

힘수 만점 73쪽

01 ⑤ **02** $(a+1)(a-7)$ **03** ② **04** ①
05 ②, ⑤

01 ① $-3a^2-12ab=-3a(a+4b)$

② $-4x^2+25=-(2x+5)(2x-5)$

③ $(x+4)^2-(x-3)^2=(x+4+x-3)(x+4-x+3)$

$=7(2x+1)$

④ $-12x^2-2x+2=-2(6x^2+x-1)$

$=-2(3x-1)(2x+1)$

⑤ $(a+b)x+(a+b)(y-z)=(a+b)(x+y-z)$

02 $a-1=A$라 하면

(주어진 식) $=A^2-4A-12$

$=(A+2)(A-6)$

$=(a-1+2)(a-1-6)$

$=(a+1)(a-7)$

03 $a^2x^2-a^2=a^2(x^2-1)=a^2(x+1)(x-1)$

04 $xy-y^2+x-y=y(x-y)+(x-y)=(x-y)(y+1)$

$2x^2-xy-y^2=(x-y)(2x+y)$

따라서 공통 인수는 $x-y$

05 $x^3-x+y-x^2y=x(x^2-1)-y(x^2-1)$

$=(x^2-1)(x-y)$

$=(x+1)(x-1)(x-y)$

20강+ 인수분해 공식의 활용 74~75쪽

01 (1) 51, 100, 2400 (2) 4, 100, 10000 (3) 3, 100, 10000 (4) 48, 48, 4, 400

02 (1) 1600 (2) 9200 (3) 690 (4) 257

03 (1) 900 (2) 10000 (3) 10000 (4) 4900

04 (1) 199 (2) 600 (3) 700 (4) 17000

05 (1) 100 (2) 6 (3) 80 (4) 460

06 (1) 3, 3, 100, 10000 (2) 2, 2, $\sqrt{3}$, 3 (3) b, b, 3.6, 3.6, 28 (4) $\sqrt{5}+2$, $\sqrt{5}+2$, 2, $\sqrt{5}-2$, $\sqrt{5}-2$, $\sqrt{5}-2$, $2\sqrt{5}$, 4, $2\sqrt{5}$, 4, $8\sqrt{5}$

07 (1) 10000 (2) 230 (3) $2+\sqrt{2}$ (4) 5

08 (1) 400 (2) 100 (3) $4\sqrt{21}$

09 (1) 10 (2) 9

02 (1) $28\times16+72\times16=(28+72)\times16$

$=100\times16=1600$

(2) $92\times78+92\times22=92(78+22)$

$=92\times100=9200$

(3) $69\times89-69\times79=69(89-79)$

$=69\times10=690$

(4) $257\times26-257\times25=257(26-25)$

$=257$

03 (1) $26^2+2\times26\times4+16=(26+4)^2=30^2=900$

(2) $94^2+2\times94\times6+36=(94+6)^2$

$=100^2=10000$

(3) $101^2-2\times101+1=(101-1)^2$

$=100^2=10000$

(4) $78^2-16\times78+64=78^2-2\times78\times8+8^2$

$=(78-8)^2=4900$

04 (1) $100^2-99^2=(100+99)(100-99)$

$=199$

(2) $151^2-149^2=(151+149)(151-149)$

$=300\times2=600$

(3) $85^2-15^2=(85+15)(85-15)$

$=100\times70=700$

(4) $17\times55^2-17\times45^2$

$=17(55^2-45^2)=17(55+45)(55-45)$

$=17\times100\times10=17000$

05 (1) $7.5^2+5\times7.5+2.5^2=7.5^2+2\times7.5\times2.5+2.5^2$

$=(7.5+2.5)^2=10^2=100$

(2) $\sqrt{6.8^2-3.2^2}=\sqrt{(6.8+3.2)(6.8-3.2)}$

$=\sqrt{10\times3.6}=\sqrt{36}=6$

(3) $\sqrt{82^2-18^2}=\sqrt{(82+18)(82-18)}$

$=\sqrt{100\times64}=80$

(4) $42^2-38^2+36^2-34^2$

$=(42+38)(42-38)+(36+34)(36-34)$

$=80\times4+70\times2=460$

06 (1) $x^2+6x+9=(x+\boxed{3})^2$ ← $x=97$을 대입

$=(97+\boxed{3})^2=\boxed{100}^2$

$=\boxed{10000}$

(2) $x^2-4x+4=(x-\boxed{2})^2$ ← $x=2+\sqrt{3}$을 대입

$=(2+\sqrt{3}-\boxed{2})^2$

$=(\boxed{\sqrt{3}})^2$

$=\boxed{3}$

(3) $a^2-b^2=(a+\boxed{b})(a-\boxed{b})$ ← $a=6.4$, $b=3.6$을 대입

$=(6.4+\boxed{3.6})(6.4-\boxed{3.6})$

$=10\times2.8$

$=\boxed{28}$

(4) x, y의 분모를 유리화하면

$x=\frac{1}{\sqrt{5}-2}=\frac{\boxed{\sqrt{5}+2}}{(\sqrt{5}-2)\times(\boxed{\sqrt{5}+2})}=\sqrt{5}+\boxed{2}$

$y=\frac{1}{\sqrt{5}+2}=\frac{\boxed{\sqrt{5}-2}}{(\sqrt{5}+2)\times(\boxed{\sqrt{5}-2})}=\boxed{\sqrt{5}-2}$

이므로 $x+y=\sqrt{5}+2+\sqrt{5}-2=\boxed{2\sqrt{5}}$,

$x-y=\sqrt{5}+2-(\sqrt{5}-2)=\boxed{4}$

따라서 $x^2-y^2=(x+y)(x-y)$

$=\boxed{2\sqrt{5}}\times\boxed{4}=\boxed{8\sqrt{5}}$

07 (2) $x^2-3x-40=(x+5)(x-8)$
$=(18+5)(18-8)=230$

(3) $x^2+3x+2=(x+1)(x+2)$
$=(\sqrt{2}-1+1)(\sqrt{2}-1+2)$
$=\sqrt{2}(\sqrt{2}+1)=2+\sqrt{2}$

(4) $x^2-8x+16=(x-4)^2=(4+\sqrt{5}-4)^2=5$

08 (1) $x^2-4xy+4y^2=(x-2y)^2$
$=(56-2\times18)^2=20^2=400$

(2) $x^2+2xy+y^2=(x+y)^2$
$=(5+\sqrt{2}+5-\sqrt{2})^2=100$

(3) $x+y=\sqrt{7}+\sqrt{3}+\sqrt{7}-\sqrt{3}=2\sqrt{7}$

$x-y=\sqrt{7}+\sqrt{3}-(\sqrt{7}-\sqrt{3})=2\sqrt{3}$

$\therefore x^2-y^2=(x+y)(x-y)$
$=2\sqrt{7}\times2\sqrt{3}=4\sqrt{21}$

09 (1) $x^2y+xy^2=xy(x+y)=5\times2=10$

(2) $x^2-2x-y^2+2y=x^2-y^2-2x+2y$
$=(x-y)(x+y)-2(x-y)$
$=(x-y)(x+y-2)$
$=3\times(5-2)=9$

힘수 만점 76쪽

01 ② **02** 5200 **03** ④ **04** 3 **05** ① **06** 160

01 $504^2-8\times504+16=504^2-2\times504\times4^2+4^2$
$=(504-4)^2=500^2=250000$

02 $76^2-24^2=(76+24)(76-24)=5200$

03 $\dfrac{\sqrt{3}+\sqrt{2}}{\sqrt{3}-\sqrt{2}}=\dfrac{(\sqrt{3}+\sqrt{2})^2}{(\sqrt{3}-\sqrt{2})(\sqrt{3}+\sqrt{2})}=5+2\sqrt{6}$

04 $x^2-6x+9=(x-3)^2=(3-\sqrt{3}-3)^2=(-\sqrt{3})^2=3$

05 $x=\dfrac{1}{\sqrt{2}+1}=\sqrt{2}-1$, $y=\dfrac{1}{\sqrt{2}-1}=\sqrt{2}+1$이므로

$x+y=2\sqrt{2}$, $x-y=-2$

$\therefore x^2-y^2=(x+y)(x-y)$
$=2\sqrt{2}\times(-2)=-4\sqrt{2}$

06 $A=\sqrt{68^2-32^2}=\sqrt{(68+32)(68-32)}$
$=\sqrt{100\times36}=60$

$B=8.5^2+3\times8.5+1.5^2=(8.5+1.5)^2=10^2=100$

$\therefore A+B=60+100=160$

21강 중단원 연산 마무리 77~80쪽

01 (1) $-15x^2-9xy+3x$ (2) $x^2-4x-12$
(3) $-6a^2-23ab-21b^2$
(4) $10a^2+3ab+6ac-4b^2-3bc$

02 (1) x^2+4x+4 (2) x^2-2x+1 (3) $x^2-\dfrac{1}{9}$
(4) x^2-2x-8 (5) $2x^2-x-15$

03 -20

04 (1) $10+2\sqrt{21}$ (2) $22-12\sqrt{2}$ (3) 11 (4) $-5+5\sqrt{6}$

05 (1) $x^2+9x+30$ (2) $4x^2-12x+4$

06 (1) $\sqrt{14}+3$ (2) $5+2\sqrt{6}$ (3) $24+17\sqrt{2}$ (4) $\sqrt{6}-2\sqrt{3}$

07 (1) 10816 (2) 9604 (3) 39996 (4) 10197

08 (1) $6+\dfrac{7\sqrt{6}}{2}$ (2) $4x^2-8xy-32y^2$

09 (1) 20 (2) $-\dfrac{5}{2}$ **10** (1) 18 (2) 10 **11** 34

12 (1) $3xy(x-2y)$ (2) $2b^2(3a-4)$
(3) $ab(a+3b+2)$ (4) $-xy(x+y)(x-y)$

13 (1) 9, 3 (2) 81, 9 (3) ±10, ±5 (4) ±20, ±10

14 (1) $(a-1)(a+2)$ (2) $(y+1)^2$
(3) $(3x+2y)(3x-2y)$ (4) $(3x-5)^2$

15 (1) $(x-2)(x+9)$ (2) $(3x-2y)(x-3y)$
(3) $(2x-3y)^2$ (4) $2(9x-4y)(x-y)$

16 (1) $x+2$ (2) $x-3$ **17** -2 **18** $2x+3$

19 (1) $y(2x+1)^2$ (2) $4xy$ (3) $(x-3)(x-6)$
(4) $(x+2y+1)(x+2y-4)$

20 (1) 25300 (2) 10000 (3) 250000 (4) 116

21 (1) $-2x-2y$ (2) 2

22 (1) $(4x+y-1)(4x-y-1)$ (2) $(x-y-1)(x-y-5)$
(3) $(2x+y-1)(2x-y+1)$

23 (1) 10000 (2) 10000 (3) 7

24 ③ **25** ① **26** $2x-2y+2$ **27** ①

01 (3) $(3a+7b)(-2a-3b)$
$=-6a^2-9ab-14ab-21b^2$
$=-6a^2-23ab-21b^2$

(4) $(2a-b)(5a+4b+3c)$
$=10a^2+8ab+6ac-5ab-4b^2-3bc$
$=10a^2+3ab+6ac-4b^2-3bc$

02 (4) $(x-4)(x+2)=x^2+(2-4)x-8$
$=x^2-2x-8$

(5) $(2x+5)(x-3)=2x^2+(-6+5)x-15$
$=2x^2-x-15$

03 $(x+A)(x-6)=x^2+(A-6)x-6A$
$=x^2+Bx+42$
$A-6=B$, $-6A=42$이므로
$A=-7$, $B=-13$
$\therefore A+B=-7+(-13)=-20$

04 (1) $(\sqrt{7}+\sqrt{3})^2=7+2\times\sqrt{7}\times\sqrt{3}+3$
$=10+2\sqrt{21}$

(2) $(2-3\sqrt{2})^2=4-2\times2\times3\sqrt{2}+(3\sqrt{2})^2$
$=4-12\sqrt{2}+18$
$=22-12\sqrt{2}$

(3) $(2\sqrt{5}+3)(2\sqrt{5}-3)=(2\sqrt{5})^2-3^2$
$=20-9=11$

(4) $(3\sqrt{3}+\sqrt{2})(2\sqrt{2}-\sqrt{3})=6\sqrt{6}-9+4-\sqrt{6}$
$=-5+5\sqrt{6}$

05 (1) $(3x+5)(x+4)-2(x-1)(x+5)$
$=3x^2+17x+20-2(x^2+4x-5)$
$=3x^2+17x+20-2x^2-8x+10$
$=x^2+9x+30$

(2) $-2x+3=A$로 놓으면
$(-2x+3+\sqrt{5})(-2x+3-\sqrt{5})$
$=(A+\sqrt{5})(A-\sqrt{5})=A^2-5$
$=(-2x+3)^2-5$
$=4x^2-12x+9-5$
$=4x^2-12x+4$

06 (1) $\dfrac{5}{\sqrt{14}-3}=\dfrac{5(\sqrt{14}+3)}{(\sqrt{14}-3)(\sqrt{14}+3)}$
$=\dfrac{5(\sqrt{14}+3)}{14-9}=\sqrt{14}+3$

(2) $\dfrac{3+\sqrt{6}}{3-\sqrt{6}}=\dfrac{(3+\sqrt{6})^2}{(3-\sqrt{6})(3+\sqrt{6})}$
$=\dfrac{9+6\sqrt{6}+6}{9-6}=\dfrac{15+6\sqrt{6}}{3}=5+2\sqrt{6}$

(3) $\dfrac{4+3\sqrt{2}}{3-2\sqrt{2}}=\dfrac{(4+3\sqrt{2})(3+2\sqrt{2})}{(3-2\sqrt{2})(3+2\sqrt{2})}$
$=12+17\sqrt{2}+12$
$=24+17\sqrt{2}$

(4) $\dfrac{2\sqrt{6}}{\sqrt{3}-1}+\dfrac{3\sqrt{2}}{\sqrt{6}-3}$
$=\dfrac{2\sqrt{6}(\sqrt{3}+1)}{(\sqrt{3}-1)(\sqrt{3}+1)}+\dfrac{3\sqrt{2}(\sqrt{6}+3)}{(\sqrt{6}-3)(\sqrt{6}+3)}$
$=\sqrt{18}+\sqrt{6}-(\sqrt{12}+3\sqrt{2})$
$=3\sqrt{2}+\sqrt{6}-2\sqrt{3}-3\sqrt{2}$
$=\sqrt{6}-2\sqrt{3}$

07 (1) $104^2=(100+4)^2=100^2+2\times100\times4+4^2$
$=10000+800+16=10816$

(2) $98^2=(100-2)^2=100^2-2\times100\times2+2^2$
$=10000-400+4=9604$

(3) $202\times198=(200+2)(200-2)=200^2-4$
$=40000-4=39996$

(4) $103\times99=(100+3)(100-1)$
$=100^2+2\times100-3$
$=10000+200-3=10197$

08 (1) 사다리꼴의 넓이는
$\dfrac{1}{2}\times\{(\text{윗변})+(\text{아랫변})\}\times(\text{높이})$이므로
$\dfrac{1}{2}(2\sqrt{2}+2\sqrt{3}+\sqrt{2})(3\sqrt{3}-\sqrt{2})$
$=\dfrac{1}{2}(2\sqrt{3}+3\sqrt{2})(3\sqrt{3}-\sqrt{2})$
$=\dfrac{1}{2}(18+7\sqrt{6}-6)$
$=\dfrac{1}{2}(12+7\sqrt{6})$
$=6+\dfrac{7\sqrt{6}}{2}$

(2) 직사각형의 넓이는 (가로)×(세로)이므로
$(4x+8y)(x-4y)=4x^2-16xy+8xy-32y^2$
$=4x^2-8xy-32y^2$

09 (1) $x^2+y^2=(x+y)^2-2xy=2^2-2\times(-8)=20$

(2) $\dfrac{y}{x}+\dfrac{x}{y}=\dfrac{x^2+y^2}{xy}=\dfrac{20}{-8}=-\dfrac{5}{2}$

10 (1) $x^2+\dfrac{1}{x^2}=\left(x-\dfrac{1}{x}\right)^2+2=4^2+2=18$

(2) $x^2-3x+1=0$의 양변을 $x(x\neq0)$로 나누면
$x-3+\dfrac{1}{x}=0$에서 $x+\dfrac{1}{x}=3$

$x^2+\frac{1}{x^2}=\left(x+\frac{1}{x}\right)^2-2=3^2-2=7$

$\therefore x^2+x+\frac{1}{x}+\frac{1}{x^2}=\left(x^2+\frac{1}{x^2}\right)+\left(x+\frac{1}{x}\right)$

$=7+3=10$

11 $x=\frac{\sqrt{2}-1}{\sqrt{2}+1}=\frac{(\sqrt{2}-1)^2}{(\sqrt{2}+1)(\sqrt{2}-1)}=3-2\sqrt{2}$

$y=\frac{\sqrt{2}+1}{\sqrt{2}-1}=\frac{(\sqrt{2}+1)^2}{(\sqrt{2}-1)(\sqrt{2}+1)}=3+2\sqrt{2}$

$x+y=3-2\sqrt{2}+3+2\sqrt{2}=6$,

$xy=(3-2\sqrt{2})(3+2\sqrt{2})=1$

$\therefore x^2+y^2=(x+y)^2-2xy=6^2-2\times1=34$

12 (4) $xy^3-x^3y=xy(y^2-x^2)=xy(y+x)(y-x)$

$=-xy(x+y)(x-y)$

15 (4) $18x^2-26xy+8y^2=2(9x^2-13xy+4y^2)$

$=2(9x-4y)(x-y)$

16 (1) $5x^2+12x+4=(x+2)(5x+2)$

$2x^2+3x-2=(x+2)(2x-1)$

따라서 공통 인수는 $x+2$

(2) $x^2-4x+3=(x-1)(x-3)$

$x^2+2x-15=(x-3)(x+5)$

따라서 공통 인수는 $x-3$

17 $x^2+(n+1)x+9=(x\pm3)^2=x^2\pm6x+9$이므로

$n+1=\pm6$

$n+1=6$일 때, $n=5$,

$n+1=-6$일 때, $n=-7$

$\therefore 5+(-7)=-2$

18 $3x-2$가 $6x^2+ax-6$의 인수이고 x^2의 계수가 6이므로

$6x^2+ax-6=(3x-2)(2x+n)$

$=6x^2+(3n-4)x-2n$

$-6=-2n$에서 $n=3$

따라서 이 다항식의 다른 한 인수는 $2x+3$이다.

19 (1) $4x^2y+4xy+y=y(4x^2+4x+1)=y(2x+1)^2$

(2) $(x+y)^2-(x-y)^2=(x+y+x-y)(x+y-x+y)$

$=2x\times2y=4xy$

(3) $x-1=A$라 하면

$(x-1)^2-7(x-1)+10=A^2-7A+10$

$=(A-2)(A-5)$

$=(x-1-2)(x-1-5)$

$=(x-3)(x-6)$

(4) $x+2y=A$라 하면

$(x+2y)(x+2y-3)-4=A(A-3)-4$

$=A^2-3A-4$

$=(A+1)(A-4)$

$=(x+2y+1)(x+2y-4)$

20 (1) $74\times253+26\times253=253(74+26)$

$=253\times100$

$=25300$

(2) $107^2-14\times107+49=107^2-2\times7\times107+7^2$

$=(107-7)^2$

$=100^2$

$=10000$

(3) $498^2+4\times498+4=498^2+2\times2\times498+2^2$

$=(498+2)^2$

$=500^2$

$=250000$

(4) $8.2^2-1.8^2+7.6^2-2.4^2$

$=(8.2-1.8)(8.2+1.8)+(7.6-2.4)(7.6+2.4)$

$=6.4\times10+5.2\times10=10(6.4+5.2)$

$=10\times11.6=116$

21 (1) $x<0$, $y<0$이므로 $x+y<0$

$\therefore \sqrt{x^2}+\sqrt{y^2}+\sqrt{x^2+2xy+y^2}$

$=\sqrt{x^2}+\sqrt{y^2}+\sqrt{(x+y)^2}$

$=-x-y-(x+y)$

$=-x-y-x-y=-2x-2y$

(2) $3<x<5$에서 $x-3>0$, $x-5<0$이므로

$\sqrt{x^2-6x+9}+\sqrt{x^2-10x+25}$

$=\sqrt{(x-3)^2}+\sqrt{(x-5)^2}$

$=x-3-(x-5)$

$=x-3-x+5=2$

22 (1) (주어진 식) $=(16x^2-8x+1)-y^2$

$=(4x-1)^2-y^2$

$=(4x-1+y)(4x-1-y)$

$=(4x+y-1)(4x-y-1)$

(2) $x-y=A$라 하면

(주어진 식)$=A(A-6)+5$

$=A^2-6A+5=(A-1)(A-5)$

$=(x-y-1)(x-y-5)$

(3) (주어진 식)$=4x^2-(y^2-2y+1)$

$=4x^2-(y-1)^2$

$=(2x+y-1)(2x-y+1)$

23 (1) $x^2+12x+36=(x+6)^2$이므로

$x=94$를 대입하면

$(94+6)^2=100^2=10000$

(2) $x^2-10x+25=(x-5)^2$이므로

$x=105$를 대입하면 $(105-5)^2=100^2=10000$

(3) $x=\dfrac{1}{\sqrt{2}+1}=\dfrac{\sqrt{2}-1}{(\sqrt{2}+1)(\sqrt{2}-1)}=\sqrt{2}-1$

식을 변형하면 $x+1=\sqrt{2}$

양변을 제곱하면 $(x+1)^2=2$, $x^2+2x+1=2$

$x^2+2x=1$

$\therefore 2x^2+4x+5=2(x^2+2x)+5=2\times1+5=7$

24 $x^2-4x-1=0$의 양변을 x로 나누면

$x-4-\dfrac{1}{x}=0$, 즉 $x-\dfrac{1}{x}=4$

$x^2+\dfrac{1}{x^2}=\left(x-\dfrac{1}{x}\right)^2+2=4^2+2=18$

$\therefore x^2+6+\dfrac{1}{x^2}=18+6=24$

25 $a-1>0$, $a-2<0$이므로

$\sqrt{a^2-2a+1}+\sqrt{a^2-4a+4}=\sqrt{(a-1)^2}+\sqrt{(a-2)^2}$

$=(a-1)-(a-2)=1$

26 $x-y=A$라 하면

(주어진 식)$=A(A+2)-15=A^2+2A-15$

$=(A-3)(A+5)=(x-y-3)(x-y+5)$

따라서 두 일차식의 합은

$(x-y-3)+(x-y+5)=2x-2y+2$

27 $x^2-y^2+4x-4y=(x+y)(x-y)+4(x-y)$

$=(x-y)(x+y+4)$

이때 $x+y=3$이므로

$(x-y)(x+y+4)=(x-y)\times7=28$, $x-y=4$

$\therefore x^2-y^2=(x+y)(x-y)=3\times4=12$

22강 이차방정식과 그 해 81~82쪽

01 (1) × (2) ○ (3) × (4) ○ (5) × (6) ○ (7) ×

02 (1) $x^2-3x+4=0$ (2) $x^2+4x+3=0$
(3) $2x^2-11x-25=0$ (4) $2x^2-9x+6=0$
(5) $2x^2-3x-10=0$ (6) $x^2-6x+1=0$

03 (1) $a\neq0$ (2) $a\neq0$ (3) $a\neq-1$ (4) $a\neq\dfrac{1}{2}$ (5) $a\neq-2$
(6) $a\neq-1$

04 (1) ○ (2) × (3) ○ (4) × (5) ○ (6) ○

05 (1) $x=-1$ 또는 $x=1$ (2) $x=0$ (3) $x=-1$ (4) $x=1$
(5) $x=1$ (6) $x=-1$

06 (1) 1 (2) -1 (3) 3 (4) 1 (5) 2 (6) 2

01 (7) $x^2=x^2-6x+9$, $6x-9=0$

이므로 이차방정식이 아니다.

02 (4) $3x(x-3)=x^2-6$,

$3x^2-9x=x^2-6$

$\therefore 2x^2-9x+6=0$

(5) $x^2=(x+2)(5-x)$

$x^2=-x^2+3x+10$

$\therefore 2x^2-3x-10=0$

(6) $3(x-1)^2-1=1+2x^2$,

$3(x^2-2x+1)-1=1+2x^2$,

$3x^2-6x+3-1=1+2x^2$

$\therefore x^2-6x+1=0$

03 (4) $2ax^2+4x=x^2+5x-1$,

$(2a-1)x^2-x+1=0$

$\therefore a\neq\dfrac{1}{2}$

(5) $ax^2-3x+5=-2x^2+3$,

$(a+2)x^2-3x+2=0$

$\therefore a\neq-2$

(6) $a(x-3)(x+1)=6x-x^2$,

$a(x^2-2x-3)=6x-x^2$,

$ax^2-2ax-3a=6x-x^2$,

$(a+1)x^2-2(a+3)x-3a=0$

$\therefore a\neq-1$

05 (1) $x=-1$일 때, $(-1)^2-1=0$

$x=0$일 때, $0^2-1=-1\neq0$

$x=1$일 때, $1^2-1=0$

따라서 구하는 해는 $x=-1$ 또는 $x=1$

(2) $x=-1$일 때, $(-1)^2+2\times(-1)=-1\neq0$
$x=0$일 때, $0^2+2\times0=0$
$x=1$일 때, $1^2+2\times1=3\neq0$
따라서 구하는 해는 $x=0$

(3) $x=-1$일 때, $(-1)^2-2\times(-1)-3=0$
$x=0$일 때, $0^2-2\times0-3=-3\neq0$
$x=1$일 때, $1^2-2\times1-3=-4\neq0$
따라서 구하는 해는 $x=-1$

(4) $x=-1$일 때, $(-1-1)(-1+2)=-2\neq0$
$x=0$일 때, $(0-1)(0+2)=-2\neq0$
$x=1$일 때, $(1-1)(1+2)=0$
따라서 구하는 해는 $x=1$

(5) $x=-1$일 때, $(-1)^2-5\times(-1)+4=10\neq0$
$x=0$일 때, $0^2-5\times0+4=4\neq0$
$x=1$일 때, $1^2-5\times1+4=0$
따라서 구하는 해는 $x=1$

(6) $x=-1$일 때, $2\times(-1)^2+3\times(-1)+1=0$
$x=0$일 때, $2\times0^2+3\times0+1=1\neq0$
$x=1$일 때, $2\times1^2+3\times1+1=6\neq0$
따라서 구하는 해는 $x=-1$

06 (1) 주어진 식의 x에 1을 대입하면
$a+6-7=0$, $a-1=0$이므로 $a=1$

(2) 주어진 식의 x에 2를 대입하면
$4+2a-2=0$, $2a=-2$이므로 $a=-1$

(3) 주어진 식의 x에 -3을 대입하면
$(-3)^2+a\times(-3)=0$, $9-3a=0$이므로 $a=3$

(4) 주어진 식의 x에 -4를 대입하면
$16-4a-12=0$, $-4a=-4$이므로 $a=1$

(5) 주어진 식의 x에 3을 대입하면
$9a-15=3$, $9a=18$이므로 $a=2$

(6) 주어진 식의 x에 -2를 대입하면
$2\times(-2)^2+(-2)+1=3-a\times(-2)$,
$8-2+1=3+2a$, $2a=4$
이므로 $a=2$

힘수 만점 83쪽

01 ② **02** ⑤ **03** ⑤ **04** $x=-1$ 또는 $x=2$
05 2

01 ① $x^2-6x+9=8+x^2$, $-6x+1=0$
이므로 일차방정식이다.
② $x^2-5x-3=0$(이차방정식)
③ $x^2-5x=x^3+x^2$, $x^3+5x=0$
이므로 이차방정식이 아니다.
④ $-8=0$
이므로 이차방정식이 아니다.
⑤ $x^2-6x=x^2-6x$, $0=0$
이므로 이차방정식이 아니다.

02 ① $1^2=1\neq0$
② $1\times(1-3)=-2\neq1$
③ $2\times1^2-1-3=-2\neq0$
④ $(-1)^2-3\times(-1)=4\neq0$
⑤ $2\times\left(\frac{5}{2}\right)^2-3\times\left(\frac{5}{2}\right)=\frac{25}{2}-\frac{15}{2}=5$

03 ① $(3+1)(3-3)=0$
② $3^2-3\times3=0$
③ $3^2-5\times3+6=0$
④ $3\times3^2-7\times3-6=0$
⑤ $2\times3^2-2\times3-1=11\neq0$

04 $x=-1$일 때, $(-1)^2-(-1)-2=0$
$x=0$일 때, $0^2-0-2=-2\neq0$
$x=1$일 때, $1^2-1-2=-2\neq0$
$x=2$일 때, $2^2-2-2=0$
따라서 구하는 해는 $x=-1$ 또는 $x=2$

05 x에 -3을 대입하면
$9-3a-2a+1=0$, $-5a+10=0$
$\therefore a=2$

23강+ 인수분해를 이용한 이차방정식의 풀이 84~86쪽

01 ㄱ, ㄴ, ㄷ
02 (1) 1, 2 (2) $x=-3$ 또는 $x=-8$
(3) $x=0$ 또는 $x=2$ (4) $x=5$ (5) $x=\frac{1}{2}$ 또는 $x=-\frac{1}{5}$
(6) $x=2$ 또는 $x=1$
03 (1) $x+5$, $x+5$, 0, -5
(2) $x-5$, $x+5$, $x-5$, -5, 5
(3) $x-3$, $x-3$, 3, -4
(4) $3x+1$, $2x-3$, $3x+1$, $\frac{3}{2}$, $-\frac{1}{3}$
04 (1) $x=0$ 또는 $x=2$ (2) $x=0$ 또는 $x=-5$
(3) $x=0$ 또는 $x=2$

05 (1) $x=-2$ 또는 $x=2$ (2) $x=-3$ 또는 $x=3$
(3) $x=-8$ 또는 $x=8$

06 (1) $x=-1$ 또는 $x=-2$ (2) $x=-2$ 또는 $x=5$
(3) $x=-2$ 또는 $x=3$ (4) $x=1$ 또는 $x=10$

07 (1) $x=-\frac{1}{2}$ 또는 $x=-1$ (2) $x=-\frac{1}{3}$ 또는 $x=-2$
(3) $x=\frac{3}{2}$ 또는 $x=-\frac{1}{4}$

08 (1) $x=-\frac{5}{2}$ 또는 $x=3$ (2) $x=3$ 또는 $x=-5$
(3) $x=1$ 또는 $x=4$ (4) $x=-2$ 또는 $x=6$

09 (1) $x=1$ (2) $x=-3$ (3) $x=\frac{3}{2}$

10 (1) $x=4$ (2) $x=2$

11 (1) $x=-2$ (2) $x=8$ (3) $x=-\frac{3}{2}$ (4) $x=\frac{3}{5}$

12 (1) $x-3$, 3 (2) $4x-1$, $\frac{1}{4}$ (3) $x+\frac{1}{2}$, $-\frac{1}{2}$

13 (1) $x=2$ (2) $x=7$ (3) $x=\frac{5}{2}$ (4) $x=\frac{4}{3}$

14 (1) 9 (2) 12 (3) 18 (4) 7

15 (1) ±6 (2) ±12 (3) $\pm\frac{3}{2}$

02 (2) $(x+3)(x+8)=0$
$x+3=0$ 또는 $x+8=0$
$\therefore x=-3$ 또는 $x=-8$
(3) $3x(x-2)=0$
$x=0$ 또는 $x-2=0$
$\therefore x=0$ 또는 $x=2$
(4) $(x-5)^2=0$
$x-5=0$
$\therefore x=5$
(5) $\left(x-\frac{1}{2}\right)\left(x+\frac{1}{5}\right)=0$
$x-\frac{1}{2}=0$ 또는 $x+\frac{1}{5}=0$
$\therefore x=\frac{1}{2}$ 또는 $x=-\frac{1}{5}$
(6) $-(x-2)(x-1)=0$
$x-2=0$ 또는 $x-1=0$
$\therefore x=2$ 또는 $x=1$

03 (1) $2x^2+10x=0$의 좌변을 인수분해하면
$2x(\boxed{x+5})=0$이므로
$x=0$ 또는 $\boxed{x+5}=0$
$\therefore x=\boxed{0}$ 또는 $x=\boxed{-5}$
(2) $x^2-25=0$의 좌변을 인수분해하면
$(x+5)(\boxed{x-5})=0$이므로
$\boxed{x+5}=0$ 또는 $\boxed{x-5}=0$
$\therefore x=\boxed{-5}$ 또는 $x=\boxed{5}$
(3) $x^2+x-12=0$의 좌변을 인수분해하면
$(\boxed{x-3})(x+4)=0$이므로
$\boxed{x-3}=0$ 또는 $x+4=0$
$\therefore x=\boxed{3}$ 또는 $x=\boxed{-4}$
(4) $6x^2-7x-3=0$의 좌변을 인수분해하면
$(2x-3)(\boxed{3x+1})=0$이므로
$\boxed{2x-3}=0$ 또는 $\boxed{3x+1}=0$
$\therefore x=\boxed{\frac{3}{2}}$ 또는 $x=\boxed{-\frac{1}{3}}$

04 (1) $x^2-2x=0$, $x(x-2)=0$
$\therefore x=0$ 또는 $x=2$
(2) $x^2+5x=0$, $x(x+5)=0$
$\therefore x=0$ 또는 $x=-5$
(3) $3x^2-6x=0$, $3x(x-2)=0$
$\therefore x=0$ 또는 $x=2$

05 (1) $x^2-4=0$, $(x+2)(x-2)=0$
$x+2=0$ 또는 $x-2=0$
$\therefore x=-2$ 또는 $x=2$
(2) $3x^2-27=0$, $3(x^2-9)=0$,
$3(x+3)(x-3)=0$, $x+3=0$ 또는 $x-3=0$
$\therefore x=-3$ 또는 $x=3$
(3) $x^2=64$, $x^2-8^2=0$, $(x+8)(x-8)=0$
$x+8=0$ 또는 $x-8=0$
$\therefore x=-8$ 또는 $x=8$

06 (1) $x^2+3x+2=0$, $(x+1)(x+2)=0$
$\therefore x=-1$ 또는 $x=-2$
(2) $x^2-3x=10$, $x^2-3x-10=0$, $(x+2)(x-5)=0$
$\therefore x=-2$ 또는 $x=5$
(3) $x^2=x+6$, $x^2-x-6=0$, $(x+2)(x-3)=0$
$\therefore x=-2$ 또는 $x=3$
(4) $x^2-11x+10=0$, $(x-1)(x-10)=0$
$\therefore x=1$ 또는 $x=10$

07 (1) $2x^2+3x+1=0$, $(2x+1)(x+1)=0$
$\therefore x=-\frac{1}{2}$ 또는 $x=-1$
(2) $3x^2+7x+2=0$, $(3x+1)(x+2)=0$
$\therefore x=-\frac{1}{3}$ 또는 $x=-2$
(3) $8x^2-10x-3=0$, $(2x-3)(4x+1)=0$
$\therefore x=\frac{3}{2}$ 또는 $x=-\frac{1}{4}$

08 (1) $x^2+x=3x^2-15$,
$2x^2-x-15=0$,
$(2x+5)(x-3)=0$
$\therefore x=-\frac{5}{2}$ 또는 $x=3$
(2) $(x-2)(x+3)=-x+9$,
$x^2+x-6=-x+9$,
$x^2+2x-15=0$,
$(x-3)(x+5)=0$
$\therefore x=3$ 또는 $x=-5$
(3) $(x+1)(x+4)=2x^2+8$,
$x^2+5x+4=2x^2+8$,
$x^2-5x+4=0$,
$(x-1)(x-4)=0$
$\therefore x=1$ 또는 $x=4$
(4) $(x+4)(x-4)=4x-4$,
$x^2-16=4x-4$, $x^2-4x-12=0$,
$(x+2)(x-6)=0$
$\therefore x=-2$ 또는 $x=6$

09 (1) $x^2+x-2=0$에서 $(x-1)(x+2)=0$
$\therefore x=1$ 또는 $x=-2$
$x^2+3x-4=0$에서 $(x-1)(x+4)=0$
$\therefore x=1$ 또는 $x=-4$
따라서 공통인 근은 $x=1$
(2) $x^2+10x+21=0$에서 $(x+3)(x+7)=0$
$\therefore x=-3$ 또는 $x=-7$
$x(x-3)=18$에서
$x^2-3x-18=0$, $(x+3)(x-6)=0$
$\therefore x=-3$ 또는 $x=6$
따라서 공통인 근은 $x=-3$
(3) $2x^2-5x+3=0$, $(2x-3)(x-1)=0$
$\therefore x=\frac{3}{2}$ 또는 $x=1$
$2x^2-3x=0$, $x(2x-3)=0$
$\therefore x=0$ 또는 $x=\frac{3}{2}$
따라서 공통인 근은 $x=\frac{3}{2}$

10 (1) $x=-3$을 $x^2-x+a=0$에 대입하면
$(-3)^2-(-3)+a=0$, $a=-12$
즉, $x^2-x-12=0$에서 $(x+3)(x-4)=0$
$\therefore x=-3$ 또는 $x=4$
따라서 다른 한 근은 $x=4$
(2) $x=3$을 $x^2+ax+6=0$에 대입하면
$3^2+3a+6=0$, $3a=-15$, $a=-5$
즉, $x^2-5x+6=0$, $(x-2)(x-3)=0$
$\therefore x=2$ 또는 $x=3$
따라서 다른 한 근은 $x=2$

13 (1) $x^2-4x+4=0$, $(x-2)^2=0$
$\therefore x=2$
(2) $x^2+49=14x$, $x^2-14x+49=0$, $(x-7)^2=0$
$\therefore x=7$
(3) $4x^2-20x+25=0$, $(2x-5)^2=0$
$\therefore x=\frac{5}{2}$
(4) $9x^2-24x+16=0$, $(3x-4)^2=0$
$\therefore x=\frac{4}{3}$

14 (2) $x^2-12x+3a=0$에서
$3a=\left(\frac{-12}{2}\right)^2=36$
$\therefore a=12$
(3) $x^2+8x+a-2=0$에서
$a-2=\left(\frac{8}{2}\right)^2=16$
$\therefore a=18$
(4) $x^2+16x+9a+1=0$에서
$9a+1=\left(\frac{16}{2}\right)^2=64$
$\therefore a=7$

15 (1) $x^2+kx+9=0$에서
중근을 가져야 하므로 주어진 식은
$(x\pm3)^2=0$, $x^2\pm6x+9=0$
$\therefore k=\pm6$
(2) $9x^2+kx=-4$, $9x^2+kx+4=0$에서
중근을 가져야 하므로 주어진 식은
$(3x\pm2)^2=0$, $9x^2\pm12x+4=0$
$\therefore k=\pm12$
(3) $x^2+kx+\frac{9}{16}=0$에서
중근을 가져야 하므로 주어진 식은
$\left(x\pm\frac{3}{4}\right)^2=0$, $x^2\pm\frac{3}{2}x+\frac{9}{16}=0$
$\therefore k=\pm\frac{3}{2}$

힘수 만점 87쪽

01 ⑤
02 (1) $x=0$ 또는 $x=6$ (2) $x=1$ 또는 $x=8$
(3) $x=-6$ 또는 $x=6$ (4) $x=\frac{4}{3}$ 또는 $x=-2$
03 ⑤ **04** ① **05** 6

02 (1) $x^2-6x=0$, $x(x-6)=0$
$\therefore$ $x=0$ 또는 $x=6$
(2) $x^2-9x+8=0$, $(x-1)(x-8)=0$
$\therefore$ $x=1$ 또는 $x=8$
(3) $x^2-36=0$, $(x+6)(x-6)=0$
$\therefore$ $x=-6$ 또는 $x=6$
(4) $3x^2+2x-8=0$, $(3x-4)(x+2)=0$
$\therefore$ $x=\frac{4}{3}$ 또는 $x=-2$

03 전개하여 완전제곱식의 꼴로 고친다.
⑤ $4x^2-4x+1=0$, $(2x-1)^2=0$
$\therefore$ $x=\frac{1}{2}$

04 $x^2+5x+4=0$에서 $(x+1)(x+4)=0$
$\therefore$ $x=-1$ 또는 $x=-4$
$2x^2+7x-4=0$에서 $(2x-1)(x+4)=0$
$\therefore$ $x=\frac{1}{2}$ 또는 $x=-4$
따라서 공통인 근은 $x=-4$

05 $10+k=\left(\frac{-8}{2}\right)^2=16$
$\therefore$ $k=6$

24강 제곱근을 이용한 이차방정식의 풀이 88~90쪽

01 (1) 3 (2) 8, $\sqrt{8}$
02 (1) $x=\pm2$ (2) $x=\pm\frac{3}{4}$ (3) $x=\pm\sqrt{3}$ (4) $x=\pm5$
03 (1) $x=1\pm\sqrt{2}$ (2) $x=-3\pm\sqrt{5}$ (3) $x=-4\pm2\sqrt{3}$
(4) $x=5\pm\sqrt{6}$ (5) $x=\frac{1\pm\sqrt{7}}{2}$ (6) $x=2\pm\frac{\sqrt{15}}{3}$
04 (1) 7 (2) 6 (3) 2
05 (1) $q\ge0$ (2) $q\ge0$ (3) $\frac{q}{a}\ge0$, $a\ne0$
06 (1) 4, 4, 4, 2, 10 (2) 3, 9, 9, 9, 3, 11
07 (1) 1, 1 (2) 25, 5 (3) 1, 1 (4) 2, 1
08 (1) $(x+2)^2=3$ (2) $(x+4)^2=13$
(3) $(x-5)^2=20$ (4) $(x-6)^2=45$
09 (1) $(x-3)^2=2$ (2) $(x+1)^2=11$
(3) $(x+1)^2=\frac{3}{2}$ (4) $(x+1)^2=\frac{1}{6}$
10 (1) $\frac{9}{16}$, $\frac{9}{16}$, $\frac{17}{16}$, $\frac{\sqrt{17}}{4}$, $\frac{\sqrt{17}}{4}$
(2) 1, 1, 1, $\frac{7}{4}$, 1, $\frac{\sqrt{7}}{2}$, $-1\pm\frac{\sqrt{7}}{2}$
11 (1) $x=-5\pm\sqrt{15}$ (2) $x=1\pm\sqrt{6}$ (3) $x=4\pm2\sqrt{6}$
(4) $x=\frac{3\pm\sqrt{5}}{2}$
12 (1) $x=2\pm\sqrt{6}$ (2) $x=2\pm\sqrt{2}$ (3) $x=7\pm5\sqrt{3}$
(4) $x=-3\pm2\sqrt{2}$
13 (1) 2 (2) -6 (3) 16

03 (5) $(2x-1)^2-7=0$, $(2x-1)^2=7$, $2x-1=\pm\sqrt{7}$
$\therefore$ $x=\frac{1\pm\sqrt{7}}{2}$
(6) $3(x-2)^2-5=0$, $(x-2)^2=\frac{5}{3}$, $x-2=\pm\sqrt{\frac{5}{3}}$
$\therefore$ $x=2\pm\sqrt{\frac{5}{3}}=2\pm\frac{\sqrt{15}}{3}$

04 (1) $x+1=\pm\sqrt{2a}$이므로 $x=-1\pm\sqrt{2a}$
a는 유리수이므로
$2a=14$ $\therefore$ $a=7$
(2) $(x+a)^2=b$이므로 $x=-a\pm\sqrt{b}$
따라서 $a=3$, $b=2$이므로
$ab=6$
(3) $x+a=\pm\sqrt{12}=\pm2\sqrt{3}$이므로 $x=-a\pm2\sqrt{3}$
따라서 $a=-1$, $b=3$이므로
$a+b=2$

05 (1) q는 음수가 아니므로 $q\ge0$
(2) q는 음수가 아니므로 $q\ge0$
(3) $(x+p)^2=\frac{q}{a}$에서 $\frac{q}{a}$는 음수가 아니므로 $\frac{q}{a}\ge0$
또한 $a\ne0$이어야 한다.

08 (1) $x^2+4x+1=0$, $x^2+4x=-1$
$x^2+4x+4=-1+4$ $\therefore$ $(x+2)^2=3$
(2) $x^2+8x=-3$, $x^2+8x+16=-3+16$
$\therefore$ $(x+4)^2=13$
(3) $x^2-10x+5=0$, $x^2-10x=-5$
$x^2-10x+25=-5+25$ $\therefore$ $(x-5)^2=20$
(4) $x^2-12x-9=0$, $x^2-12x=9$
$x^2-12x+36=9+36$ $\therefore$ $(x-6)^2=45$

09 (1) $3x^2-18x+21=0$, $x^2-6x+7=0$

$x^2-6x=-7$, $(x-3)^2=2$

(2) $-x^2-2x+10=0$, $x^2+2x-10=0$

$x^2+2x=10$, $(x+1)^2=11$

(3) $2x^2=-4x+1$, $2x^2+4x=1$

$x^2+2x=\frac{1}{2}$, $(x+1)^2=\frac{3}{2}$

(4) $6x^2+5=-12x$, $6x^2+12x=-5$

$x^2+2x=-\frac{5}{6}$, $(x+1)^2=\frac{1}{6}$

10 (1) $2x^2+3x-1=0$에서

양변을 2로 나누면 $x^2+\frac{3}{2}x-\frac{1}{2}=0$,

$x^2+\frac{3}{2}x=\frac{1}{2}$, $x^2+\frac{3}{2}x+\left(\frac{3}{4}\right)^2=\frac{1}{2}+\left(\frac{3}{4}\right)^2$

$x^2+\frac{3}{2}x+\boxed{\frac{9}{16}}=\frac{1}{2}+\boxed{\frac{9}{16}}$,

$\left(x+\frac{3}{4}\right)^2=\boxed{\frac{17}{16}}$, $x+\frac{3}{4}=\pm\boxed{\frac{\sqrt{17}}{4}}$

$\therefore x=-\frac{3}{4}\pm\boxed{\frac{\sqrt{17}}{4}}$

(2) $4x^2+8x-3=0$에서

양변을 4로 나누면 $x^2+2x-\frac{3}{4}=0$

$x^2+2x=\frac{3}{4}$, $x^2+2x+\boxed{1}=\frac{3}{4}+\boxed{1}$

$(x+\boxed{1})^2=\boxed{\frac{7}{4}}$, $x+\boxed{1}=\pm\boxed{\frac{\sqrt{7}}{2}}$

$\therefore x=\boxed{-1\pm\frac{\sqrt{7}}{2}}$

11 (1) $x^2+10x+10=0$, $x^2+10x+25=-10+25$

$(x+5)^2=15$, $x+5=\pm\sqrt{15}$

$\therefore x=-5\pm\sqrt{15}$

(2) $x^2-2x=5$, $x^2-2x+1=5+1$

$(x-1)^2=6$, $x-1=\pm\sqrt{6}$

$\therefore x=1\pm\sqrt{6}$

(3) $x^2-8x=8$, $x^2-8x+16=8+16$

$(x-4)^2=24$, $x-4=\pm\sqrt{24}$

$\therefore x=4\pm2\sqrt{6}$

(4) $x^2-3x+1=0$, $x^2-3x+\left(\frac{3}{2}\right)^2=-1+\left(\frac{3}{2}\right)^2$

$\left(x-\frac{3}{2}\right)^2=\frac{5}{4}$, $x-\frac{3}{2}=\pm\frac{\sqrt{5}}{2}$

$\therefore x=\frac{3\pm\sqrt{5}}{2}$

12 (1) $5x^2-20x-10=0$, $x^2-4x-2=0$,

$x^2-4x+4=2+4$, $(x-2)^2=6$,

$x-2=\pm\sqrt{6}$

$\therefore x=2\pm\sqrt{6}$

(2) $4x^2-16x+8=0$, $x^2-4x+2=0$,

$x^2-4x+4=-2+4$, $(x-2)^2=2$, $x-2=\pm\sqrt{2}$

$\therefore x=2\pm\sqrt{2}$

(3) $(x-4)^2=6(7+x)$, $x^2-8x+16=42+6x$,

$x^2-14x=26$, $x^2-14x+49=26+49$

$(x-7)^2=75$, $x-7=\pm5\sqrt{3}$

$\therefore x=7\pm5\sqrt{3}$

(4) $2x(x+3)=(x-1)(x+1)$,

$2x^2+6x=x^2-1$, $x^2+6x=-1$, $(x+3)^2=8$,

$x+3=\pm2\sqrt{2}$

$\therefore x=-3\pm2\sqrt{2}$

13 $4x^2-8x=24$, $x^2-2x=6$,

$x^2-2x+1=7$, $(x-1)^2=7$

$\therefore x=1\pm\sqrt{7}$

(1) $a+b=(1+\sqrt{7})+(1-\sqrt{7})=2$

(2) $ab=(1+\sqrt{7})(1-\sqrt{7})=-6$

(3) $a^2+b^2=(a+b)^2-2ab=2^2-2\times(-6)=16$

힘수 만점 91쪽

01 (1) $x=\pm3\sqrt{2}$ (2) $x=1\pm2\sqrt{5}$ **02** ⑤ **03** ② **04** ③ **05** $k<\frac{1}{2}$

01 (1) $3x^2=54$, $x^2=18$

$\therefore x=\pm\sqrt{18}=\pm3\sqrt{2}$

(2) $2(x-1)^2=40$, $(x-1)^2=20$

$\therefore x=1\pm\sqrt{20}=1\pm2\sqrt{5}$

02 $(x-2)^2=7$의 해는 $x=2\pm\sqrt{7}$

따라서 $a=2$, $b=7$이므로

$a+b=9$

03 $x^2+6x=2$, $x^2+6x+\left(\frac{6}{2}\right)^2=2+\left(\frac{6}{2}\right)^2$, $(x+3)^2=11$

따라서 $a=3$, $b=11$이므로

$b-a=8$

05 해를 갖지 않으려면

$2k-1<0$, $2k<1$, $k<\frac{1}{2}$

25강 이차방정식의 근의 공식 92~94쪽

01 (1) $-3, 1, 1, 1, 5$ (2) $1, -2, 2, 2, 17, 4$
(3) $3, -2, -2, -4, 3, 52, 6, 13$

02 (1) $x=2\pm\sqrt{2}$ (2) $x=\dfrac{-3\pm\sqrt{5}}{2}$ (3) $x=\dfrac{-4\pm\sqrt{22}}{3}$
(4) $x=\dfrac{7\pm\sqrt{29}}{10}$ (5) $x=\dfrac{2\pm\sqrt{10}}{2}$ (6) $x=\dfrac{5\pm\sqrt{41}}{8}$

03 (1) $x=1\pm\sqrt{3}$ (2) $x=-2\pm2\sqrt{2}$ (3) $x=\dfrac{-2\pm\sqrt{10}}{3}$
(4) $x=\dfrac{3\pm\sqrt{3}}{2}$

04 (1) 28 (2) 4

05 (1) 2개 (2) -31, 0개 (3) 0, 1개 (4) 49, 2개

06 (1) 0개 (2) 2개 (3) 1개 (4) 2개

07 (1) $k\le4$ (2) $k\ge-\dfrac{9}{8}$ (3) $k\ge-2$ (4) $k\le\dfrac{3}{2}$

08 (1) 12 (2) $\dfrac{5}{8}$ (3) 6

09 (1) $k<-\dfrac{25}{4}$ (2) $k>\dfrac{1}{2}$ (3) $k>9$

10 (1) $x=\dfrac{1\pm\sqrt{29}}{2}$ (2) $x=0$ 또는 $x=8$
(3) $x=2\pm\sqrt{7}$ (4) $x=3\pm\sqrt{13}$
(5) $x=0$ 또는 $x=\dfrac{9}{7}$ (6) $x=3\pm\sqrt{5}$

11 (1) $x=\dfrac{5\pm\sqrt{85}}{6}$ (2) $x=-2\pm\sqrt{7}$
(3) $x=\dfrac{-8\pm\sqrt{82}}{6}$ (4) $x=-1$ 또는 $x=3$
(5) $x=\dfrac{3\pm\sqrt{89}}{8}$ (6) $x=\dfrac{21\pm\sqrt{41}}{10}$

12 (1) $x=0$ 또는 $x=-4$ (2) $x=4$ 또는 $x=-3$
(3) $x=1$ (4) $x=4$ 또는 $x=\dfrac{5}{3}$
(5) $x=-2$ 또는 $x=-\dfrac{5}{2}$

02 (1) $x=\dfrac{4\pm\sqrt{16-4\times2}}{2}=\dfrac{4\pm\sqrt{8}}{2}$
$=\dfrac{4\pm2\sqrt{2}}{2}=2\pm\sqrt{2}$

(2) $x=\dfrac{-3\pm\sqrt{9-4}}{2}=\dfrac{-3\pm\sqrt{5}}{2}$

(3) $x=\dfrac{-8\pm\sqrt{64-4\times3\times(-2)}}{2\times3}$
$=\dfrac{-8\pm\sqrt{88}}{6}=\dfrac{-8\pm2\sqrt{22}}{6}$
$=\dfrac{-4\pm\sqrt{22}}{3}$

(4) $x=\dfrac{7\pm\sqrt{49-4\times5}}{2\times5}$
$=\dfrac{7\pm\sqrt{29}}{10}$

(5) $x=\dfrac{4\pm\sqrt{16-4\times2\times(-3)}}{2\times2}$
$=\dfrac{4\pm\sqrt{40}}{4}=\dfrac{4\pm2\sqrt{10}}{4}$
$=\dfrac{2\pm\sqrt{10}}{2}$

(6) $x=\dfrac{5\pm\sqrt{25-4\times4\times(-1)}}{2\times4}$
$=\dfrac{5\pm\sqrt{41}}{8}$

03 (1) 근의 짝수 공식에 $a=1$, $b'=-1$, $c=-2$를 대입하면
$x=-(-1)\pm\sqrt{(-1)^2-1\times(-2)}$
$=1\pm\sqrt{3}$

(2) 근의 짝수 공식에 $a=1$, $b'=2$, $c=-4$를 대입하면
$x=-2\pm\sqrt{2^2-1\times(-4)}$
$=-2\pm\sqrt{8}=-2\pm2\sqrt{2}$

(3) 근의 짝수 공식에 $a=3$, $b'=2$, $c=-2$를 대입하면
$x=\dfrac{-2\pm\sqrt{2^2-3\times(-2)}}{3}$
$=\dfrac{-2\pm\sqrt{10}}{3}$

(4) 근의 짝수 공식에 $a=2$, $b'=-3$, $c=3$을 대입하면
$x=\dfrac{-(-3)\pm\sqrt{(-3)^2-2\times3}}{2}$
$=\dfrac{3\pm\sqrt{3}}{2}$

04 (1) $x^2+5x-2=0$에서
$x=\dfrac{-5\pm\sqrt{5^2-4\times(-2)}}{2}=\dfrac{-5\pm\sqrt{33}}{2}$
따라서 $A=-5$, $B=33$이므로
$A+B=-5+33=28$

(2) $x=\dfrac{2\pm\sqrt{4-4\times2\times(-1)}}{4}$
$=\dfrac{2\pm\sqrt{12}}{4}$
$=\dfrac{2\pm2\sqrt{3}}{4}$
$=\dfrac{1\pm\sqrt{3}}{2}$
따라서 $A=1$, $B=3$이므로
$A+B=4$

05 (2) $1-4\times2\times4=-31<0$
따라서 근은 없다.
(3) $64-4\times16=0$이므로
중근, 즉 1개의 근을 갖는다.
(4) $25-4\times3\times(-2)=49>0$이므로
2개의 근을 갖는다.

06 (1) $4-4\times2=-4<0$이므로 근은 없다.

(2) $9-4\times(-7)=37>0$이므로 근은 2개

(3) $400-4\times4\times25=0$이므로 근은 1개

(4) $x^2+4x-4=0$에서

$16-4\times(-4)=32>0$이므로 근은 2개

07 근을 가질 조건은 $b^2-4ac\geq0$

(1) $16-4k\geq0$이므로 $k\leq4$

(2) $9-4\times2\times(-k)\geq0$, $9+8k\geq0$

이므로 $k\geq-\frac{9}{8}$

(3) $36-4\times3\times(-k+1)\geq0$

$36+12k-12\geq0$, $12k\geq-24$

$\therefore k\geq-2$

(4) $16-4\times2\times(2k-1)\geq0$

$16-16k+8\geq0$, $16k\leq24$

$\therefore k\leq\frac{3}{2}$

08 $b^2-4ac=0$이면 중근을 가진다.

(1) $36-4\times(k-3)=0$,

$36-4k+12=0$, $4k=48$

$\therefore k=12$

(2) $9-4\times(2k+1)=0$,

$9-8k-4=0$, $8k=5$

$\therefore k=\frac{5}{8}$

(3) $36-4\times9\times(k-5)=0$,

$36-36k+180=0$, $36k=216$

$\therefore k=6$

09 $b^2-4ac<0$이면 근을 갖지 않는다.

(1) $25-4\times(-k)<0$, $25+4k<0$

이므로 $k<-\frac{25}{4}$

(2) $4-4\times2\times k<0$, $4-8k<0$

이므로 $k>\frac{1}{2}$

(3) $64-4\times4\times(k-5)<0$,

$64-16k+80<0$, $16k>144$

이므로 $k>9$

10 (1) $(x+2)(x-3)=1$을 전개하면

$x^2-x-6=1$, $x^2-x-7=0$

$\therefore x=\frac{1\pm\sqrt{1+28}}{2}=\frac{1\pm\sqrt{29}}{2}$

(2) $(x-2)(x-6)=12$를 전개하면

$x^2-8x+12=12$, $x^2-8x=0$, $x(x-8)=0$

$\therefore x=0$ 또는 $x=8$

(3) $x(x+4)=2x^2-3$을 전개하면

$x^2+4x=2x^2-3$, $x^2-4x-3=0$

$\therefore x=\frac{4\pm\sqrt{16+12}}{2}=\frac{4\pm\sqrt{28}}{2}$

$=\frac{4\pm2\sqrt{7}}{2}=2\pm\sqrt{7}$

(4) $(x-4)^2=20-2x$를 전개하면

$x^2-8x+16=20-2x$, $x^2-6x-4=0$

근의 짝수 공식을 이용하면

$x=3\pm\sqrt{3^2+4}=3\pm\sqrt{13}$

(5) $2x^2+3x+1=(3x-1)^2$을 전개하면

$2x^2+3x+1=9x^2-6x+1$,

$7x^2-9x=0$, $x(7x-9)=0$

$\therefore x=0$ 또는 $x=\frac{9}{7}$

(6) $(3x-2)(x-2)=2x(x-1)$을 전개하면

$3x^2-8x+4=2x^2-2x$, $x^2-6x+4=0$

근의 짝수 공식을 이용하면

$x=3\pm\sqrt{9-4}=3\pm\sqrt{5}$

11 (1) 양변에 15를 곱하면 $3x^2-5x-5=0$

$x=\frac{5\pm\sqrt{25-4\times3\times(-5)}}{6}$

$=\frac{5\pm\sqrt{85}}{6}$

(2) 양변에 6을 곱하면 $x^2+4x-3=0$

$x=-2\pm\sqrt{4+3}=-2\pm\sqrt{7}$

(3) 양변에 12를 곱하면 $6x^2+16x-3=0$

짝수 공식을 이용하면

$x=\frac{-8\pm\sqrt{64+18}}{6}=\frac{-8\pm\sqrt{82}}{6}$

(4) 양변에 10을 곱하면

$x^2-2x-3=0$, $(x+1)(x-3)=0$

$\therefore x=-1$ 또는 $x=3$

(5) 양변에 100을 곱하면 $4x^2-3x-5=0$

$\therefore x=\frac{3\pm\sqrt{9-4\times4\times(-5)}}{8}=\frac{3\pm\sqrt{89}}{8}$

(6) 양변에 10을 곱하면 $5x^2-21x+20=0$

$\therefore x=\frac{21\pm\sqrt{441-4\times5\times20}}{10}=\frac{21\pm\sqrt{41}}{10}$

12 (1) $x+1=A$로 치환하면

$A^2+2A-3=0$, $(A-1)(A+3)=0$,

$(x+1-1)(x+1+3)=0$, $x(x+4)=0$

$\therefore x=0$ 또는 $x=-4$

(2) $x-2=A$로 치환하면

$A^2+3A-10=0$, $(A-2)(A+5)=0$,

$(x-2-2)(x-2+5)=0$, $(x-4)(x+3)=0$

$\therefore x=4$ 또는 $x=-3$

(3) $x+1=A$로 치환하면

$A^2-4A+4=0$, $(A-2)^2=0$,

$(x+1-2)^2=0$, $(x-1)^2=0$

$\therefore x=1$

(4) $x-2=A$로 치환하면

$3A^2-5A-2=0$, $(A-2)(3A+1)=0$,

$(x-2-2)\{3(x-2)+1\}=0$, $(x-4)(3x-5)=0$

$\therefore x=4$ 또는 $x=\frac{5}{3}$

(5) $x+4=A$로 치환하면

$2A^2-7A+6=0$, $(A-2)(2A-3)=0$,

$(x+4-2)\{2(x+4)-3\}=0$, $(x+2)(2x+5)=0$

$\therefore x=-2$ 또는 $x=-\frac{5}{2}$

95쪽

01 (1) $x=3\pm\sqrt{6}$ (2) $x=1\pm\sqrt{3}$ (3) $x=-3$ 또는 $x=\frac{1}{2}$
(4) $x=-2$ 또는 $x=9$

02 ② **03** $2x^2-8x+8=0$

04 (1) $k>-1$ (2) $k=-1$ (3) $k<-1$ **05** 3

01 (1) $x^2-6x+3=0$에서

$$x=\frac{-(-6)\pm\sqrt{(-6)^2-4\times1\times3}}{2}$$

$$=\frac{6\pm\sqrt{24}}{2}=\frac{6\pm2\sqrt{6}}{2}=3\pm\sqrt{6}$$

(2) $(x-2)(x-3)=8-3x$를 전개하면

$x^2-5x+6=8-3x$, $x^2-2x-2=0$

$$\therefore x=\frac{-(-2)\pm\sqrt{(-2)^2-4\times1\times(-2)}}{2}$$

$$=\frac{2\pm\sqrt{12}}{2}=\frac{2\pm2\sqrt{3}}{2}$$

$$=1\pm\sqrt{3}$$

(3) $\frac{1}{5}x^2+\frac{1}{2}x-0.3=0$의 양변에 10을 곱하면

$2x^2+5x-3=0$, $(x+3)(2x-1)=0$

$\therefore x=-3$ 또는 $x=\frac{1}{2}$

(4) $(x-1)^2-5(x-1)-24=0$

$x-1=A$로 치환하면

$A^2-5A-24=0$, $(A+3)(A-8)=0$,

$(x-1+3)(x-1-8)=0$, $(x+2)(x-9)=0$

$\therefore x=-2$ 또는 $x=9$

02 $$x=\frac{2\pm\sqrt{(-2)^2-4\times3\times a}}{6}=\frac{2\pm\sqrt{4-12a}}{6}$$

$$=\frac{2\pm2\sqrt{1-3a}}{6}=\frac{1\pm\sqrt{1-3a}}{3}$$

$x=\frac{b\pm\sqrt{7}}{3}$이므로

$b=1$, $1-3a=7$에서 $a=-2$

$\therefore a+b=-2+1=-1$

03 x^2의 계수가 2이고 중근을 가지므로

$2(x-2)^2=0$, $2(x^2-4x+4)=0$,

$2x^2-8x+8=0$

04 (1) $a=2$, $b=4$, $c=1-k$이므로

$b^2-4ac=4^2-4\times2\times(1-k)>0$,

$16-8+8k>0$, $8k>-8$

$\therefore k>-1$

(2) $b^2-4ac=4^2-4\times2\times(1-k)=0$, $8k=-8$

$\therefore k=-1$

(3) $b^2-4ac=4^2-4\times2\times(1-k)<0$, $8k<-8$

$\therefore k<-1$

05 중근을 가지므로

$b^2-4ac=\{2(m-1)\}^2-4\times1\times4=0$

$4(m^2-2m+1)-16=0$

$m^2-2m+1=4$, $m^2-2m-3=0$,

$(m+1)(m-3)=0$

$\therefore m=-1$ 또는 $m=3$

그런데 양수이어야 하므로 $m=3$

26강 이차방정식의 활용 96~98쪽

01 (1) 3, 4, 8 (2) 3, 4, 8 (3) -1 (4) -1

02 (1) 4 (2) $4x$ (3) 2, -2 (4) 2, 28

03 (1) 27 (2) -6, 9 (3) 9, 구각형

04 (1) $x-3$ (2) -9, 12 (3) 12, 12
05 (1) 1 (2) $x+1$ (3) 14, -15 (4) 14
06 (1) 2 (2) $x-2$ (3) -13, 15 (4) 15
07 (1) $x-1$, x (2) $(x-2)^2$, 21 (3) -2, 8 (4) 8
08 (1) 160 (2) 4, 8 (3) 4, 8
09 (1) 45 (2) 3 (3) 3
10 (1) $24-x$ (2) $24-x$, 520 (3) 4, 50 (4) 4, 4
11 (1) 2, 2 (2) 2, 2 (3) 1, 4 (4) 4, 4
12 (1) $x+3$ (2) $x+3$ (3) 5, -10 (4) 5, 5

01 (3) $(x+3)^2=4x+8$, $x^2+6x+9=4x+8$
$x^2+2x+1=0$, $(x+1)^2=0$
$\therefore x=-1$

02 (3) $x^2+(4x)^2=68$, $17x^2=68$, $x^2=4$
$\therefore x=2$ 또는 $x=-2$

03 (2) $n(n-3)=2\times27$, $n^2-3n-54=0$,
$(n+6)(n-9)=0$
$\therefore n=-6$ 또는 $n=9$

04 (2) $x^2-3x-108=0$, $(x+9)(x-12)=0$
$\therefore x=-9$ 또는 $x=12$

05 (3) $x(x+1)=210$, $x^2+x-210=0$,
$(x-14)(x+15)=0$
$\therefore x=14$ 또는 $x=-15$

06 (3) $x(x-2)=195$, $x^2-2x-195=0$,
$(x+13)(x-15)=0$
$\therefore x=-13$ 또는 $x=15$

07 (3) $x^2=x^2-4x+4+x^2-2x+1-21$
$x^2-6x-16=0$, $(x+2)(x-8)=0$
$\therefore x=-2$ 또는 $x=8$

08 (2) $160=60t-5t^2$의 양변을 -5로 나누면
$t^2-12t+32=0$,
$(t-4)(t-8)=0$
$\therefore t=4$ 또는 $t=8$

09 (2) $45=30t-5t^2$의 양변을 -5로 나누면
$t^2-6t+9=0$, $(t-3)^2=0$
$\therefore t=3$

10 (3) $(30-x)(24-x)=520$,
$720-54x+x^2=520$,
$x^2-54x+200=0$,
$(x-4)(x-50)=0$
$\therefore x=4$ 또는 $x=50$

11 (3) $x^2+4x+4=9(x^2-4x+4)$,
$8x^2-40x+32=0$,
$x^2-5x+4=0$,
$(x-1)(x-4)=0$
$\therefore x=1$ 또는 $x=4$

12 (3) $(x+2)(x+3)=56$,
$x^2+5x+6=56$,
$x^2+5x-50=0$,
$(x-5)(x+10)=0$
$\therefore x=5$ 또는 $x=-10$

힘수 만점

99쪽

01 ① **02** 6, 7, 8 **03** ① **04** 4 m **05** ③

01 $\frac{n(n+1)}{2}=210$, $n^2+n-420=0$,
$(n-20)(n+21)=0$
$\therefore n=20$ 또는 $n=-21$
그런데 n은 자연수이므로 $n=20$

02 연속하는 세 자연수를 $x-1$, x, $x+1$이라 하면
$(x+1)^2=2x(x-1)-20$,
$x^2+2x+1=2x^2-2x-20$,
$x^2-4x-21=0$,
$(x+3)(x-7)=0$
$\therefore x=-3$ 또는 $x=7$
그런데 x는 자연수이므로 $x=7$
따라서 연속하는 세 수는 6, 7, 8이다.

03 $15=20x-5x^2$, $x^2-4x+3=0$,
$(x-1)(x-3)=0$
$\therefore x=1$ 또는 $x=3$
따라서 처음으로 25 m가 되는 때는 던져 올린 지 1초 후이다.

04 (직사각형의 넓이)$=$(가로)$\times$(세로)이므로
$(40-x)(20-x)=576$,
$x^2-60x+800=576$,

$x^2-60x+224=0$,
$(x-4)(x-56)=0$
$\therefore x=4$ 또는 $x=56$
그런데 길의 폭은 최대 20 m를 넘을 수 없으므로 4 m이다.

05 큰 정사각형의 한 변의 길이를 x cm라 하면
작은 정사각형의 한 변의 길이는 $(x-4)$ cm
두 정사각형의 넓이의 합은
$x^2+(x-4)^2=170$, $x^2+x^2-8x+16=170$
$2x^2-8x-154=0$, $x^2-4x-77=0$,
$(x+7)(x-11)=0$
$\therefore x=-7$ 또는 $x=11$
그런데 $x>0$이므로 $x=11$

27강 중단원 연산 마무리 100~102쪽

01 (1) ○ (2) × (3) ○ (4) × **02** (1) ○ (2) ○ (3) × (4) ×
03 (1) -7 (2) 1 (3) 8 **04** (1) $a\neq1$ (2) $a\neq4$
05 (1) $x=-1$ 또는 $x=4$ (2) $x=1$ 또는 $x=2$
(3) $x=-1$ 또는 $x=\frac{3}{2}$ (4) $x=\frac{1}{2}$ 또는 $x=-\frac{5}{3}$
06 (1) $x=0$ 또는 $x=\frac{3}{2}$ (2) $x=-\frac{7}{3}$ 또는 $x=\frac{7}{3}$
(3) $x=-\frac{4}{3}$ 또는 $x=3$ (4) $x=-1$ 또는 $x=\frac{9}{2}$
07 (1) $x=\frac{5}{2}$ (2) $x=\frac{10}{3}$ **08** ㄱ, ㄷ, ㄹ
09 (1) $x=3\pm\sqrt{5}$ (2) $x=1\pm2\sqrt{3}$ (3) $x=5\pm\sqrt{2}$
10 10
11 (1) $x=\frac{1\pm\sqrt{17}}{2}$ (2) $x=2\pm\frac{2\sqrt{15}}{3}$
(3) $x=5\pm\sqrt{5}$ (4) $x=\frac{2\pm\sqrt{6}}{5}$
12 (1) $x=\frac{7\pm\sqrt{53}}{2}$ (2) $x=\frac{3\pm\sqrt{17}}{4}$
(3) $x=\frac{2\pm\sqrt{22}}{6}$ (4) $x=\frac{-3\pm\sqrt{3}}{3}$
13 (1) 2개 (2) 1개 (3) 0개
14 (1) $k\leq17$ (2) $k\geq6$
15 (1) $x=\frac{-2\pm\sqrt{22}}{6}$ (2) $x=\frac{3\pm\sqrt{41}}{4}$
(3) $x=2$ 또는 $x=3$
16 7 **17** 3 m **18** 10초 후 **19** ③ **20** ④
21 4 **22** ②

01 (1) $2x^2-3x-4=0$(이차방정식)
(2) $-2x+1=0$(일차방정식)
(3) $16x^2+8x-7=0$(이차방정식)
(4) $x^2-5x=3x+x^2$, $-8x=0$(일차방정식)

02 (1) $3\times1^2-1-2=0$이므로 해이다.
(2) $2\times2^2-3\times2-2=0$이므로 해이다.
(3) $-3\times2^2-7\times2+10=-16\neq0$이므로 해가 아니다.
(4) $3(3+3)=18\neq0$이므로 해가 아니다.

03 (1) $x=1$을 $x^2+6x+a=0$에 대입하면
$1+6+a=0$ $\therefore a=-7$
(2) $x=-1$을 $2x^2+3x+a=0$에 대입하면
$2\times(-1)^2+3\times(-1)+a=0$
$2-3+a=0$ $\therefore a=1$
(3) $3x^2-5x+1=7-ax$, $3x^2+(a-5)x-6=0$
$x=-2$를 $3x^2+(a-5)x-6=0$에 대입하면
$3\times(-2)^2-2(a-5)-6=0$
$12-2a+10-6=0$, $2a=16$ $\therefore a=8$

04 (1) 이차항의 계수가 0이 아니어야 하므로
$a\neq1$
(2) $4x^2-3x+2=ax^2-3x+1$
$(4-a)x^2+1=0$
이차항의 계수가 0이 아니어야 하므로
$a\neq4$

05 (1) $(x+1)(x-4)=0$
$x+1=0$ 또는 $x-4=0$
$\therefore x=-1$ 또는 $x=4$
(2) $(x-1)(x-2)=0$
$x-1=0$ 또는 $x-2=0$
$\therefore x=1$ 또는 $x=2$
(3) $(x+1)(2x-3)=0$
$x+1=0$ 또는 $2x-3=0$
$\therefore x=-1$ 또는 $x=\frac{3}{2}$
(4) $(2x-1)(3x+5)=0$
$2x-1=0$ 또는 $3x+5=0$
$\therefore x=\frac{1}{2}$ 또는 $x=-\frac{5}{3}$

06 (1) 좌변을 인수분해하면 $2x(2x-3)=0$
$\therefore x=0$ 또는 $x=\frac{3}{2}$

(2) 좌변을 인수분해하면

$(3x)^2-7^2=0$, $(3x+7)(3x-7)=0$

$\therefore x=-\frac{7}{3}$ 또는 $x=\frac{7}{3}$

(3) 좌변을 인수분해하면 $(3x+4)(x-3)=0$

$\therefore x=-\frac{4}{3}$ 또는 $x=3$

(4) 정리하면 $x^2+7x+10=3x^2+1$,

$2x^2-7x-9=0$

좌변을 인수분해하면 $(x+1)(2x-9)=0$

$\therefore x=-1$ 또는 $x=\frac{9}{2}$

07 (1) $x=-2$를 $2x^2-x+3a-1=0$에 대입하면

$2\times(-2)^2-(-2)+3a-1=0$,

$3a=-9 \qquad \therefore a=-3$

즉, $2x^2-x-10=0$, $(x+2)(2x-5)=0$

$\therefore x=-2$ 또는 $x=\frac{5}{2}$

따라서 다른 한 근은 $x=\frac{5}{2}$

(2) $x=-3$을 $x^2+x-8=2-ax$에 대입하면

$9-3-8=2+3a$, $3a=-4$

$\therefore a=-\frac{4}{3}$

즉, $x^2+x-8=2+\frac{4}{3}x$, $3x^2+3x-24=6+4x$

$3x^2-x-30=0$, $(x+3)(3x-10)=0$

이므로 $x=-3$ 또는 $x=\frac{10}{3}$

따라서 다른 한 근은 $x=\frac{10}{3}$

08 ㄱ. $2(x-3)^2=0$에서 $x=3$

ㄷ. $(x-3)^2=0$에서 $x=3$

ㄹ. $\left(x-\frac{1}{2}\right)^2=0$에서 $x=\frac{1}{2}$

09 (1) $(x-3)^2=5$, $x-3=\pm\sqrt{5}$

$\therefore x=3\pm\sqrt{5}$

(2) $2(x-1)^2=24$, $(x-1)^2=12$

$x-1=\pm\sqrt{12}=\pm2\sqrt{3}$

$\therefore x=1\pm2\sqrt{3}$

(3) $3(x-5)^2-6=0$, $(x-5)^2=2$

$x-5=\pm\sqrt{2} \qquad \therefore x=5\pm\sqrt{2}$

10 $3(x-a)^2=15$에서 $(x-a)^2=5$이므로 $x=a\pm\sqrt{5}$

따라서 $a=2$, $b=5$이므로

$ab=10$

11 (1) $x^2-x-4=0$, $x^2-x=4$

$x^2-x+\frac{1}{4}=4+\frac{1}{4}$, $\left(x-\frac{1}{2}\right)^2=\frac{17}{4}$

$\therefore x=\frac{1}{2}\pm\sqrt{\frac{17}{4}}=\frac{1\pm\sqrt{17}}{2}$

(2) $3x^2-8=12x$, $3x^2-12x=8$

$3(x^2-4x+4)=8+12$, $3(x-2)^2=20$

$(x-2)^2=\frac{20}{3}$

$\therefore x=2\pm\sqrt{\frac{20}{3}}=2\pm\frac{2\sqrt{5}}{\sqrt{3}}=2\pm\frac{2\sqrt{15}}{3}$

(3) $x^2-10x+20=0$, $x^2-10x=-20$

$x^2-10x+25=-20+25$, $(x-5)^2=5$

$\therefore x=5\pm\sqrt{5}$

(4) $25x^2-20x-2=0$, $25x^2-20x=2$

$25x^2-20x+4=2+4$, $(5x-2)^2=6$

$5x-2=\pm\sqrt{6}$, $5x=2\pm\sqrt{6}$

$\therefore x=\frac{2\pm\sqrt{6}}{5}$

12 (1) 근의 공식에 대입하면

$x=\frac{7\pm\sqrt{49-4\times(-1)}}{2}$

$=\frac{7\pm\sqrt{53}}{2}$

(2) 근의 공식에 대입하면

$x=\frac{3\pm\sqrt{9-4\times2\times(-1)}}{2\times2}$

$=\frac{3\pm\sqrt{17}}{4}$

(3) 근의 공식에 대입하면

$x=\frac{4\pm\sqrt{16-4\times6\times(-3)}}{2\times6}=\frac{4\pm\sqrt{88}}{12}$

$=\frac{4\pm2\sqrt{22}}{12}=\frac{2\pm\sqrt{22}}{6}$

(4) 근의 공식에 대입하면

$x=\frac{-6\pm\sqrt{36-4\times3\times2}}{2\times3}=\frac{-6\pm\sqrt{12}}{6}$

$=\frac{-6\pm2\sqrt{3}}{6}=\frac{-3\pm\sqrt{3}}{3}$

13 (1) $(-6)^2-4\times3\times(-5)=36+60=96>0$

이므로 근은 2개이다.

(2) $\left(-\frac{1}{2}\right)^2-4\times\frac{1}{4}\times\frac{1}{4}=\frac{1}{4}-\frac{1}{4}=0$

이므로 근은 1개이다.

(3) $(-1)^2-4\times2\times6=-47<0$

이므로 근은 0개이다.

14 (1) 근을 가지므로 $b^2-4ac\geq0$에서
$(-8)^2-4\times(k-1)\geq0$,
$64-4k+4\geq0$, $4k\leq68$
$\therefore k\leq17$
(2) $9x^2+kx+1=0$
근을 가지므로 $b^2-4ac\geq0$에서
$k^2-4\times9\geq0$, $k^2\geq36$
그런데 $k>0$이므로 $k\geq6$

15 (1) 양변에 12를 곱하면 $6x^2+4x-3=0$
근의 짝수 공식에 대입하면
$x=\frac{-2\pm\sqrt{4-6\times(-3)}}{6}=\frac{-2\pm\sqrt{22}}{6}$
(2) 양변에 10을 곱하면 $2x^2-3x-4=0$
근의 공식에 대입하면
$x=\frac{3\pm\sqrt{9-4\times2\times(-4)}}{2\times2}=\frac{3\pm\sqrt{41}}{4}$
(3) $x+2=A$로 놓으면
$A^2-9A+20=0$,
$(A-4)(A-5)=0$,
$(x+2-4)(x+2-5)=0$,
$(x-2)(x-3)=0$
$\therefore x=2$ 또는 $x=3$

16 어떤 양수를 x라 하면
$3x=x^2-28$, $x^2-3x-28=0$,
$(x+4)(x-7)=0$
$\therefore x=-4$ 또는 $x=7$
그런데 x는 양수이므로 $x=7$

17 $(20-x)(15-x)=204$, $x^2-35x+300=204$,
$x^2-35x+96=0$, $(x-3)(x-32)=0$
$\therefore x=3$ 또는 $x=32$
그런데 $x<15$이므로 도로의 폭은 3 m이다.

18 지면에 떨어지면 높이는 0 m이므로
$100+40t-5t^2=0$
양변을 -5로 나누면
$t^2-8t-20=0$, $(t+2)(t-10)=0$
$\therefore t=-2$ 또는 $t=10$
그런데 $t>0$이므로 지면에 떨어지는 때는 10초 후이다.

19 $x^2-x-6=0$, $(x+2)(x-3)=0$
$\therefore x=-2$ 또는 $x=3$
$x^2+7x+10=0$, $(x+2)(x+5)=0$
$\therefore x=-2$ 또는 $x=-5$
따라서 공통인 근 $x=-2$를 $x^2+kx+2=0$에 대입하면
$(-2)^2+k\times(-2)+2=0$, $2k=6$
$\therefore k=3$

20 $x=a$를 $x^2-4x+3=0$에 대입하면
$a^2-4a+3=0$, $a^2-4a=-3$
$x=b$를 $x^2-7x-5=0$에 대입하면
$b^2-7b-5=0$, $b^2-7b=5$
$\therefore (a^2-4a+4)(b^2-7b+6)=(-3+4)(5+6)=11$

21 중근을 가져야 하므로
$b^2-4ac=0$에서 $16-4k=0$
$\therefore k=4$
$k=4$를 $x^2-2(k-2)x+p=0$에 대입하면
$x^2-2(4-2)x+p=0$, $x^2-4x+p=0$
이것이 중근을 가지므로
$4^2-4p=0$, $16-4p=0$
$\therefore p=4$

22 x^2의 계수가 1이므로
수민이가 푼 식은 해가 $x=-3$ 또는 $x=8$이므로
$(x+3)(x-8)=0$, $x^2-5x-24=0$
이때 수민이는 상수항은 바르게 보았으므로 상수항은 -24
지훈이가 푼 식은 해가 $x=-4$ 또는 $x=2$이므로
$(x+4)(x-2)=0$, $x^2+2x-8=0$
이때 지훈이는 일차항은 바르게 보았으므로 일차항은 $2x$
따라서 주어진 이차방정식은
$x^2+2x-24=0$, $(x-4)(x+6)=0$
$\therefore x=4$ 또는 $x=-6$

Ⅲ 이차함수

함수 점검 105쪽

1. (1) $(x+4)^2$ (2) $3(x+4)(x-4)$
(3) $(x+1)(x-6)$ (4) $(2x-5)(3x+2)$

2. (1) $f(2)=4\times2=8$
(2) $f(2)=3\times2-1=5$
(3) $f(2)=-\frac{1}{2}\times2+5=4$
(4) $f(2)=-\frac{2}{2}+1=0$

3. 모두 좌변으로 이항하면
ㄱ. $-2y=4x-1$, $y=-2x+\frac{1}{2}$(일차함수)
ㄴ. $y=2x+1$(일차함수)
ㄷ. $x+1=2y+2$, $y=\frac{1}{2}x-\frac{1}{2}$(일차함수)
ㄹ. $2x+y-2x-y=0$, $0=0$(일차함수가 아니다.)
ㅁ. $2x-2y+3=3x-x+y$, $-3y=-3$,
$y=1$(일차함수가 아니다.)
따라서 일차함수인 것은 ㄱ, ㄴ, ㄷ이다.

4. (1) $y=2x-5$ (2) $y=x-2$
(3) $y=-2x+2$ (4) $y=\frac{1}{2}x+2$

5. (1) $y=x+b$의 그래프가 점 $(3, 1)$을 지나므로
$1=3+b$ $\quad\therefore b=-2$
따라서 구하는 일차함수의 식은 $y=x-2$
(2) $y=ax+b$의 그래프가
점 $(2, 0)$을 지나므로 $0=2a+b$ ⋯⋯ ㉠
점 $(-1, 3)$을 지나므로 $3=-a+b$ ⋯⋯ ㉡
㉠−㉡을 하면 $3a=-3$이므로 $a=-1$
$a=-1$을 ㉠에 대입하면 $b=2$
따라서 구하는 일차함수의 식은 $y=-x+2$
(3) $\frac{x}{2}+\frac{y}{6}=1$에서 $3x+y=6$이므로
구하는 일차함수의 식은 $y=-3x+6$

6. (1)
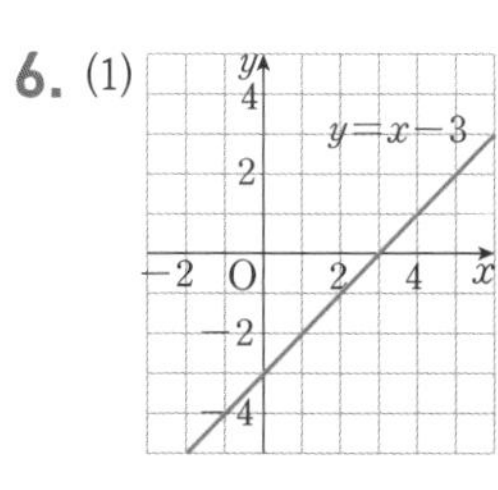

(2)
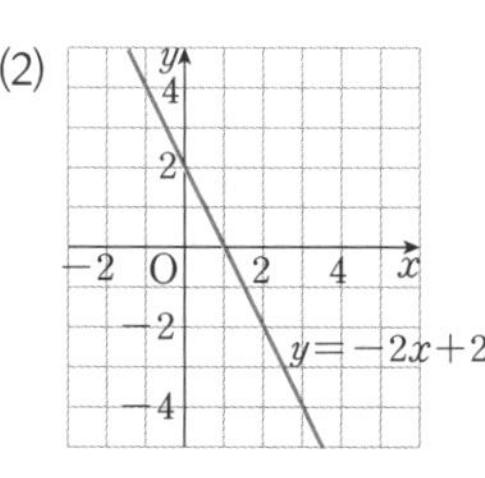

28강 이차함수 106~107쪽

01 (1) ○ (2) × (3) ○ (4) × (5) ○ (6) × (7) ○ (8) ○
02 (1) $y=x^2+x$, 이차함수이다.
(2) $y=-x^2-x+2$, 이차함수이다.
(3) $y=-6x$, 이차함수가 아니다.
(4) $y=-2$, 이차함수가 아니다.
03 (1) $y=3x$, 이차함수가 아니다.
(2) $y=(x+1)^2$, 이차함수이다.
(3) $y=2\pi x$, 이차함수가 아니다.
(4) $y=x^3$, 이차함수가 아니다.
(5) $y=4\pi x^2$, 이차함수이다.
04 (1) -2 (2) -5 (3) -6 (4) 3 (5) $-\frac{15}{4}$ (6) -5
05 (1) 1 (2) 0 (3) $\frac{2}{9}$ (4) 9 (5) 15 (6) 20 (7) 4
06 (1) -3 (2) 4 (3) -1 (4) -2

04 (1) $f(1)=1^2+2\times1-5=-2$
(2) $f(0)=0^2+2\times0-5=-5$
(3) $f(-1)=(-1)^2+2\times(-1)-5=-6$
(4) $f(2)=2^2+2\times2-5=3$
(5) $f\left(\frac{1}{2}\right)=\left(\frac{1}{2}\right)^2+2\times\frac{1}{2}-5=-\frac{15}{4}$
(6) $f(-2)=(-2)^2+2\times(-2)-5=-5$

05 (1) $f(0)=2\times0^2-3\times0+1=1$
(2) $f(1)=2\times1^2-3\times1+1=0$
(3) $f\left(\frac{1}{3}\right)=2\times\left(\frac{1}{3}\right)^2-3\times\frac{1}{3}+1=\frac{2}{9}$
(4) $f(-1)=2\times(-1)^2-3\times(-1)+1=6$
$f(2)=2\times2^2-3\times2+1=3$
$\therefore f(-1)+f(2)=6+3=9$
(5) $f\left(\frac{1}{2}\right)=2\times\left(\frac{1}{2}\right)^2-3\times\frac{1}{2}+1$
$=\frac{1}{2}-\frac{3}{2}+1=0$
$f(-2)=2\times(-2)^2-3\times(-2)+1=15$
$\therefore f\left(\frac{1}{2}\right)+f(-2)=0+15=15$
(6) $f(3)=2\times3^2-3\times3+1=10$
$\therefore 2f(3)=2\times10=20$
(7) (1), (3)에서 $f(0)=1$, $f\left(\frac{1}{3}\right)=\frac{2}{9}$이므로
$2f(0)+9f\left(\frac{1}{3}\right)=2\times1+9\times\frac{2}{9}=4$

06 (1) $f(1)=1+1+a=-1$
$\therefore a=-3$

(2) $f(-1)=-(-1)^2+2\times(-1)+a$
$=-1-2+a=1$
$\therefore a=4$

(3) $f(2)=-2^2+a\times2+2$
$=-4+2a+2=-4$
$\therefore 2a=-2,\ a=-1$

(4) $f(-2)=a\times(-2)^2-3\times(-2)+5$
$=4a+6+5=3$
$\therefore 4a=-8,\ a=-2$

함수 만점 108쪽

01 ②, ④ **02** ③ **03** ③ **04** -1 **05** 10

01 ① 일차함수
③ $y=-x^3-x(x-3)=-x^3-x^2+3x$이므로
이차함수가 아니다.
④ $y=2(x+1)^2-2x=2x^2+4x+2-2x$
$=2x^2+2x+2$
⑤ 이차방정식

02 ① $y=4x$, 일차함수
② $y=x^3$, 이차함수가 아니다.
③ $y=(x+1)(x+2)=x^2+3x+2$, 이차함수
④ $y=5x$, 일차함수
⑤ $y=2\pi x$, 일차함수

03 $y=2ax^2+x^2-x-2x^2=(2a-1)x^2-x$
이 함수가 이차함수이려면
$2a-1\neq0 \qquad \therefore a\neq\frac{1}{2}$

04 x 대신 -1을 대입하면
$f(-1)=2\times(-1)^2-a\times(-1)+3$
$=2+a+3=4$
$\therefore a=-1$

05 $x=-1$을 대입하면
$f(-1)=3\times(-1)^2-5\times(-1)+2$
$=3+5+2=10$
$x=1$을 대입하면
$f(1)=3-5+2=0$
$\therefore f(-1)+f(1)=10+0=10$

29강 이차함수 $y=ax^2$의 그래프 109~111쪽

01 (1) ① 4, 1, 1, 4, 9 ② -1, 0, -1, -4, -9
(2) 풀이 참조
02 (1) (0, 0), 아래 (2) $x=0$ (3) 증가
03 (1) (0, 0), 위 (2) $x=0$ (3) 감소 (4) 아래쪽
04 (1) ○ (2) ○ (3) × (4) ×
05 풀이 참조
06 풀이 참조
07 (1) (0, 0) (2) 아래 (3) $x=0$
08 (1) (0, 0) (2) 위 (3) $x=0$
09 (1) ㈎, ㈏, ㈐ (2) ㈐, ㈏, ㈎
10 (1) ㄱ, ㄷ, ㅁ (2) ㄴ, ㄹ, ㅂ (3) ㄷ (4) ㄹ (5) ㄴ과 ㅁ
11 (1) $x>0$ (2) $x<0$ (3) 3, 12 (4) $-3x^2$
12 (1) $x>0$ (2) $x<0$ (3) -3, $-\frac{1}{3}$ (4) $\frac{1}{3}x^2$
13 (1) 2 (2) $\frac{3}{4}$ (3) $-\frac{1}{2}$

01

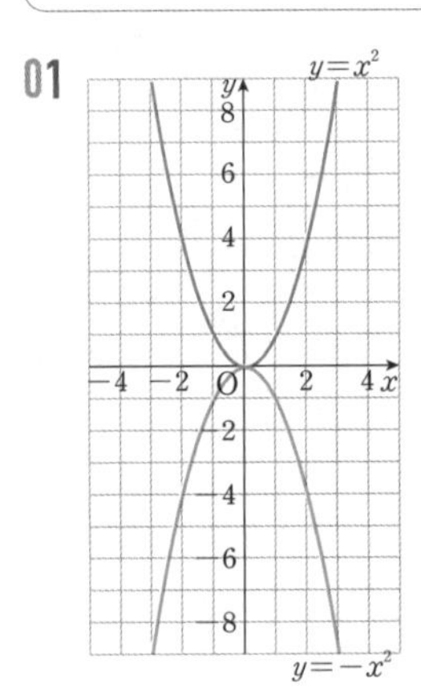

04 (3) $y=x^2$의 그래프는 제1, 2사분면을 지난다.
$y=-x^2$의 그래프는 제3, 4사분면을 지난다.
(4) $y=x^2$의 그래프와 $y=-x^2$의 그래프는 서로 x축에 대하여 대칭이다.

05

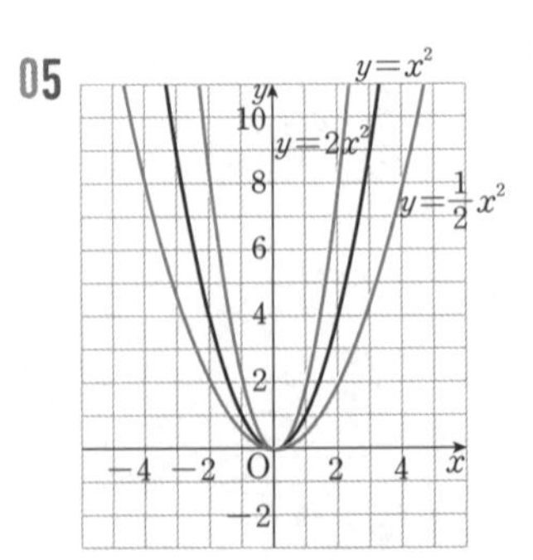

$y=\frac{1}{2}x^2$의 그래프는 $y=x^2$의 그래프의 각 점에 대하여 y좌표를 $\frac{1}{2}$배로 하는 점을 잡아서 연결한다.

06 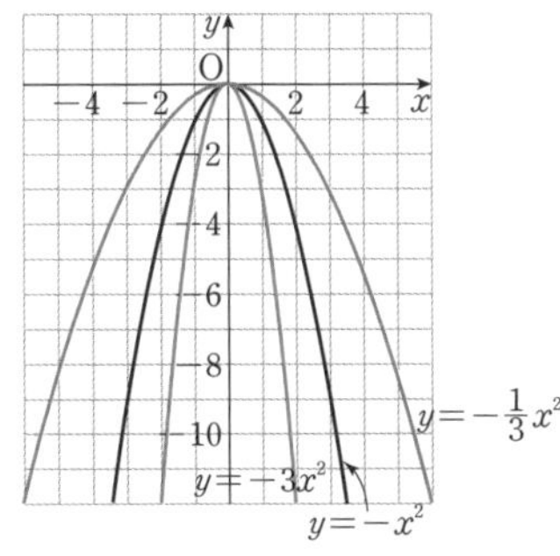

$y=-\frac{1}{3}x^2$의 그래프는 $y=-x^2$의 그래프의 각 점에 대하여 y좌표를 $\frac{1}{3}$배로 하는 점을 잡아서 연결한다.

09 절댓값이 클수록 폭이 좁아진다.

11 (3) $y=3x^2$에 $x=1$을 대입하면 $y=3$
$x=-2$를 대입하면 $y=3\times(-2)^2=12$
이므로 두 점 $(1, \boxed{3})$, $(-2, \boxed{12})$를 지난다.

12 (3) $y=-\frac{1}{3}x^2$에 $x=3$을 대입하면
$y=-\frac{1}{3}\times 3^2=-3$
$x=-1$을 대입하면
$y=-\frac{1}{3}\times(-1)^2=-\frac{1}{3}$
이므로 두 점 $(3, \boxed{-3})$, $\left(-1, \boxed{-\frac{1}{3}}\right)$을 지난다.

13 (1) $y=ax^2$에 $(1, 2)$를 대입하면
$2=a\times 1 \quad \therefore a=2$
(2) $y=ax^2$에 $(-2, 3)$을 대입하면
$3=a\times(-2)^2 \quad \therefore a=\frac{3}{4}$
(3) $y=ax^2$에 $\left(1, -\frac{1}{2}\right)$을 대입하면
$-\frac{1}{2}=a\times 1 \quad \therefore a=-\frac{1}{2}$

힘수 만점 112쪽

01 ②, ③ **02** (1) ㄱ, ㄹ, ㅁ (2) ㄴ (4) ㄱ과 ㄷ **03** ⑤
04 ⑤

01 ① 아래로 볼록한 포물선이다.
④ y의 값의 범위는 $y\geq 0$이다.
⑤ $x<0$일 때, x의 값이 증가하면 y의 값은 감소한다.

03 ⑤ $y=-ax^2$의 그래프와 x축에 대하여 대칭이다.

04 가에 의해서 $y=ax^2$의 그래프이다.
나에 의해서 $a<0$이다.
다에 의해서 $y=\frac{1}{2}x^2$의 그래프보다 폭이 넓은 것은
$y=-\frac{1}{4}x^2$이다.

30강+ 이차함수 $y=ax^2+q$의 그래프 113~114쪽

01 (1) 3 (2) -2 (3) $-\frac{2}{3}$
02 (1) 4 (2) $-\frac{1}{2}$ (3) $\frac{5}{2}$
03 (1) $y=x^2+3$ (2) $y=\frac{1}{2}x^2-1$ (3) $y=-x^2+2$
04 풀이 참조
05 (1) $(0, 4)$, $x=0$ (2) $(0, -2)$, $x=0$
(3) $\left(0, \frac{3}{4}\right)$, $x=0$
06 (1) 풀이 참조 (2) -1 (3) -1 (4) $x=0$ (5) 아래
(6) $x>0$
07 (1) 풀이 참조 (2) 3 (3) 3 (4) $x=0$ (5) 위 (6) $x<0$
08 (1) $y=-3x^2+5$ (2) $(0, 5)$ (3) $x=0$
09 (1) 7 (2) -5

04 (1) 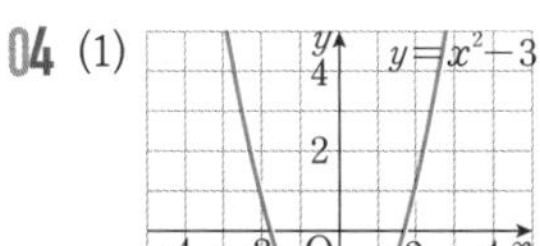

(2) 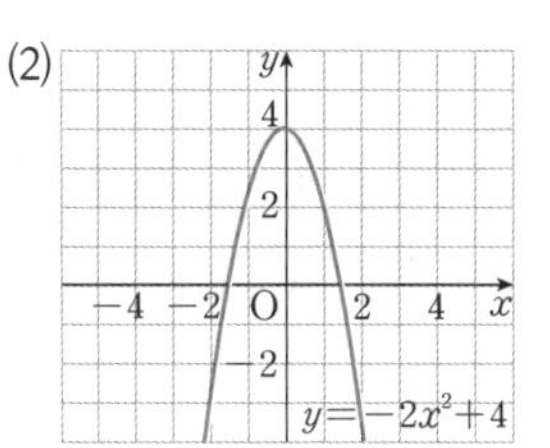

06 (1) 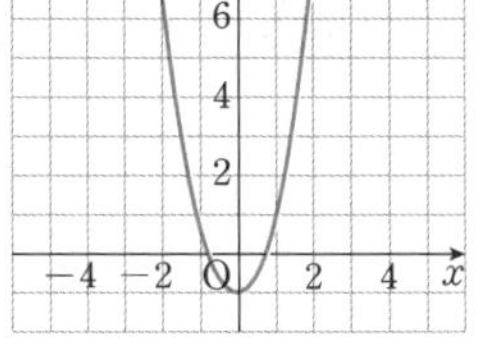

07 (1) 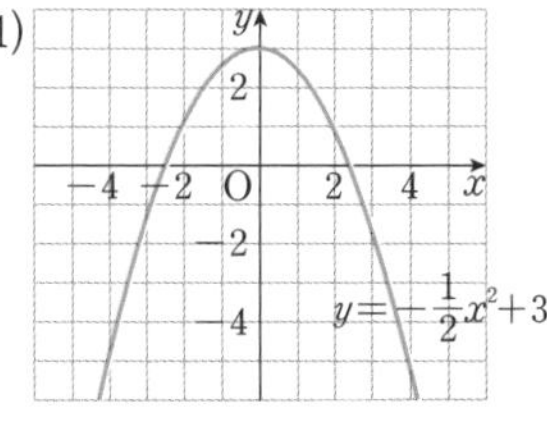

09 (1) $x=-1$, $y=k$를 대입하면 $k=(-1)^2+6=7$
(2) $x=-4$, $y=k$를 대입하면 $k=-\frac{1}{2}\times(-4)^2+3=-5$

힘수 만점 115쪽

01 ① **02** 꼭짓점의 좌표 $(0,\ -5)$, 축의 방정식 $x=0$
03 ② **04** 5 **05** ①

01 ① 위로 볼록한 그래프이다.

03 $y=\frac{1}{3}x^2-4$의 그래프가 점 $(3,\ a)$를 지나므로 대입하면

$a=\frac{1}{3}\times 3^2-4=-1$

04 $y=\frac{1}{5}x^2$의 그래프를 y축의 방향으로 -5만큼 평행이동한 그래프의 식은 $y=\frac{1}{5}x^2-5$

따라서 꼭짓점의 좌표는 $(0,\ -5)$이므로

$p=0,\ q=-5$

축의 방정식은 $x=0$이므로 $m=0$

$\therefore p-q-m=0-(-5)+0=5$

05 이차함수 $y=-\frac{1}{2}x^2$의 그래프를 y축의 방향으로 평행이동한 이차함수의 식을 $y=-\frac{1}{2}x^2+q$라 하면

점 $(0,\ 5)$를 지나므로 대입하면 $q=5$

이므로 이차함수의 식은 $y=-\frac{1}{2}x^2+5$

따라서 x축에 대하여 대칭인 이차함수의 식은

$-y=-\frac{1}{2}x^2+5,\ y=\frac{1}{2}x^2-5$

31강 이차함수 $y=a(x-p)^2$의 그래프 116~117쪽

01 (1) 7 (2) -5
02 (1) 3 (2) -6
03 (1) $y=(x-3)^2$ (2) $y=-2(x+5)^2$ (3) $y=\frac{1}{2}(x-4)^2$
04 풀이 참조
05 (1) $(1,\ 0)$, $x=1$ (2) $(-4,\ 0)$, $x=-4$
(3) $(5,\ 0)$, $x=5$
06 (1) 풀이 참조 (2) -3 (3) -3 (4) $x=-3$ (5) 아래
(6) $x>-3$
07 (1) 풀이 참조 (2) 3 (3) 3 (4) $x=3$ (5) 위 (6) $x<3$
08 (1) $y=-3\left(x-\frac{3}{2}\right)^2$ (2) $\left(\frac{3}{2},\ 0\right)$ (3) $x=\frac{3}{2}$ (4) $x>\frac{3}{2}$

04

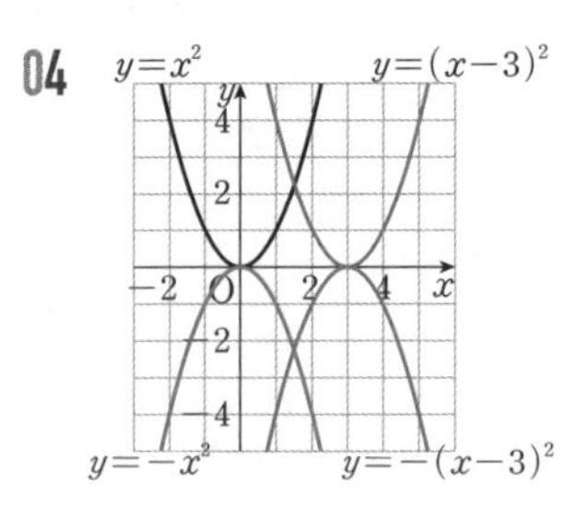

06 (1)

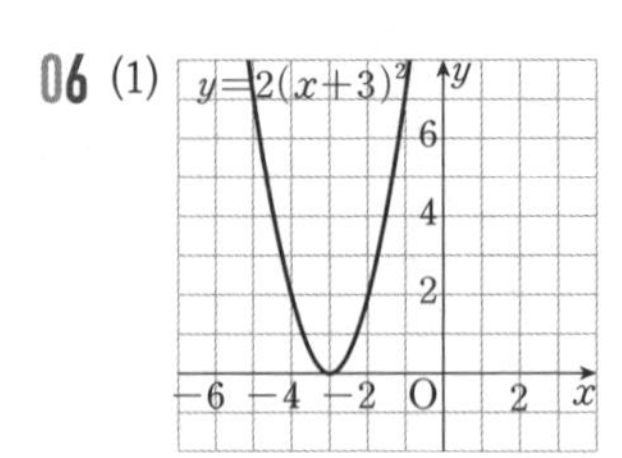

07 (1)

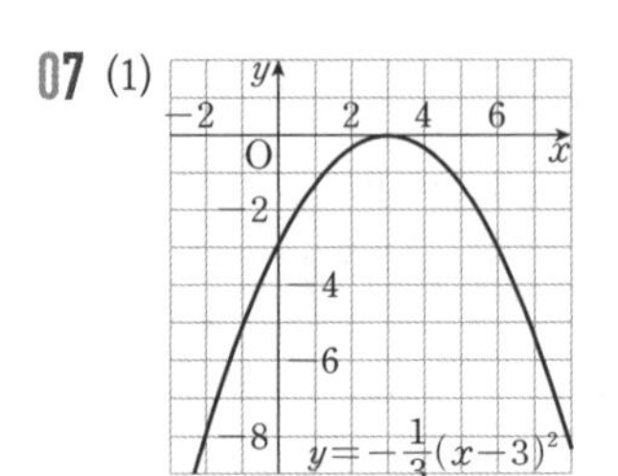

힘수 만점 118쪽

01 ③ **02** ① **03** -4 **04** ④ **05** -3

01 ① 축의 방정식은 $x=2$이다.
② 꼭짓점의 좌표는 $(2,\ 0)$이다.
④ 아래로 볼록한 포물선이다.
⑤ 이차함수 $y=-3(x-2)^2$의 그래프와 x축에 대하여 대칭이다.

02 $a<0$이므로 위로 볼록이고, 꼭짓점의 좌표는 $(2,\ 0)$이므로 그래프는 ①이다.

03 x 대신 $x-3$을 대입하면 $y=-(x-3)^2$

이 그래프가 점 $(1,\ m)$을 지나므로 대입하면

$m=-(1-3)^2 \quad \therefore m=-4$

04 아래로 볼록한 그래프이고 축의 방정식은 $x=3$이므로 x의 값이 증가할 때, y의 값이 감소하는 x의 값의 범위는 $x<3$이다.

05 $y=-4(x-1)^2$에 x 대신 $x-m$을 대입하면

$y=-4(x-m-1)^2=-4(x+2)^2$

따라서 $-m-1=2$에서 $m=-3$

32강 이차함수 $y=a(x-p)^2+q$의 그래프 119~122쪽

01 (1) 1, 3 (2) -4, -5 (3) 1, -6

02 (1) $y=(x-1)^2+3$ (2) $y=-3(x+4)^2+5$
(3) $y=-\frac{2}{3}(x+2)^2-8$

03 (1) $y=(x-1)^2-1$ (2) $y=2(x+3)^2+1$
(3) $y=-\frac{2}{3}(x+2)^2-5$

04 (1) $(-2, -3)$, $x=-2$ (2) $(5, -1)$, $x=5$
(3) $(-3, 3)$, $x=-3$ (4) $\left(-1, -\frac{3}{2}\right)$, $x=-1$

05 (1) 0 (2) -2

06 (1) 풀이 참조 (2) 3, 1 (3) 3, 1 (4) $x=3$ (5) 아래
(6) $x>3$

07 (1) 풀이 참조 (2) -1, 2 (3) -1, 2 (4) $x=-1$ (5) 위
(6) $x<-1$

08 (1) $y=\frac{2}{3}(x+3)^2+2$ (2) $(-3, 2)$ (3) $x=-3$
(4) $x<-3$

09 (1) ① $(0, 3)$, ② $y=2(x+2)^2$, $(-2, 0)$,
③ $y=2(x+4)^2+2$, $(-4, 2)$
(2) ① $y=-5x^2-1$, $(0, -1)$, ② $(2, 0)$
③ $y=-5(x-5)^2+2$, $(5, 2)$

10 (1) 5, $y=-(x-5)^2$ (2) 2, -3, $y=-(x-2)^2-3$
(3) 5, 7, $y=2(x-5)^2+7$
(4) 0, 1, $y=\frac{1}{2}x^2+1$

11 (1) $y=-(x-2)^2+5$ (2) $y=2(x+1)^2+4$
(3) $y=-\frac{1}{2}(x+4)^2-2$ (4) $y=5(x-11)^2-2$

12 (1) 0 (2) -2

13 (1) >, <, < (2) <, =, > (3) <, <, >
(4) >, >, <

05 (1) $y=-2(x-2)^2+2$의 그래프가 점 $(1, k)$를 지나므로
$k=-2(1-2)^2+2=0$
(2) $y=3(x+1)^2-5$의 그래프가 점 $(-2, k)$를 지나므로
$k=3(-2+1)^2-5=-2$

06 (1)

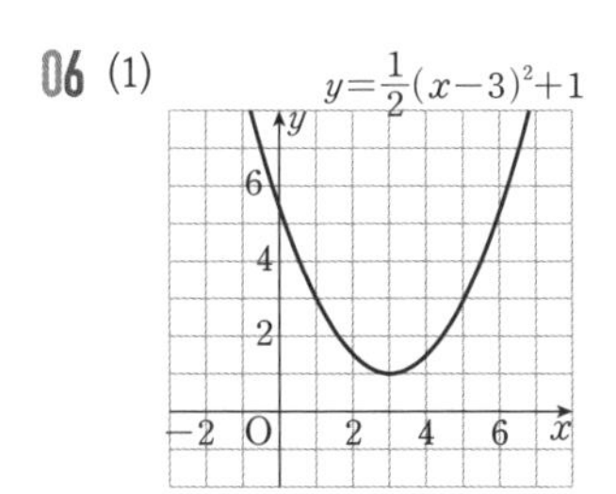

07 (1)

$y=-2(x+1)^2+2$

10 (1) 꼭짓점의 좌표는
$(2, 0) \to (2+3, 0)=(5, 0)$
$\therefore y=-(x-5)^2$
(2) 꼭짓점의 좌표는
$(2, 0) \to (2, -3)$
$\therefore y=-(x-2)^2-3$
(3) 꼭짓점의 좌표는
$(3, 4) \to (3+2, 4+3)=(5, 7)$
$\therefore y=2(x-5)^2+7$
(4) 꼭짓점의 좌표는
$(1, 3) \to (1-1, 3-2)=(0, 1)$
$\therefore y=\frac{1}{2}x^2+1$

11 (1) x 대신 $x-2$, y 대신 $y-3$을 대입하면
$y-3=-(x-2)^2+2$
$\therefore y=-(x-2)^2+5$
(2) x 대신 $x+2$, y 대신 $y-4$를 대입하면
$y-4=2(x+2-1)^2$
$\therefore y=2(x+1)^2+4$
(3) x 대신 $x+\frac{5}{2}$, y 대신 $y+1$을 대입하면
$y+1=-\frac{1}{2}\left(x+\frac{5}{2}+\frac{3}{2}\right)^2-1$
$\therefore y=-\frac{1}{2}(x+4)^2-2$
(4) x 대신 $x-8$, y 대신 $y+9$를 대입하면
$y+9=5(x-8-3)^2+7$
$\therefore y=5(x-11)^2-2$

12 (1) 점 $(1, k)$를 지나므로
$y=3(x-2)^2-3$에 $x=1$, $y=k$를 대입하면
$k=3\times(1-2)^2-3=0$
(2) 평행이동한 그래프의 식은
$y=-(x-3)^2-1$
이 그래프가 점 $(4, k)$를 지나므로
$x=4$, $y=k$를 대입하면
$k=-(4-3)^2-1=-2$

13 이차함수 $y=a(x-p)^2+q$의 그래프의 꼭짓점의 좌표는 (p, q)이다.

(1) 아래로 볼록이므로 $a>0$
꼭짓점이 제3사분면에 있으므로 $p<0$, $q<0$

(2) 위로 볼록이므로 $a<0$
꼭짓점이 y축 위에 있으므로 $p=0$, $q>0$

(3) 위로 볼록이므로 $a<0$
꼭짓점이 제2사분면에 있으므로 $p<0$, $q>0$

(4) 아래로 볼록이므로 $a>0$
꼭짓점이 제4사분면에 있으므로 $p>0$, $q<0$

힘수 만점 123쪽

01 ⑤ **02** (1) 1, 0, 위 (2) 5, 5, 위 (3) 5, 1, 5, 위
03 ⑤ **04** ⑤ **05** $y=\frac{1}{3}(x-2)^2+3$

01 ⑤ $y=2x^2$의 그래프를 x축의 방향으로 1만큼, y축의 방향으로 1만큼 평행이동한 그래프이다.

02 $y=-2x^2$의 그래프를 x축, y축의 방향으로 평행이동하면 그래프의 모양은 그대로이고 꼭짓점의 좌표와 축의 방정식만 바뀐다.

03 $y=-3(x-2)^2+1$에 x 대신 $x-1$, y 대신 $y-3$을 대입하면
$y-3=-3(x-1-2)^2+1$
$\therefore y=-3(x-3)^2+4$

04 그래프를 그리면 다음과 같다.

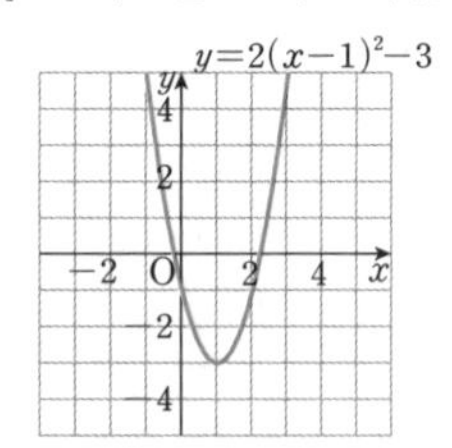

따라서 제1, 2, 3, 4사분면을 지난다.

05 평행이동한 그래프의 모양은 그대로이므로
이차함수의 식은 $y=\frac{1}{3}(x-p)^2+q$
꼭짓점의 좌표가 $(2, 3)$이므로
구하는 이차함수의 식은 $y=\frac{1}{3}(x-2)^2+3$

33강 이차함수 $y=ax^2+bx+c$의 그래프 124~126쪽

01 (1) 4, 4, 2 (2) 9, 9, 3, 9 (3) 4, 4, 2, 9
02 (1) $y=2(x+1)^2+3$ (2) $y=-4\left(x-\frac{3}{2}\right)^2+11$
(3) $y=-\frac{1}{2}(x-1)^2-2$ (4) $y=-(x-6)^2+11$
03 (1) 2, 5 ① 2, 5 ② 2 ③ 1 ④ 풀이 참조
(2) 2, 1 ① -2, -1 ② -2 ③ 7 ④ 풀이 참조
04 (1) x축: $(2, 0)$, $(-5, 0)$, y축: $(0, 10)$
(2) x축: $(0, 0)$, $(-8, 0)$, y축: $(0, 0)$
(3) x축: $\left(-\frac{3}{2}, 0\right)$, $\left(\frac{1}{2}, 0\right)$, y축: $(0, -3)$
(4) x축: $\left(\frac{-6-2\sqrt{3}}{3}, 0\right)$, $\left(\frac{-6+2\sqrt{3}}{3}, 0\right)$, y축: $(0, -8)$
05 (1) × (2) ○ (3) × (4) × (5) ○ (6) ○
06 1, 3, 3, 3, 3, 1, 2, 2, $3x^2-12x+14$
07 $y=-2x^2+4x+2$
08 (1) $>$ (2) $<$, $<$ (3) $<$
09 (1) $<$ (2) $>$, $<$ (3) $>$
10 (1) $>$, $>$, $>$ (2) $<$, $<$, $<$ (3) $>$, $<$, $=$
(4) $<$, $>$, $<$

02 (1) $y=2x^2+4x+5=2(x^2+2x)+5$
$=2(x^2+2x+1-1)+5$
$=2(x+1)^2-2+5$
$=2(x+1)^2+3$

(2) $y=-4x^2+12x+2$
$=-4(x^2-3x)+2$
$=-4\left(x^2-3x+\frac{9}{4}-\frac{9}{4}\right)+2$
$=-4\left(x^2-3x+\frac{9}{4}\right)+9+2$
$=-4\left(x-\frac{3}{2}\right)^2+11$

(3) $y=-\frac{1}{2}x^2+x-\frac{5}{2}$
$=-\frac{1}{2}(x^2-2x)-\frac{5}{2}$
$=-\frac{1}{2}(x^2-2x+1-1)-\frac{5}{2}$
$=-\frac{1}{2}(x^2-2x+1)+\frac{1}{2}-\frac{5}{2}$
$=-\frac{1}{2}(x-1)^2-2$

(4) $y=-x^2+12x-25$
$=-(x^2-12x)-25$
$=-(x^2-12x+36-36)-25$
$=-(x^2-12x+36)+36-25$
$=-(x-6)^2+11$

03 (1) $y=-x^2+4x+1$

$=-(x^2-4x)+1$

$=-(x^2-4x+4-4)+1$

$=-(x^2-4x+4)+4+1$

$=-(x-\boxed{2})^2+\boxed{5}$

④

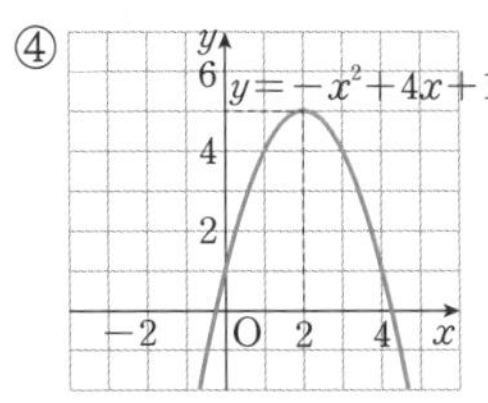

(2) $y=2x^2+8x+7$

$=2(x^2+4x)+7$

$=2(x^2+4x+4-4)+7$

$=2(x^2+4x+4)-8+7$

$=2(x+\boxed{2})^2-\boxed{1}$

④

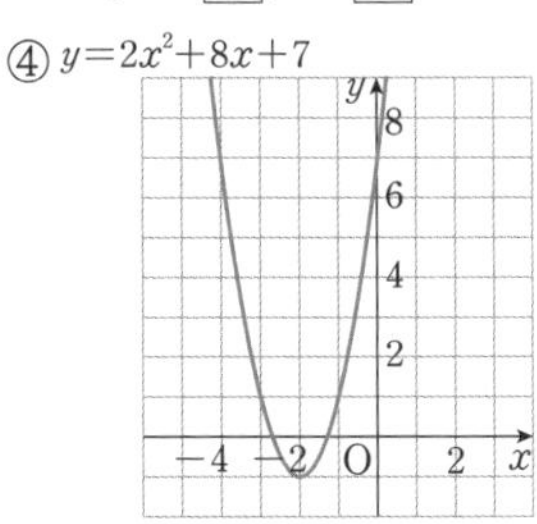

04 (1) $y=0$을 대입하면 $0=-x^2-3x+10$

인수분해하면 $(x-2)(x+5)=0$

$\therefore x=2$ 또는 $x=-5$

따라서 x축과의 교점의 좌표는 $(2, 0)$, $(-5, 0)$

$x=0$일 때의 함숫값이 10이므로

y축과의 교점의 좌표는 $(0, 10)$

(2) $y=0$을 대입하면

$0=\frac{1}{2}x^2+4x$, $\frac{1}{2}x(x+8)=0$

$\therefore x=0$ 또는 $x=-8$

따라서 x축과의 교점의 좌표는 $(0, 0)$, $(-8, 0)$

y축과의 교점의 좌표는 $(0, 0)$

(3) $y=0$을 대입하면

$0=4x^2+4x-3$, $(2x+3)(2x-1)=0$

$\therefore x=-\frac{3}{2}$ 또는 $x=\frac{1}{2}$

따라서 x축과의 교점의 좌표는 $\left(-\frac{3}{2}, 0\right)$, $\left(\frac{1}{2}, 0\right)$

y축과의 교점의 좌표는 $(0, -3)$

(4) $y=0$을 대입하면

$0=-3x^2-12x-8$, $3x^2+12x+8=0$

$\therefore x=\frac{-6\pm\sqrt{6^2-3\times8}}{3}=\frac{-6\pm\sqrt{12}}{3}$

$=\frac{-6\pm2\sqrt{3}}{3}$

따라서 x축과의 교점의 좌표는

$\left(\frac{-6-2\sqrt{3}}{3}, 0\right)$, $\left(\frac{-6+2\sqrt{3}}{3}, 0\right)$

y축과의 교점의 좌표는 $(0, -8)$

05 (1) 아래로 볼록한 포물선이다.

(2) $y=2x^2-4x+5=2(x^2-2x)+5$

$=2(x-1)^2+3$

축의 방정식은 $x=1$

(3) 꼭짓점의 좌표는 $(1, 3)$

(4) 그래프는 다음과 같으므로 제1, 2사분면을 지난다.

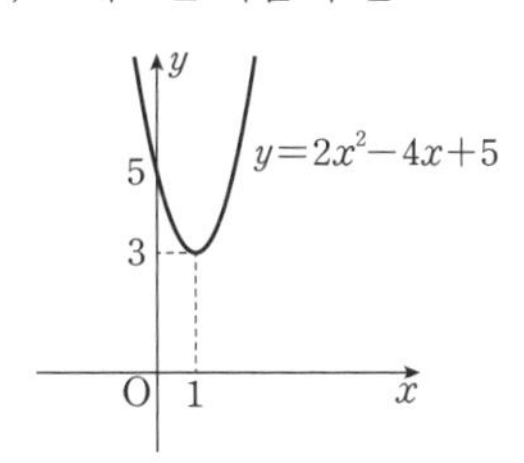

06 $y=3x^2+6x+2$

$=3(x^2+2x)+2$

$=3(x^2+2x+1-1)+2$

$=3(x+1)^2-1$

이 식에 x 대신 $x-3$, y 대신 $y-3$을 대입하면

$y-3=3(x-3+1)^2-1$

$\therefore y=3(x-2)^2+2$

이것을 정리하면 $y=3x^2-12x+14$

07 $y=-2x^2-4x+1$

$=-2(x^2+2x)+1$

$=-2(x^2+2x+1-1)+1$

$=-2(x+1)^2+3$

이 식에 x 대신 $x-2$, y 대신 $y-1$을 대입하면

$y-1=-2(x-2+1)^2+3$

$\therefore y=-2(x-1)^2+4$

이 식을 정리하면 $y=-2x^2+4x+2$

10 (1) 그래프가 아래로 볼록하므로 $a>0$

축이 y축의 왼쪽에 있으므로 $ab>0$ $\quad\therefore b>0$

y축과의 교점이 x축의 위쪽에 있으므로 $c>0$

(2) 그래프가 위로 볼록하므로 $a<0$

축이 y축의 왼쪽에 있으므로 $ab>0$ $\quad\therefore b<0$

y축과의 교점이 x축의 아래쪽에 있으므로 $c<0$

(3) 그래프가 아래로 볼록하므로 $a>0$

축이 y축의 오른쪽에 있으므로 $ab<0$ $\quad\therefore b<0$

원점을 지나므로 $c=0$

(4) 그래프가 위로 볼록하므로 $a<0$
축이 y축의 오른쪽에 있으므로 $ab<0$ $\therefore b>0$
y축과의 교점이 x축의 아래쪽에 있으므로 $c<0$

힘수 만점 127쪽

01 (1) $y=2(x-4)^2-29$ (2) $y=-3(x-2)^2+4$
02 (1) $(-1, 6)$, $x=-1$ (2) $\left(\frac{1}{2}, -\frac{25}{4}\right)$, $x=\frac{1}{2}$
03 $\left(\frac{3}{2}, 0\right)$, $(-6, 0)$ 04 $a>0$, $b<0$, $c>0$
05 $y=-x^2+4x-7$

01 (1) $y=2x^2-16x+3$
$=2(x^2-8x)+3$
$=2(x^2-8x+16-16)+3$
$=2(x^2-8x+16)-32+3$
$=2(x-4)^2-29$
(2) $y=-3x^2+12x-8$
$=-3(x^2-4x)-8$
$=-3(x^2-4x+4-4)-8$
$=-3(x^2-4x+4)+12-8$
$=-3(x-2)^2+4$

02 (1) $y=-2x^2-4x+4$
$=-2(x^2+2x)+4$
$=-2(x^2+2x+1-1)+4$
$=-2(x+1)^2+6$
따라서 꼭짓점의 좌표는 $(-1, 6)$,
축의 방정식은 $x=-1$
(2) $y=x^2-x-6$
$=\left(x^2-x+\frac{1}{4}-\frac{1}{4}\right)-6$
$=\left(x-\frac{1}{2}\right)^2-\frac{25}{4}$
따라서 꼭짓점의 좌표는 $\left(\frac{1}{2}, -\frac{25}{4}\right)$,
축의 방정식은 $x=\frac{1}{2}$

03 $y=0$을 대입하면 $0=-\frac{2}{3}x^2-3x+6$,
$2x^2+9x-18=0$, $(2x-3)(x+6)=0$
$\therefore x=\frac{3}{2}$ 또는 $x=-6$
따라서 x축과의 교점의 좌표는
$\left(\frac{3}{2}, 0\right)$, $(-6, 0)$

04 아래로 볼록이므로 $a>0$
축이 y축의 오른쪽에 있으므로
$ab<0$ $\therefore b<0$
y축과의 교점이 x축 위쪽에 있으므로
$c>0$

05 $y=-x^2-2x-2$
$=-(x^2+2x)-2$
$=-(x+1)^2-1$
이 식에 x 대신 $x-3$, y 대신 $y+2$를 대입하면
$y+2=-(x-3+1)^2-1$
$\therefore y=-(x-2)^2-3$
이것을 전개하여 정리하면 $y=-x^2+4x-7$

34강 이차함수의 식 구하기 128~130쪽

01 (1) $y=2(x-1)^2+2$ (2) $y=-(x-2)^2+3$
(3) $y=9(x+1)^2-4$ (4) $y=\frac{1}{2}(x-1)^2-3$
02 (1) 2, 2, 2, $-\frac{1}{2}$, $-\frac{1}{2}(x-2)^2+2$
(2) 2, 2, 1, 3, 2, $2(x-2)^2-1$
(3) 1, 1, -1, 1, -2, $-2(x+1)^2+1$
(4) -2, 2, 2, $\frac{1}{4}$, $\frac{1}{4}(x+2)^2+1$
03 (1) $y=-(x-1)^2+4$
(2) $y=(x+2)^2$
(3) $y=-(x-3)^2+1$
(4) $y=4\left(x-\frac{1}{2}\right)^2+1$
04 (1) -2, -1, $y=\frac{1}{2}(x+2)^2-3$
(2) 2, 6, 0, $y=-\frac{1}{2}(x-2)^2+8$
(3) 3, -1, 7, $y=\frac{1}{3}(x-3)^2-\frac{4}{3}$
(4) -3, -2, 4, $y=-(x+3)^2+5$
05 (1) $y=2x^2-x+1$ (2) $y=3x^2-2x-4$
(3) $y=x^2-3x+1$ (4) $y=-x^2+3x+2$
06 (1) $y=x^2-2x-8$ (2) $y=-x^2-2x+3$
(3) $y=\frac{1}{2}x^2-2x+\frac{3}{2}$
07 (1) $y=-2x^2-4x-1$
(2) $y=\frac{1}{3}x^2-\frac{2}{3}x-1$
(3) $y=-2x^2-4x+2$

01 (1) 꼭짓점의 좌표가 $(1, 2)$이므로 이차함수의 식을 $y=a(x-1)^2+2$로 놓는다.

$x=0$, $y=4$를 대입하면 $4=a+2$

$\therefore a=2$

따라서 구하는 이차함수의 식은

$y=2(x-1)^2+2$

(2) 꼭짓점의 좌표가 $(2, 3)$이므로 이차함수의 식을 $y=a(x-2)^2+3$으로 놓는다.

$x=0$, $y=-1$을 대입하면 $-1=4a+3$

$\therefore a=-1$

따라서 구하는 이차함수의 식은

$y=-(x-2)^2+3$

(3) 꼭짓점의 좌표가 $(-1, -4)$이므로 이차함수의 식을 $y=a(x+1)^2-4$로 놓는다.

$x=-2$, $y=5$를 대입하면 $5=a-4$

$\therefore a=9$

따라서 구하는 이차함수의 식은

$y=9(x+1)^2-4$

(4) 꼭짓점의 좌표가 $(1, -3)$이므로 이차함수의 식을 $y=a(x-1)^2-3$으로 놓는다.

$x=3$, $y=-1$을 대입하면 $-1=4a-3$

$\therefore a=\frac{1}{2}$

따라서 구하는 이차함수의 식은

$y=\frac{1}{2}(x-1)^2-3$

03 (1) 축의 방정식이 $x=1$이므로 이차함수의 식을 $y=a(x-1)^2+q$로 놓는다.

$x=0$, $y=3$을 대입하면 $3=a+q$ …… ㉠

$x=3$, $y=0$을 대입하면 $0=4a+q$ …… ㉡

㉡$-$㉠을 하면 $3a=-3$, $a=-1$

$a=-1$을 ㉠에 대입하면 $q=4$

따라서 구하는 이차함수의 식은

$y=-(x-1)^2+4$

(2) 축의 방정식이 $x=-2$이므로 이차함수의 식을 $y=a(x+2)^2+q$로 놓는다.

$x=-1$, $y=1$을 대입하면

$1=a+q$ …… ㉠

$x=2$, $y=16$을 대입하면

$16=16a+q$ …… ㉡

㉡$-$㉠을 하면 $15a=15$ $\quad\therefore a=1$

$a=1$을 ㉠에 대입하면 $q=0$

따라서 구하는 이차함수의 식은

$y=(x+2)^2$

(3) 축의 방정식이 $x=3$이므로 이차함수의 식을 $y=a(x-3)^2+q$로 놓는다.

$x=2$, $y=0$을 대입하면

$0=a+q$ …… ㉠

$x=0$, $y=-8$을 대입하면

$-8=9a+q$ …… ㉡

㉡$-$㉠을 하면 $8a=-8$ $\quad\therefore a=-1$

$a=-1$을 ㉠에 대입하면 $q=1$

따라서 구하는 이차함수의 식은

$y=-(x-3)^2+1$

(4) 축의 방정식이 $x=\frac{1}{2}$이므로 이차함수의 식을 $y=a\left(x-\frac{1}{2}\right)^2+q$로 놓는다.

$x=1$, $y=2$를 대입하면

$2=\frac{1}{4}a+q$ …… ㉠

$x=2$, $y=10$을 대입하면

$10=\frac{9}{4}a+q$ …… ㉡

㉡$-$㉠을 하면 $2a=8$ $\quad\therefore a=4$

$a=4$를 ㉠에 대입하면 $q=1$

따라서 구하는 이차함수의 식은

$y=4\left(x-\frac{1}{2}\right)^2+1$

04 (1) 축의 방정식이 $x=-2$이므로 $y=a(x+2)^2+q$로 놓으면 두 점 $(0, -1)$, $(2, 5)$를 지나므로

$x=0$, $y=-1$을 대입하면

$-1=4a+q$ …… ㉠

$x=2$, $y=5$를 대입하면

$5=16a+q$ …… ㉡

㉡$-$㉠을 하면 $12a=6$, $a=\frac{1}{2}$

$a=\frac{1}{2}$을 ㉠에 대입하면 $q=-3$

따라서 구하는 이차함수의 식은

$y=\frac{1}{2}(x+2)^2-3$

(2) 축의 방정식이 $x=2$이므로 $y=a(x-2)^2+q$로 놓으면 두 점 $(0, 6)$, $(6, 0)$을 지나므로

$x=0$, $y=6$을 대입하면

$6=4a+q$ …… ㉠

$x=6$, $y=0$을 대입하면

$0=16a+q$ …… ㉡

㉡$-$㉠을 하면 $12a=-6$, $a=-\frac{1}{2}$

$a=-\frac{1}{2}$을 ㉠에 대입하면 $q=8$

따라서 구하는 이차함수의 식은

$y=-\frac{1}{2}(x-2)^2+8$

(3) 축의 방정식이 $x=3$이므로 $y=a(x-3)^2+q$로 놓으면 두 점 $(-1, 4)$, $(-2, 7)$을 지나므로

$x=-1$, $y=4$를 대입하면

$4=16a+q$ …… ㉠

$x=-2$, $y=7$을 대입하면

$7=25a+q$ …… ㉡

㉡−㉠을 하면 $9a=3$, $a=\frac{1}{3}$

$a=\frac{1}{3}$을 ㉠에 대입하면

$4=\frac{16}{3}+q$, $q=-\frac{4}{3}$

따라서 구하는 이차함수의 식은

$y=\frac{1}{3}(x-3)^2-\frac{4}{3}$

(4) 축의 방정식이 $x=-3$이므로 $y=a(x+3)^2+q$로 놓으면 두 점 $(-1, 1)$, $(-2, 4)$를 지나므로

$x=-1$, $y=1$을 대입하면

$1=4a+q$ …… ㉠

$x=-2$, $y=4$를 대입하면

$4=a+q$ …… ㉡

㉠−㉡을 하면 $3a=-3$, $a=-1$

$a=-1$을 ㉡에 대입하면 $q=5$

따라서 구하는 이차함수의 식은

$y=-(x+3)^2+5$

05 (1) 이차함수의 식을 $y=ax^2+bx+c$로 놓는다.

$x=0$, $y=1$을 대입하면

$1=c$ …… ㉠

$x=1$, $y=2$를 대입하면

$2=a+b+c$ …… ㉡

$x=-1$, $y=4$를 대입하면

$4=a-b+c$ …… ㉢

㉠, ㉡, ㉢에서 $a=2$, $b=-1$, $c=1$

따라서 구하는 이차함수의 식은

$y=2x^2-x+1$

(2) 이차함수의 식을 $y=ax^2+bx+c$로 놓는다.

$x=0$, $y=-4$를 대입하면

$-4=c$ …… ㉠

$x=1$, $y=-3$을 대입하면

$-3=a+b+c$ …… ㉡

$x=2$, $y=4$를 대입하면

$4=4a+2b+c$ …… ㉢

㉠, ㉡, ㉢에서

$a=3$, $b=-2$, $c=-4$

따라서 구하는 이차함수의 식은

$y=3x^2-2x-4$

(3) 이차함수의 식을 $y=ax^2+bx+c$로 놓는다.

$x=0$, $y=1$을 대입하면

$1=c$ …… ㉠

$x=1$, $y=-1$을 대입하면

$-1=a+b+c$ …… ㉡

$x=-1$, $y=5$를 대입하면

$5=a-b+c$ …… ㉢

㉠, ㉡, ㉢에서

$a=1$, $b=-3$, $c=1$

따라서 구하는 이차함수의 식은

$y=x^2-3x+1$

(4) 이차함수의 식을 $y=ax^2+bx+c$로 놓는다.

$x=-1$, $y=-2$를 대입하면

$-2=a-b+c$ …… ㉠

$x=0$, $y=2$를 대입하면

$2=c$ …… ㉡

$x=2$, $y=4$를 대입하면

$4=4a+2b+c$ …… ㉢

㉠, ㉡, ㉢에서

$a=-1$, $b=3$, $c=2$

따라서 구하는 이차함수의 식은

$y=-x^2+3x+2$

06 (1) 이차함수의 식을 $y=a(x+2)(x-4)$로 놓으면 점 $(0, -8)$을 지나므로

$-8=a\times2\times(-4)$

$\therefore a=1$

따라서 구하는 이차함수의 식은

$y=(x+2)(x-4)$

이것을 전개하여 정리하면

$y=x^2-2x-8$

(2) 이차함수의 식을 $y=a(x+3)(x-1)$로 놓으면 점 $(2, -5)$를 지나므로

$-5=a\times5\times1$

$\therefore a=-1$

따라서 구하는 이차함수의 식은

$y=-(x+3)(x-1)$

이것을 전개하여 정리하면

$y=-x^2-2x+3$

(3) 이차함수의 식을 $y=a(x-1)(x-3)$으로 놓으면
점 $(-1, 4)$를 지나므로
$4=a\times(-2)\times(-4)$
$\therefore a=\frac{1}{2}$
따라서 구하는 이차함수의 식은
$y=\frac{1}{2}(x-1)(x-3)$
이것을 전개하여 정리하면
$y=\frac{1}{2}x^2-2x+\frac{3}{2}$

07 (1) 꼭짓점의 좌표가 $(-1, 1)$이므로 이차함수의 식을
$y=a(x+1)^2+1$이라 놓으면
점 $(0, -1)$을 지나므로
$-1=a+1 \quad \therefore a=-2$
따라서 구하는 이차함수의 식은
$y=-2(x+1)^2+1$
이것을 전개하여 정리하면
$y=-2x^2-4x-1$

(2) x축과의 교점의 좌표가 $(-1, 0)$, $(3, 0)$이므로
이차함수의 식을
$y=a(x+1)(x-3)$이라 놓으면
점 $(0, -1)$을 지나므로
$-1=a\times1\times(-3) \quad \therefore a=\frac{1}{3}$
따라서 구하는 이차함수의 식은
$y=\frac{1}{3}(x+1)(x-3)$
이것을 전개하여 정리하면
$y=\frac{1}{3}x^2-\frac{2}{3}x-1$

(3) 세 점 $(-2, 2)$, $(0, 2)$, $(1, -4)$를 지나므로
이차함수의 식을
$y=ax^2+bx+c$로 놓으면
$x=-2$, $y=2$를 대입하면
$2=4a-2b+c$ …… ㉠
$x=0$, $y=2$를 대입하면
$2=c$ …… ㉡
$x=1$, $y=-4$를 대입하면
$-4=a+b+c$ …… ㉢
㉠, ㉡, ㉢에서
$a=-2$, $b=-4$, $c=2$
따라서 구하는 이차함수의 식은
$y=-2x^2-4x+2$

힘수 만점 131쪽

01 $y=\frac{1}{2}x^2-2x$ **02** -6 **03** ④
04 $y=x^2-2x-3$ **05** $k=-8$, $p=3$

01 이차함수의 식을 $y=a(x-2)^2-2$로 놓으면
원점을 지나므로
$0=4a-2 \quad \therefore a=\frac{1}{2}$
따라서 구하는 이차함수의 식은
$y=\frac{1}{2}(x-2)^2-2$
이것을 전개하여 정리하면
$y=\frac{1}{2}x^2-2x$

02 꼭짓점의 좌표가 $(3, -8)$이므로
이차함수의 식을 $y=a(x-3)^2-8$로 놓으면
점 $(-1, 0)$을 지나므로
$0=16a-8 \quad \therefore a=\frac{1}{2}$
따라서 구하는 이차함수의 식은
$y=\frac{1}{2}(x-3)^2-8$
이것을 전개하여 정리하면
$y=\frac{1}{2}x^2-3x-\frac{7}{2}$
따라서 $a=\frac{1}{2}$, $b=-3$, $c=-\frac{7}{2}$이므로
$a+b+c=\frac{1}{2}+(-3)+\left(-\frac{7}{2}\right)=-6$

03 축의 방정식이 $x=4$이므로 이차함수의 식을
$y=a(x-4)^2+q$라 놓으면
점 $(2, 7)$을 지나므로 $7=4a+q$ …… ㉠
점 $(5, 1)$을 지나므로 $1=a+q$ …… ㉡
㉠－㉡을 하면 $a=2$
㉡에 대입하면 $q=-1$
따라서 구하는 이차함수의 식은
$y=2(x-4)^2-1$
이것을 전개하여 정리하면
$y=2x^2-16x+31$
따라서 $a=2$, $b=-16$, $c=31$이므로
$a+b+c=2-16+31=17$

04 이차함수의 식을 $y=ax^2+bx+c$로 놓은 다음
$x=-1$, $y=0$을 대입하면
$0=a-b+c$ …… ㉠

$x=3$, $y=0$을 대입하면

$0=9a+3b+c$ …… ㉡

$x=0$, $y=-3$을 대입하면

$-3=c$ …… ㉢

㉠, ㉡, ㉢에서 $a=1$, $b=-2$, $c=-3$

따라서 구하는 이차함수의 식은

$y=x^2-2x-3$

[다른 풀이]

이차함수의 식을 $y=a(x+1)(x-3)$으로 놓으면

점 $(0, -3)$을 지나므로

$-3=a\times1\times(-3)$ $\therefore a=1$

$\therefore y=(x+1)(x-3)=x^2-2x-3$

05 x^2의 계수가 -1이고 꼭짓점의 좌표가 $(p, 1)$이므로

$y=-(x-p)^2+1$

$=-(x^2-2px+p^2)+1$

$=-x^2+2px-p^2+1$

이 식이 $y=-x^2+6x+k$이므로

$2p=6$에서 $p=3$

$-p^2+1=k$에서 $k=-3^2+1=-8$

35강 중단원 연산 마무리 132~135쪽

01 (1) × (2) ○ (3) × (4) ○

02 (1) $y=\frac{5}{2}x$, 이차함수가 아니다.

(2) $y=-x^2+5x$, 이차함수이다.

(3) $y=5x$, 이차함수가 아니다.

(4) $y=\pi x^2$, 이차함수이다.

03 (1) 7 (2) -1 **04** (1) ○ (2) × (3) ○ (4) ○

05 ㄱ, ㄴ, ㅁ

06 (1) ㄴ, ㄷ, ㅁ (2) ㄱ, ㄹ, ㅂ (3) ㄴ (4) ㄱ과 ㅁ

07 (1) $(0, 5)$, $x=0$ (2) $(0, -7)$, $x=0$

08 (1) ○ (2) ○ (3) × (4) × (5) ○

09 (1) ○ (2) × (3) ×

10 (1) $(5, 0)$, $x=5$ (2) $(1, 0)$, $x=1$

11 (1) ○ (2) × (3) ○ (4) ×

12 (1) $y=3(x+2)^2+1$ (2) $y=-\frac{3}{2}(x-5)^2-6$

13 (1) $(-5, 2)$, $x=-5$ (2) $(2, -4)$, $x=2$

14 (1) × (2) ○ (3) × (4) ○ (5) ×

15 $(1, 6)$, $y=-\frac{1}{2}(x-1)^2+6$

16 (1) 6 (2) $2\pm\sqrt{2}$ (3) -4

17 (1) $(1, 2)$, $x=1$ (2) $\left(1, \frac{3}{2}\right)$, $x=1$

18 (1) ○ (2) × (3) × (4) ○ (5) ○

19 $a>0$, $b>0$, $c<0$

20 (1) $y=-x^2+4x+1$ (2) $y=-2x^2+16x-22$

(3) $y=-3x^2+x+4$

21 $-\frac{1}{4}$ **22** ⑤ **23** -5 **24** -12

01 (1) 일차함수이다.

(2) $y=x(x+2)-1=x^2+2x-1$

(3) 이차함수가 아니다.

02 (1) (삼각형의 넓이)$=\frac{1}{2}\times$(밑변의 길이)$\times$(높이)이므로

$y=\frac{1}{2}\times5\times x=\frac{5}{2}x$

따라서 이차함수가 아니다.

(2) 세로의 길이는 $(5-x)$ cm이므로

(직사각형의 넓이)=(가로의 길이)×(세로의 길이)에서

$y=x(5-x)=-x^2+5x$

따라서 이차함수이다.

(3) (거리)=(속력)×(시간)이므로 $y=5x$

따라서 이차함수가 아니다.

(4) (원의 넓이)$=\pi\times$(반지름의 길이)^{2}이므로 $y=\pi x^2$

따라서 이차함수이다.

03 (1) $f(-1)=3\times(-1)^2-4\times(-1)$

$=7$

(2) $f\left(\frac{1}{3}\right)=3\times\left(\frac{1}{3}\right)^2-4\times\frac{1}{3}$

$=\frac{1}{3}-\frac{4}{3}=-1$

04 (2) 대칭축은 y축이다.

05 ㄷ. y축을 대칭축으로 한다.

ㄹ. a의 절댓값이 클수록 폭이 좁아진다.

ㅂ. $a>0$이면 아래로 볼록하고, $a<0$이면 위로 볼록하다.

06 (1) $y=ax^2$에서 $a<0$이면 위로 볼록한 그래프이므로 ㄴ, ㄷ, ㅁ이다.

(2) $y=ax^2$에서 $a>0$이면 아래로 볼록한 그래프이므로 ㄱ, ㄹ, ㅂ이다.

(3) $y=ax^2$에서 a의 절댓값이 작을수록 그래프의 폭은 넓어지므로 폭이 가장 넓은 그래프는 ㄴ이다.

(4) x축에 대하여 서로 대칭인 그래프는 $y=ax^2$에서 a의 절댓값은 같고 부호가 다른 것이므로 ㄱ과 ㅁ이다.

08 (3) y축에 대하여 대칭이다.

(4) $a<0$일 때, x의 값이 증가할 때 y의 값이 감소하는 x의 값의 범위는 $x>0$이다.

09 (1) $y=-2x^2+5$에 $x=1$, $y=3$을 대입하면

$3=-2\times1^2+5$

따라서 점 $(1, 3)$은 $y=-2x^2+5$의 그래프 위의 점이다.

(2) $y=-2x^2+5$에 $x=-2$, $y=1$을 대입하면

$1\neq-2\times(-2)^2+5=-3$

따라서 점 $(-2, 1)$은 $y=-2x^2+5$의 그래프 위의 점이 아니다.

(3) $y=-2x^2+5$에 $x=-3$, $y=13$을 대입하면

$13\neq-2\times(-3)^2+5=-13$

따라서 점 $(-3, 13)$은 $y=-2x^2+5$의 그래프 위의 점이 아니다.

11 (2) 이차함수 $y=-x^2$의 그래프를 x축의 방향으로 2만큼 평행이동한 것이다.

(4) x의 값이 증가할 때 y의 값도 증가하는 x의 값의 범위는 $x<2$이다.

12 (1) x 대신 $x+2$, y 대신 $y-1$을 대입하면

$y-1=3(x+2)^2$에서 $y=3(x+2)^2+1$

(2) x 대신 $x-5$, y 대신 $y+6$을 대입하면

$y+6=-\frac{3}{2}(x-5)^2$에서 $y=-\frac{3}{2}(x-5)^2-6$

14 (1) 꼭짓점의 좌표는 $(-1, -3)$이다.

(3) x의 값이 증가할 때, y의 값이 증가하는 x의 값의 범위는 $x<-1$이다.

(5) y축과 만나는 점의 좌표는 $x=0$을 대입하면 $y=-2-3=-5$이므로 $(0, -5)$이다.

15 꼭짓점의 좌표

$(-1, 2)$ ⇨ $(-1+2, 2+4)=(1, 6)$

$\therefore y=-\frac{1}{2}(x-1)^2+6$

[다른 풀이]

$y=-\frac{1}{2}(x+1)^2+2$에 x대신 $x-2$, y 대신 $y-4$를 대입하면

$y-4=-\frac{1}{2}(x-2+1)^2+2$

$\therefore y=-\frac{1}{2}(x-1)^2+6$

따라서 꼭짓점의 좌표는 $(1, 6)$이다.

16 (1) 점 $(1, 3)$을 지나므로 $y=-3x^2+q$에 대입하면

$3=-3+q \quad \therefore q=6$

(2) $y=-\frac{1}{2}x^2$의 그래프를 x축의 방향으로 p만큼 평행이동한 그래프의 식은 $y=-\frac{1}{2}(x-p)^2$이므로

이 식에 $x=2$, $y=-1$을 대입하면

$-1=-\frac{1}{2}(2-p)^2$, $(2-p)^2=2$, $2-p=\pm\sqrt{2}$

$\therefore p=2\pm\sqrt{2}$

(3) $y=-\frac{1}{2}x^2+x-\frac{9}{2}$

$=-\frac{1}{2}(x^2-2x)-\frac{9}{2}$

$=-\frac{1}{2}(x^2-2x+1-1)-\frac{9}{2}$

$=-\frac{1}{2}(x-1)^2-4$

따라서 $y=-\frac{1}{2}x^2$의 그래프를 x축의 방향으로 1만큼, y축의 방향으로 -4만큼 평행이동한 것이다.

$\therefore b=-4$

17 (1) $y=x^2-2x+3$

$=(x^2-2x+1-1)+3$

$=(x-1)^2-1+3$

$=(x-1)^2+2$

따라서 꼭짓점의 좌표는 $(1, 2)$

축의 방정식은 $x=1$

(2) $y=\frac{1}{2}x^2-x+2$

$=\frac{1}{2}(x^2-2x+1-1)+2$

$=\frac{1}{2}(x-1)^2+\frac{3}{2}$

따라서 꼭짓점의 좌표는 $\left(1, \frac{3}{2}\right)$

축의 방정식은 $x=1$

18 $y=-3x^2-6x-7$

$=-3(x^2+2x+1-1)-7$

$=-3(x+1)^2+3-7$

$=-3(x+1)^2-4$

(1) 축의 방정식은 $x=-1$

(2) 꼭짓점의 좌표는 $(-1, -4)$

(3) 제 3, 4분면을 지난다.

19 아래로 볼록이므로 $a>0$

축이 y축의 왼쪽이 있으므로 $ab>0$

$\therefore b>0$

y축과 만나는 점이 x축 아래쪽에 있으므로 $c<0$

20 (1) 꼭짓점의 좌표가 $(2, 5)$이므로 이차함수의 식을

$y=a(x-2)^2+5$로 놓으면

점 $(0, 1)$을 지나므로 $1=4a+5$, $a=-1$

따라서 구하는 이차함수의 식은 $y=-(x-2)^2+5$

이 식을 전개하여 정리하면

$y=-x^2+4x+1$

(2) 축의 방정식이 $x=4$이므로 $y=a(x-4)^2+q$로 놓으면

점 $(5, 8)$을 지나므로

$8=a+q$ …… ㉠

점 $(2, 2)$를 지나므로

$2=4a+q$ …… ㉡

㉡$-$㉠을 하면 $3a=-6$, $a=-2$

$a=-2$를 ㉠에 대입하면 $q=10$

$\therefore y=-2(x-4)^2+10$

$=-2x^2+16x-22$

(3) 이차함수의 식을 $y=ax^2+bx+c$라 하면

세 점 $(1, 2)$, $(-1, 0)$, $(2, -6)$을 지나므로

$2=a+b+c$ …… ㉠

$0=a-b+c$ …… ㉡

$-6=4a+2b+c$ …… ㉢

㉠, ㉡, ㉢에서

$a=-3$, $b=1$, $c=4$이므로

$y=-3x^2+x+4$

21 점 A$(0, 4)$이므로

$\triangle ABC=\frac{1}{2}\times\overline{BC}\times 4=16$

$\therefore \overline{BC}=8$

이 그래프는 y축에 대칭이므로

$\overline{OB}=\overline{OC}$이므로

B$(-4, 0)$, C$(4, 0)$

따라서 $y=ax^2+4$에 $(4, 0)$을 대입하면

$0=16a+4 \qquad \therefore a=-\frac{1}{4}$

22 아래로 볼록이므로 $a>0$

축이 오른쪽에 있으므로 $ab<0 \qquad \therefore b<0$

원점을 지나므로 $c=0$

따라서 $y=bx^2+cx+a=bx^2+a$의 그래프는

$b<0$이므로 위로 볼록하고 y축과 만나는 점 a가 $a>0$인 ⑤이다.

23 평행이동하여도 x^2의 계수는 변하지 않으므로 $a=-2$

$y=-2x^2$의 그래프를 x축의 방향으로 2만큼, y축의 방향으로 -3만큼 평행이동한 이차함수의 그래프의 식은

$y=-2(x-2)^2-3$

$=-2x^2+8x-11$

따라서 $a=-2$, $b=8$, $c=-11$이므로

$a+b+c=-5$

24 $y=\frac{1}{3}(x-3)^2-4$의 그래프를 x축의 방향으로 a만큼, y축의 방향으로 b만큼 평행이동한 그래프의 식은

$y=\frac{1}{3}(x-a-3)^2-4+b$

이 그래프가 꼭짓점이 원점인 포물선 $y=\frac{1}{3}x^2$이 되어야 하므로 $-a-3=0$, $-4+b=0$

$\therefore a=-3$, $b=4$

따라서 $ab=(-3)\times 4=-12$